K.A. Tucker

D1634654

DZIESIĘĆ PŁYTKICH ODDECHÓW

Przełożyła
Katarzyna Agnieszka Dyrek

FILIA
WYDAWNICTWO

Dla Lii i Sadie
Niech anioły zawsze Was strzegą

Dla Paula
Za nieustające wsparcie

Dla Heather Self
Za wszystkie fioletowe i zielone pióra na świecie

PROLOG

– Oddychaj – mawiała mama. – Dziesięć płytkich oddechów... Przyjmij je. Poczuj je. Pokochaj je. – Za każdym razem, gdy wrzeszczałam i tupałam ze złości, ryczałam z frustracji czy bladłam ze strachu, ona ze spokojem recytowała te same frazy. Za każdym razem. Słowo w słowo. Powinna była wytatuować sobie tę cholerną mantrę na czole.

– To nie ma sensu! – krzyczałam. Nigdy nie rozumiałam. Na co miały pomagać te płytkie oddechy? Dlaczego nie mogły być głębokie? I dlaczego dziesięć? Czemu nie trzy, pięć czy dwadzieścia? Wrzeszczałam, a ona uśmiechała się delikatnie. Wtedy nie pojmowałam.

Teraz już rozumiem.

ETAP PIERWSZY

WSPANIAŁE ODRĘTWIENIE

ROZDZIAŁ PIERWSZY

Słaby świst... Puls wali mi w uszach. Nie słyszę nic innego. Jestem pewna, że moje usta poruszają się, że ich wołam... *Mamo...? Tato...?* Nie słyszę jednak własnego głosu. Co gorsza, ich też nie słyszę. Odwracam się w prawo, żeby zobaczyć sylwetkę Jenny, ale jej ciało jest do mnie zbyt mocno przyciśnięte i dostrzegam tylko jej nienaturalnie wygięte kończyny. Drzwi są znacznie bliżej, niż powinny być. *Jenny?* Jestem pewna, że wypowiadam jej imię. Lecz ona nie odpowiada. Obracam się w lewo, ale widzę tylko mrok. Jest za ciemno, by dostrzec Billy'ego, jednak wiem, że tam jest, ponieważ czuję jego dłoń. Jest duża, silna, zaciśnięta na moich palcach. Ale nie rusza się... Staram się ją ścisnąć, jednak nie potrafię zmusić mięśni do tego wysiłku. Mogę tylko obrócić głowę i słuchać własnego serca, walącego jak młot. Mam wrażenie, że trwa to wieczność.

Nikłe światła... Głosy...

Widzę ich. Słyszę ich. Są dokoła, zbliżają się. Otwieram usta, by krzyknąć, ale nie mam siły. Głosy są donośniejsze, światła jaśniejsze. Świszczący dźwięk łapanego z trudem oddechu przejmuje mnie grozą. Brzmi jak walka o ostatnie tchnienie.

Słyszę głośne trzaski, jakby ktoś montował sceniczne reflektory. Nagle ze wszystkich stron na samochód pada oślepiające światło.

Wylatuje przednia szyba.

Metal pęka.

Wkrada się ciemność.

Płynie jakaś ciecz.

Krew.

Jest wszędzie.

Wszystko nagle znika i wpadam do zimnej wody, tonę w ciemnościach, gdy ocean pochłania mnie całą. Otwieram usta, by zaczerpnąć powietrza. Lodowata woda natychmiast wypełnia mi płuca. Ciśnienie w mojej klatce piersiowej jest nie do zniesienia. Mam wrażenie, że wybuchnę. Nie mogę oddychać... Nie mogę oddychać. *Płytkie oddechy* – słyszę w głowie polecenie mamy, ale nie potrafię go wykonać. Nie umiem wziąć ani jednego. Cała drżę, dygoczę, trzęsę się...

– Obudź się, kochana.

Otwieram oczy i widzę przed sobą wyblakły zagłówek. Chwilę zajmuje mi uspokojenie galopującego serca i zorientowanie się, gdzie jestem.

– Z trudem łapałaś powietrze – informuje głos.

Odwracam się i w przejściu zauważam pochyloną kobietę. Na jej głęboko pomarszczonej twarzy maluje się troska, jej pokrzywione palce staruszki łapią mnie za ramię. Cała kulę się w sobie, nie potrafię powstrzymać się od instynktownej reakcji na jej dotyk.

Delikatnie uśmiecha się i zabiera dłoń.

– Przepraszam, kochana, ale pomyślałam, że należy cię obudzić.

Przełykam ślinę i udaje mi się wychrypieć:

– Dziękuję.

Kiwa głową i przesuwa się, by wrócić na swoje miejsce w autobusie.

– To musiał być jakiś koszmar.

– Tak – odpowiadam swoim na powrót spokojnym i uprzejmym głosem. – Nie mogłam się doczekać, by się obudzić.

★ ★ ★

– Jesteśmy na miejscu. – Delikatne trącam Livie w ramię. Coś mruczy pod nosem i opiera głowę o okno. Nie rozumiem, jak może spać w takich warunkach, ale jakimś cudem udało jej się chrapać przez sześć godzin. Zaschnięta ślina tworzy ścieżkę wzdłuż jej podbródka. Jakie to urocze.

– Livie! – wołam raz jeszcze ze zniecierpliwieniem w głosie. Muszę wydostać się z tej puszki. Teraz.

Livie odpowiada niezdarnym machnięciem dłoni i miną pod tytułem: „Nie wkurzaj mnie, śpię".

– Olivio Cleary! – Tracę panowanie nad sobą, gdy inni pasażerowie zbierają się do wyjścia i wyjmują z górnego schowka swoje rzeczy. – No wstawaj. Muszę stąd wyjść, zanim całkiem zeświruję! – Nie chcę wyżywać się na niej, ale nic już na to nie poradzę. Niezbyt dobrze czuję się w ograniczonej przestrzeni. Po dwudziestu dwóch godzinach spędzonych w tym cholernym autobusie nawet skorzystanie z wyjścia awaryjnego i wyskoczenie przez okno brzmi nieźle.

Moje słowa w końcu odnoszą skutek. Livie powoli otwiera swoje niebieskie oczy i na wpół przytomnie gapi się przez chwilę na dworzec autobusowy Miami.

– Dojechałyśmy? – pyta, ziewając. Przeciąga się i obserwuje krajobraz. – O, patrz! Palma!

Stoję już w przejściu, przygotowując nasze plecaki.

– Jej, palmy! No dalej, idziemy. No chyba że chcesz spędzić kolejny dzień w podróży powrotnej do Michigan. – Ta wizja motywuje ją w końcu do działania.

Nim udaje się nam wysiąść z autobusu, kierowca wyjmuje rzeczy z dolnego bagażnika. Szybko lokalizuję różowe walizki. Nasze życia. Cały nasz dobytek został zredukowany do dwóch walizek. To wszystko, co przy pośpiesznym opuszczaniu domu wujka Raymonda i ciotki Darli udało nam się spakować. To bez znaczenia, mówię sobie, obejmując siostrę jedną ręką. Mamy siebie nawzajem. Tylko to się liczy.

– Tu jest gorąco jak w piekle – zauważa Livie w tym samym czasie, kiedy po moich plecach spływa strużka potu. Jest jeszcze rano, a słońce już mocno nas przypieka. Nie przypomina to jesiennego chłodu, jaki zostawiłyśmy w Grand Rapids. Livie ściąga czerwoną bluzę, zgarniając tym samym kilka ciekawskich spojrzeń chłopaków na deskorolkach, którzy za nic sobie mają znaki zakazu wejścia do strefy parkingowej.

– Już zaczynasz podryw, Livie? – drażnię się z nią.

Z rumieńcem na policzkach chowa się za betonowym filarem.

– Zdajesz sobie sprawę, że nie jesteś kameleonem, prawda…? Och! Ten w czerwonej koszulce właśnie tu idzie. – Z oczekiwaniem wyciągam szyję w stronę grupy.

Oczy Livie rozszerzają się z przerażenia na sekundkę, zanim orientuje się, że żartuję.

– Zamknij się, Kacey! – syczy, uderzając mnie w ramię. Livie nie znosi, kiedy jacyś faceci się na nią gapią. A to, że przez ostatni rok zmieniła się w powalającą laskę o kruczoczarnych włosach, wcale jej w tym nie pomaga.

Uśmiecham się szeroko, gdy obserwuję jej zmagania z bluzą. Nie ma pojęcia, jaka jest olśniewająca, a mnie to cieszy, gdyż mam być jej opiekunem.

– Żyj w nieświadomości, Livie. Moje życie będzie o wiele łatwiejsze, jeśli przez jakieś najbliższe pięć lat nadal będziesz taka niewinna.

Przewraca oczami.

– Dobra, Dziewczyno z Rozkładówki.

– Ha! – Właściwie uwaga niektórych z tych kolesi prawdopodobnie skupiona jest na mnie. Dwa lata intensywnego ćwiczenia kick-boxingu sprawiły, że mam ciało twarde jak skała. Do tego moje włosy w głębokim kasztanowym kolorze i błyszczące niebieskie oczy ściągają na mnie sporo niechcianej uwagi.

Livie jest moją piętnastoletnią kopią. Ma takie same błękitne oczy, ten sam smukły nosek, tę samą bladą irlandzką cerę. Jest między nami tylko jedna istotna różnica, kolor włosów. Gdyby zawiązać nam ręczniki na głowach, można by sądzić, że jesteśmy bliźniaczkami. Livie ma lśniące czarne włosy po matce. Jest też pięć centymetrów ode mnie wyższa, chociaż ja jestem pięć lat od niej starsza.

Tak, patrząc na nas, każdy półgłówek mógłby zgadnąć, że jesteśmy siostrami. Jednak na tym nasze podobieństwo się kończy. Livie jest aniołkiem. Serce jej pęka, gdy słyszy płacz dziecka, przeprasza, kiedy ktoś na nią wpadnie. Była wolontariuszką w kuchni dla ubogich i w bibliotece. Usprawiedliwia ludzi, gdy robią głupoty. Gdyby była na tyle dorosła, by prowadzić samochód, hamowałaby przed świerszczami. A ja… Ja nie jestem jak Livie. Być może wcześniej byłam bardziej do niej podobna. Ale już nie jestem. Tam, gdzie ja jestem chmurą burzową, ona jest niczym promyk słonka.

– Kacey! – Odwracam się i widzę Livie z uniesionymi brwiami, trzymającą otwarte drzwi taksówki.

– Słyszałam, że nurkowanie w śmietnikach w poszukiwaniu jedzenia nie jest takie zabawne, na jakie może wyglądać.

Robi niezadowoloną minę i z trzaskiem zamyka drzwi taksówki.

– W takim razie kolejny autobus. – Z irytacją szarpie rączkę walizki.

– Poważnie? Od pięciu minut jesteśmy w Miami, a ty już zaczynasz swoje fochy? Chcesz się stołować w śmietniku, Livie? W portfelu zostało mi wielkie nic, więc musimy jakoś przetrwać do niedzieli. – Wyciągam portfel, by go jej pokazać.

Livie wyrzuca z siebie:

– Przepraszam, Kacey. Masz rację. Po prostu jestem rozdrażniona.

Wzdycham i natychmiast żałuję, że jestem dla niej ostra. Livie nie jest wrogo nastawiona. Tak, sprzeczamy się, ale to ja zawsze jestem temu winna i wiem o tym. Livie to dobry dzieciak. Zawsze taka była. Jest prostolinijna, nawet zdyscyplinowana. Rodzice nigdy nie musieli jej czegoś dwa razy powtarzać. Kiedy zmarli i zajęła się nami siostra mamy, Livie zaczęła wychodzić z siebie, by być jeszcze lepszym dzieckiem. Ja podążyłam we wprost przeciwnym kierunku. Stałam się trudna.

– Chodź, tędy! – Łapię ją za ramię i rozkładam kartkę z adresem. Po długiej i żmudnej rozmowie ze starszym mężczyzną siedzącym za szybą – uzupełnionej o grę w kalambury i zaznaczanie ołówkiem na mapie miasta trzech tras – siedzimy w autobusie i mam szczerą nadzieję, że nie jedziemy na Alaskę.

Jestem zadowolona, bo daję radę. Oprócz mojej dwudziestominutowej drzemki w autobusie nie spałam od trzydziestu sześciu godzin. Jestem zmęczona, zmartwiona i wolałabym jechać w ciszy, ale niespokojne dłonie Livie oparte na kolanach szybko wybijają mi z głowy ten pomysł.

– O co chodzi, Livie?

Wahając się, ściąga brwi.

– Livie…?

– Myślisz, że ciotka Darla wezwała gliny?

Wyciągam rękę, by ścisnąć jej kolano.

– Nie przejmuj się tym. Nic nam się nie stanie. Nie znajdą nas, a nawet jeśli, policjanci będą musieli wysłuchać, co się stało.

– Ale on nic nie zrobił, Kace. Prawdopodobnie był na tyle pijany, że nie wiedział nawet, w którym pokoju się znajduje.

Zerkam na nią.

– Nic nie zrobił? Zapominasz o obleśnym starym drągu, jaki chciał ci wepchnąć między uda?

Usta Livie wykrzywiają się, jakby chciała zwymiotować.

– Nic nie zrobił, bo udało ci się wymknąć z pokoju i przybiec do mnie. Nie broń tego dupka. – Widziałam ten wzrok wujka Raymonda, jakim przez ostatni rok obdarzał dorastającą Livie. Słodką, niewinną Livie. Zmiażdżyłabym mu jaja, gdyby przekroczył próg mojego pokoju i on o tym wiedział. Jednak Livie…

– Cóż, mam nadzieję, że nie przyjadą po nas i nie każą nam wracać.

Kręcę głową.

– Tak się nie stanie. Teraz ja jestem twoim opiekunem i nie dbam o jakieś głupie prawnicze papierki. Nie pozwolę ci odejść ani na krok. Poza tym ciotka Darla nienawidzi Miami, pamiętasz?

Nienawidzi to mało powiedziane. Ciotka Darla jest nawróconą chrześcijanką, która cały wolny czas spędza na modlitwie i upewnianiu się, że wszyscy inni też się modlą albo wiedzą, że powinni się modlić, by uniknąć piekła, kiły i nieplanowanej ciąży. Jest przekonana, że duże miasta są pożywką dla wszelakiego zła na świecie. Powiedzieć o niej, że jest fanatyczką to za mało. Nie przyjedzie do Miami, chyba że sam Jezus jej nakaże.

Livie kiwa głową. Ścisza głos do szeptu.

– Myślisz, że wujek Raymond zorientował się, co się stało? Możemy mieć przez to poważne kłopoty.

Wzruszam ramionami.

– Obchodzi cię, czy się domyślił? – Po części żałuję, że nie zignorowałam próśb Livie i nie wezwałam glin, by zajęli się wujkiem Raymondem i jego „małą wizytą" w jej pokoju. Jednak Livie nie chciała mieć do czynienia z policyjnymi raportami, prawnikami i opieką społeczną, a z pewnością miałybyśmy do czynienia z całymi ich stadami. Być może nawet z lokalnymi gazetami. Żadna z nas tego nie chciała. Miałyśmy dosyć tego wszystkiego po wypadku. Kto wie, co stałoby się z Livie, skoro nie jest pełnoletnia? Pewnie wysłaliby ją do rodziny zastępczej. Nie oddaliby mi jej pod opiekę, ponieważ przez zbyt wielu specjalistów zostałam uznana za „niestabilną".

Zatem razem z Livie dobiłyśmy targu. Ja miałam nie zgłaszać wujka, a ona miała ze mną wyjechać. Ostatnia noc okazała się wymarzona na ucieczkę. Ciotka Darla poszła na całonocne czuwanie, więc po kolacji wrzuciłam wujkowi Raymondowi trzy pokruszone tabletki nasenne do piwa. Nie mogłam uwierzyć, że ten idiota wziął szklankę z napojem, który dla niego przygotowałam i podałam tak słodko. Od dwóch lat, od kiedy dowiedziałam się, że przegrał w karty nasz spadek, powiedziałam do niego nie więcej niż dziesięć słów. Nie domyślił się podstępu. Nim wybiła dziewiętnasta, chrapał na kanapie, co dało nam wystarczającą ilość czasu, by spakować walizki, wyczyścić jego portfel oraz pudełko ciotki Darli ukryte pod zlewem i wsiąść do autobusu. Być może uśpienie go i kradzież pieniędzy były przesadą. A może wujek Raymond nie powinien być obleśnym pedofilem.

★★★

– Sto dwadzieścia cztery – na głos odczytuję numer budynku. – To tutaj.

To dzieje się naprawdę. Stoimy ramię w ramię na chodniku tuż przed naszym nowym domem: dwupiętrowym blokiem mieszkalnym na Jackson Drive ze ścianami otynkowanymi na biało i małymi okienkami. To przyjaźnie wyglądające miejsce przypomina domki na wybrzeżu, chociaż znajduje się pół godziny drogi od najbliższej plaży. Robię głęboki wdech, niemal udaje mi się poczuć zapach kremu do opalania i wodorostów.

Livie przeczesuje swoją ciemną grzywę.

– Możesz powtórzyć, gdzie znalazłaś to mieszkanie?

– Na www.desperaci-szukajacy-mieszkania.com – żartuję. Po tym, jak tamtej nocy Livie wpadła do mojego pokoju z płaczem, wiedziałam, że musimy wynieść się z Grand Rapids. Od jednej internetowej oferty wynajmu do drugiej, aż w końcu napisałam e-maila do zarządcy budynku, oferując mu czynsz za pół roku z góry w gotówce. Dwa lata nalewania klientom kawy w Starbucksie poszły w cholerę.

Ale jest to warte każdej kropli nalanej przeze mnie kawy.

21

Schodami wspinamy się do bramy posesji.

– Zdjęcie w ogłoszeniu było świetne – mówię, naciskając klamkę w bramie, ale jest zamknięta. – Dbają o bezpieczeństwo.

– Tutaj. – Livie naciska pęknięty, okrągły dzwonek umiejscowiony po prawej. Nie wydaje żadnego dźwięku. Jestem pewna, że jest zepsuty. Próbuję opanować ziewanie, podczas gdy czekamy, aż ktoś przyjdzie.

Trzy minuty później przykładam dłonie do ust i już mam zamiar wykrzyknąć nazwisko zarządcy, gdy słyszę, że ktoś nadchodzi. Pojawia się niechlujnie ubrany mężczyzna w średnim wieku, o zniszczonej twarzy. Jego jedno oko znajduje się niżej od drugiego, na czubku głowy jest łysy i mogę przysiąc, że jedno ucho ma większe. Przypomina mi Slotha z filmu z lat osiemdziesiątych, *Goonies*, który oglądałyśmy z ojcem. Klasyk, jak mawiał tata.

Sloth drapie się po wystającym brzuchu i nic nie mówi. Założę się, że jest inteligentny jak jego filmowy bliźniak.

– Hej, jestem Kacey Cleary – przedstawiam się. – Szukamy pana Tannera.

Przez chwilę mierzy mnie przenikliwym wzrokiem. W duchu cieszę się, że założyłam jeansy zakrywające spory tatuaż, który mam na udzie, w razie gdyby zechciał oceniać mnie po wyglądzie. Następnie spojrzenie przesuwa na Livie i, jak na mój gust, przygląda jej się za długo.

– Jesteście siostrami, dziewczyny?

– Sugerują to nasze identyczne walizki? – odpowiadam, zanim udaje mi się powstrzymać. *Najpierw dostań się za bramę, dopiero później daj znać, jaką jesteś mądralą, Kace.*

Na szczęście Sloth unosi kąciki ust.

– Mówcie mi Tanner. Tędy.

Wymieniamy z Livie zszokowane spojrzenia. Sloth jest zarządcą? Przy akompaniamencie skrzypienia i brzęku otwiera nam bramę. Jakby po namyśle odwraca się ku mnie i wyciąga dłoń.

Zamieram, patrzę na mięsiste palce, ale nie wyciągam ręki. Dlaczego nie jestem przygotowana?

Livie zręcznie doskakuje i z uśmiechem chwyta jego dłoń, a ja cofam się o kilka kroków, żeby nie było złudzeń, bym miała do czynienia z dłonią tego gościa czy czyjąkolwiek dłonią. Livie jest świetna w śpieszeniu mi na ratunek.

Jeśli Tanner zauważa ten manewr, to nic nie mówi. Prowadzi nas przez patio, które zarastają zaniedbane krzewy i inne rośliny otaczające zardzewiały grill.

– To jest wspólne. – Lekceważąco macha ręką. – Jeśli chcecie grillować, opalać się, odpoczywać czy cokolwiek, tu jest na to miejsce.

Podchodzę do wysokich, sięgających kolan, przesuszonych kwiatów, które rosną wzdłuż granicy posesji i zastanawiam się, jak wielu ludzi uznałoby to miejsce za strefę relaksu. Mogłoby tu być ładnie, gdyby ktoś o to zadbał.

– Musi być pełnia czy coś – mruczy Tanner, gdy idziemy za nim w kierunku trzech par bordowych drzwi. Obok każdych znajduje się małe okienko, a każda z trzech podłóg przed nimi jest identyczna.

– Tak? Dlaczego?

– W tym tygodniu wynająłem drugie mieszkanie przez e-mail. Ta sama sytuacja: desperackie poszukiwania, niezwłoczna przeprowadzka i zapłata gotówką. Dziwne. Myślę, że każdy przed czymś ucieka.

Cóż, co można na to odpowiedzieć? Być może Tanner jest mądrzejszy niż jego filmowy bliźniak.

– Ten tutaj przyjechał dziś rano. – Wielkim paluchem wskazuje mieszkanie 1D, nim prowadzi nas do drzwi obok, na których jest złota zawieszka 1C. Kiedy szuka właściwego klucza, ogromny pęk grzechocze. – Teraz powiem wam, co mówię wszystkim najemcom. Mam tylko jedną regułę, ale złamcie ją i wylatujecie. Macie zachowywać spokój! Nie śmiećcie, nie urządzajcie dzikich imprez z narkotykami i orgiami...

– Przepraszam, ale czy mogę prosić o dookreślenie, co kwalifikuje się w stanie Floryda jako orgia? Trójkąty mogą być? A co, jeśli chodzi tylko o oral, no bo czasami... – wtrącam, zarabiając grymas od Tannera i ostrego kuksańca w łopatkę od Livie.

Tanner odchrząka i kontynuuje, jakby mu nie przerwano.

– Żadnych kłótni, rodzinnych czy innych. Nie mam cierpliwości do tego rodzaju gówna i wywalę was szybciej, niż będziecie mogły mnie okłamać. Rozumiecie?

Kiedy Tanner otwiera drzwi, kiwam głową i gryzę się w język, walcząc z ochotą zanucenia melodii z *Familiady*.

– Samodzielnie posprzątałem i pomalowałem. Nie jest nowe, ale powinno wam wystarczyć.

Mieszkanie jest maleńkie i skromnie urządzone. Ma aneks kuchenny z zielono-białymi kafelkami. Białe ściany tylko uwydatniają ohydną kwiecistą, brązowo-pomarańczową kanapę. Ciemnozielony dywan i słaby zapach kulek na mole przywodzi na myśl kiczowaty styl lat siedemdziesiątych. Co ważniejsze, mieszkanie w ogóle nie wygląda jak to na zdjęciu w internecie. A to niespodzianka.

Tanner drapie tył swojej siwiejącej głowy.

– Wiem, że nie ma tego wiele. Dalej są dwie sypialnie, a między nimi łazienka. W zeszłym roku zamontowałem nową toaletę, więc... – Jego taksujące spojrzenie przeskakuje na mnie. – Jeśli to wszystko...

Chce pieniędzy. Uśmiechając się słabo, sięgam do przedniej kieszonki w plecaku i wyciągam grubą kopertę. Kiedy mu płacę, Livie wchodzi głębiej do mieszkania. Tanner przygląda się jej, przygryza wargę, jakby chciał coś powiedzieć.

– Wydaje się zbyt młoda, by żyć na własną rękę. Wasi rodzice wiedzą, że tu jesteście?

– Rodzice nie żyją. – Wychodzi tak oschle, jak zamierzałam, i to załatwia sprawę. *Pilnuj własnych, cholernych spraw, Tanner.*

Blednie.

– Och, przykro mi to słyszeć.

Przez chwilę znajdujemy się w niezręcznej sytuacji. Krzyżuję ramiona na piersi, przez co daję do zrozumienia, że nie mam zamiaru ściskać żadnych rąk. Gdy Tanner odwraca się na pięcie i kieruje w stronę drzwi, wymyka mu się niewielkie westchnienie. On też nie może doczekać się ucieczki ode mnie. Rzuca przez ramię:

– Pralnia jest w piwnicy. Sprzątam ją raz w tygodniu, oczekuję, że wszyscy najemcy będą w niej utrzymywać porządek. Gdybyście czegoś potrzebowały, jestem w 3F.

Po zostawieniu klucza w zamku znika nam z oczu.

Znajduję Livie badającą szafkę w łazience stworzonej dla hobbitów. Próbuję do niej dołączyć, ale w pomieszczeniu nie ma miejsca dla nas obu.

– Nowa toaleta. Stary, odrażający prysznic – mamroczę, przesuwając stopą po pęknięciach na wysłużonych płytkach.

– Zajmuję ten pokój – oświadcza Livie, przeciskając się obok mnie i kierując do sypialni po prawej. Nie ma w niej nic za wyjątkiem komody i łóżka z brzoskwiniową narzutą. Czarne smugi znaczą pojedyncze okno wychodzące na front budynku.

– Jesteś pewna? Jest maleńki. – Nawet nie zaglądając do tego drugiego, wiem, że ten jest mniejszy. Taka właśnie jest Livie. Bezinteresowna.

– Tak. W porządku. Lubię, jak jest przytulnie. – Uśmiecha się. Trzeba przyznać, że bardzo się stara.

– Jeśli kiedyś będziesz chciała zrobić imprezę, nie będziesz mogła się ruszyć, gdy wejdzie tu naraz trzech facetów. Zdajesz sobie z tego sprawę, prawda?

Livie rzuca we mnie poduszką.

– Bardzo zabawne.

Moja sypialnia jest podobna, chociaż jest nieco większa, ma podwójne łóżko nakryte brzydkim zielonym kocem z dzianiny. Wzdycham i marszczę nos z powodu rozczarowania.

– Przykro mi Livie, ale to miejsce w ogóle nie przypomina tego z ogłoszenia. Cholerny Tanner i jego podkoloryzowane reklamy. – Pochylam głowę. – Zastanawiam się, czy mogłybyśmy go pozwać.

Livie prycha.

– Nie jest tak źle, Kace.

– Teraz tak mówisz, ale jak będziemy wyganiać karaluchy z chlebaka...

– Ty będziesz wyganiać? Jestem w szoku.

Śmieję się. Tylko kilka rzeczy wciąż potrafi mnie rozbawić. Jedną z nich jest Livie próbująca brzmieć sarkastycznie. Stara się być wyluzowana i otwarta. Kończy, brzmiąc jak jeden z tych spikerów radiowych, którzy z dramatyzmem w głosie przekazują banalną historię o tajemniczym morderstwie.

– To miejsce jest do bani, Livie. Przyznaj to. Jednak jesteśmy tutaj i to wszystko, na co w tej chwili możemy sobie pozwolić. Miami jest cholernie kosztowne.

Jej dłoń wślizguje się w moją, więc ją ściskam. Potrafię znieść dotyk tylko jej dłoni. To jedyna, jaka nie wydaje mi się martwa. Czasami puszczenie jej sprawia mi trudność.

– Mieszkanie jest doskonałe, Kace. Troszkę małe, zielone i śmierdzące kulkami na mole, ale jest blisko do plaży! To wszystko, czego chciałyśmy, prawda? – Livie przeciąga się i pyta: – To co teraz?

– Cóż, może na początek po południu pójdziemy zapisać cię do liceum, żeby mózg ci się nie skurczył – mówię, otwierając walizkę, by ją rozpakować. – W końcu kiedyś zarobisz miliardy dolarów na leczeniu raka i będziesz mi wysyłać kasę. – Przekopuję się przez ubrania. – Muszę znaleźć jakąś siłownię. Później pójdziemy sprawdzić, ile puszek mielonki i kremu z kukurydzy zdołamy kupić za wystawianie na rogu przez godzinę mojego spoconego, rozpalonego ciała. – Livie kręci głową. Czasami nie podziela mojego poczucia humoru. Niekiedy zastanawiam się, czy uważa, że mówię serio. Pochylam się, by zdjąć z łóżka pościel. – I z pewnością musimy posprzątać całe to mieszkanie.

★ ★ ★

Pralnia znajdująca się w piwnicy naszego budynku jest całkowicie inna niż ta w naszym domu. Panele świetlówek ostro oświetlają niebieską betonową podłogę. Kwiatowy zapach w powietrzu ledwie maskuje odór stęchlizny. Pralki mają przynajmniej po piętnaście lat i prawdopodobnie przysporzą naszym ciuchom więcej szkód niż pożytku. Przynajmniej nigdzie nie ma pajęczyn ani kłaczków kurzu.

Całą naszą pościel i koce pakuję do dwóch maszyn, przeklinając świat za to, że skazał nas na spanie w używanej pościeli. *Za pierwszą wypłatę kupię nowe komplety* – postanawiam. Dodaję mieszaninę wybielaczy i płynów do prania, ustawiam program z najwyższą temperaturą, który powinien nazywać się „wygotowanie każdego cholernego żyjątka", przez co czuję się nieznacznie lepiej.

Korzystanie z pralek kosztuje sześć ćwierćdolarówek na każde pranie. Nienawidzę wrzucać kasy w pralni. Wcześniej z Livie zaczepiałyśmy przechodniów w centrum handlowym, by nam rozmienili pieniądze. Kiedy zaczynam wrzucać drobniaki do szczeliny, zdaję sobie sprawę, że mam je dokładnie wyliczone.

– Jest jakaś wolna pralka? – odzywa się za mną głęboki, męski głos, zaskakując mnie na tyle, że piszczę i ostatnie trzy ćwierćdolarówki wyrzucam w powietrze. Na szczęście mam doskonały refleks, więc dwie z nich łapię w locie. Wzrokiem śledzę ostatnią, która spada na podłogę i toczy się pod pralkę. Klękam i nurkuję, by ją wydobyć.

Jednak jestem zbyt wolna.

– Cholera! – Policzkiem dotykam zimnego betonu, kiedy zaglądam pod maszynę w poszukiwaniu błysku metalu. Palce ledwie mieszczą mi się pod...

– Na twoim miejscu bym tego nie robił.

– Ach tak? – Teraz jestem wkurzona. Kto zakrada się za kobietą do piwnicznej pralni, jeśli nie jest psychopatą lub gwałcicielem? Może jest i tym, i tym. Może powinnam trząść portkami ze strachu. Jednak tak się nie dzieje. Nie łatwo mnie nastraszyć i, szczerze mówiąc, jestem zanadto wkurzona, żeby się bać. Niech no tylko mnie zaatakuje. Przeżyje szok życia. – Dlaczego? – syczę przez zaciśnięte zęby, starając się panować nad sobą. „Macie zachowywać spokój" – ostrzegał Tanner. Bez wątpienia coś we mnie wyczuwał.

– Ponieważ jesteśmy w chłodnym, wilgotnym pomieszczeniu pralni w podziemiu budynku w Miami. Wstrętne ośmionogie istoty, tak samo jak te obślizgłe, lubią kryć się w takich miejscach.

Cofam się, walcząc z gęsią skórką, występującą na samą myśl wyjęcia ręki z ćwierćdolarówką i dodatkiem w postaci węża. Niewiele rzeczy mnie przeraża, jednak oczy jak paciorki i wijące się ciało jest jedną z nich.

– Zabawne, słyszałam, że wstrętne dwunogie istoty też można spotkać w tych miejscach. Nazywają się Świry. Można powiedzieć, że to zaraza. – Pochylam się w krótkich spodenkach, więc musi mieć teraz ładny widok. *No dalej, zboku. Ciesz się, bo to wszystko, co dostaniesz. A jeśli poczuję jakikolwiek dotyk, natychmiast poślę cię na kolana.*

Odpowiada z gardłowym śmiechem:

– Dobra riposta. Zatem może wstaniesz z klęczek? – Z powodu jego słów stają mi włosy na karku. Jest coś zdecydowanie erotycznego w jego głosie. Słyszę dźwięk metalu trącego o metal, kiedy dodaje:

– Ten Świr ma dodatkową ćwierćdolarówkę.

– Cóż, zatem jesteś moim ulubionym rodzajem... – zaczynam mówić, gdy, podpierając się na pralce, podnoszę się, by stanąć z tym dupkiem twarzą w twarz. Oczywiście na maszynie stoi otwarte opakowanie z płynem do prania. Oczywiście trafiam w nie dłonią. Oczywiście płyn rozlewa się na pralkę i na podłogę. – Cholera! – klnę, ponownie opadając na kolana i patrzę, jak lepki zielony płyn rozlewa się wszędzie. – Tanner mnie wywali.

Głos Świra staje się cichy:

– Ile warte jest moje milczenie? – słyszę, jak podchodzi.

Instynktownie zmieniam pozycję, dokładnie tak, jak nauczyłam się na sesjach sparingowych, by kopniakiem go odepchnąć i sprawić, by wił się z bólu. Po mojej skórze przechodzą ciarki, gdy biała pościel ląduje na podłodze przede mną. Wciągam powietrze przez zęby i cierpliwie czekam, aż Świr podejdzie z lewej i kucnie.

Powietrze opuszcza moje płuca z głośnym wydechem, kiedy spoglądam na dwa głębokie dołeczki i najbardziej niebieskie oczy, jakie w życiu widziałam – kobaltowe obwódki z jasnoniebieskimi środkami. Mrużę oczy. *Są pośrodku turkusowe? Tak! O mój Boże!* Niebieska podłoga, stare pralki, ściany, wszystko wokół mnie znika pod ciężarem jego spojrzenia. Pozbawia mnie ono ochronnej powłoki wiedźmy, wyszarpując ją i zdzierając z mojego ciała, w sekundzie pozostawiając mnie nagą i bezbronną.

– Tym możemy to wytrzeć. I tak potrzebowałem płynu do prania – mruczy, a chłopięcy uśmiech rozbawienia maluje mu się na twarzy, gdy ciągnie swoją pościel, by zakryć nią cały rozlany płyn.

– Czekaj, nie musisz... – Mój głos niknie, a słabość w nim sprawia, że robi mi się niedobrze. Nagle zdaję sobie sprawę, jak bardzo się pomyliłam, gdy uznałam go za świra. Nie może być psycholem. Jest na to zbyt piękny i zbyt przyjazny. To ja jestem idiotką rozrzucającą monety, a on, by mi pomóc, ściera teraz swoją pościelą płyn z brudnej podłogi! Nie umiem wydobyć z siebie głosu. Nie kiedy gapię się na ręce Nieświra, czując, jak żar wdziera się do mojego podbrzusza. Jego koszula z podwiniętymi rękawami i kilkoma rozpiętymi guzikami ukazuje kawałek pysznie zapowiadającego się ciała.

– Zobaczyłaś coś, co cię zainteresowało? – pyta.

Ta zaczepka przenosi moje spojrzenie na jego uśmiechniętą twarz. Rumienię się. Niech go szlag! Wydaje się, że w mgnieniu oka potrafi przełączyć się z bycia Dobrym Samarytaninem do bycia Złym Kusicielem. Co gorsza, przyłapał mnie na gapieniu się na jego ciało. Mnie! Na gapieniu się! Codziennie na siłowni otaczają mnie boskie ciała i na mnie nie działają. Jakimś cudem nie jestem odporna na tego faceta.

– Właśnie się wprowadziłem. Do 1D. Jestem Trent. – Patrzy na mnie spod niewiarygodnie długich rzęs. Jego potargane złotobrązowe włosy pięknie okalają jego twarz.

– Kacey – dukam.

Zatem ten gość jest nowym lokatorem, naszym sąsiadem. Mieszka po drugiej stronie ściany mojego salonu! Jej!

– Kacey – powtarza.

Podoba mi się kształt jego ust, gdy wypowiada moje imię. Wpatruję się w nie i w jego białe zęby, a w moją twarz uderza trzecia fala gorąca. *Cholera!* *Kacey Cleary nie rumieni się dla nikogo!*

– Chciałbym podać ci rękę, Kacey, ale... – mówi Trent z cwaniackim uśmieszkiem, unosząc w górę dłonie całe umazane płynem.

No i proszę. Już po wszystkim. Pomysł, że miałabym dotknąć jego dłoni, działa jak kubeł zimnej wody, niszcząc dotychczasowe oczarowanie tym całym Trentem, wrzucając mnie na powrót do rzeczywistości.

Znów mogę jasno myśleć. Biorąc głęboki wdech, walczę, by reaktywować swoją ochronę, jako barierę przeciwko tej boskiej istocie, by ukrócić jakiekolwiek reakcje na niego, bym żyła własnym życiem i trzymała się z dala od niego. Tak będzie lepiej. *I właśnie o to chodzi, Kacey. O reakcję. O dziwną, nietypową reakcję na tego gościa. Wyśmienicie apetycznego gościa, jednak przecież nie chcesz tak naprawdę się w nic wplątywać.*

– Dzięki za ćwierćdolarówkę – mówię chłodno, wstaję i wciskam monetę w szczelinę pralki. Włączam maszynę.

– Przynajmniej tyle mogę zrobić w rewanżu za przestraszenie cię. – Wstaje i wkłada pościel do pralki za mną. – Jeśli Tanner będzie coś o tym wspominał, powiem mu, że to moja wina. I tak częściowo stało się to przeze mnie.

– Częściowo?

Śmieje się i kręci głową. Stoimy blisko siebie, tak blisko, że nasze ramiona niemal się stykają. To zbyt blisko.

Stawiam kilka kroków w tył, by zdobyć dla siebie nieco przestrzeni. Kończę, wpatrując się w jego plecy, podziwiając, jak niebieska krata koszuli układa się na szerokich ramionach i jak granatowe jeansy doskonale eksponują jego tyłek.

Przerywa to, co robi, by zerknąć przez ramię, i jego palące spojrzenie krzyżuje się z moim, sprawiając, że pragnę zrobić coś z nim, dla niego, jemu. Bezwstydnie mierzy mnie z góry na dół. Ten facet jest pełen sprzeczności. W jednej chwili słodki, w drugiej nachalny. Rozsadzająca umysł seksowna sprzeczność.

W głowie włącza mi się syrena alarmowa. Obiecałam Livie, że skończę z przypadkowym seksem. I skończyłam. Przez dwa lata nie miałam nikogo. A teraz proszę, oto zaczynam pierwszy dzień naszego nowego życia i jestem gotowa wskoczyć na tego faceta na pralce.

Nagle czuję się nieswojo. *Oddychaj, Kacey* – słyszę w głowie głos mamy. *Licz do dziesięciu, Kacey. Dziesięć płytkich oddechów.* Jak zwykle jej rady nie pomagają, ponieważ nie widzę w nich sensu. Wszystko, co ma teraz sens, to ucieczka od tej dwunożnej pułapki. Natychmiastowa ucieczka.

Przesuwam się w stronę drzwi.

Nie chcę tych myśli. Nie potrzebuję ich.

– A ty, gdzie...?

Biegnę schodami w górę, nim Trent kończy zdanie. Zatrzymuję się dopiero na piętrze i próbuję złapać oddech. Opieram się o ścianę, zamykam oczy, witając wracającą powłokę ochronną, która nasuwa mi się na skórę i z powrotem przejmuje kontrolę nad moim ciałem.

ROZDZIAŁ DRUGI

Świszczący dźwięk...

Jasne światła...

Krew...

Woda zalewa mi głowę. Tonę.

– Obudź się, Kacey! – Głos Livie wyciąga mnie z duszącego mroku i wrzuca z powrotem do sypialni. Jest trzecia nad ranem, a ja jestem mokra od potu.

– Dzięki, Livie.

– Dla ciebie wszystko – odpowiada cicho i kładzie się obok. Livie przywykła do moich koszmarów. Rzadko zdarza mi się przespać całą noc. Czasami sama się budzę. Niekiedy tak mocno łapię oddech, że Livie musi wylać mi na głowę szklankę zimnej wody, bym zdołała się obudzić. Dziś nie musiała posuwać się do tego.

Dzisiaj jest dobra noc.

Leżę cicho i nieruchomo, aż słyszę, że zaczyna powoli, rytmicznie oddychać. Dziękuję Bogu, że jej też mi nie zabrał. Zabrał wszystkich innych, ale zostawił Livie. Lubię myśleć, że tamtego wieczoru zesłał na nią grypę, by uchronić ją przez podróżą samochodem na mój mecz rugby. Uratowały ją zapchane płuca i katar.

Bóg oszczędził mi jeden promyk światła.

★ ★ ★

Wstaję wcześniej, by pożegnać się z Livie, ponieważ to jej pierwszy dzień w nowym liceum.

– Masz wszystkie dokumenty? – pytam. Podpisałam papiery jako jej prawny opiekun i kazałam powoływać się na nie, jeśli ktokolwiek zapyta.

– Jeśli są cokolwiek warte...

– Po prostu trzymaj się historii, Livie, a wszystko pójdzie sprawnie. – Szczerze mówiąc, nieco się martwię. Liczenie na to, że Livie skłamie, jest jak stawianie na to, że domek z kart przetrzyma wichurę. To niemożliwe. Livie nie potrafiłaby skłamać, nawet gdyby zależało od tego jej życie. Co tak jakby ma miejsce w tym przypadku.

Patrzę, jak kończy płatki Cheerios, łapie plecak i kilkanaście razy zakłada włosy za ucho. To jedno z jej natręctw. Mówi o tym, że Livie panikuje.

– Tylko pomyśl, Livie, możesz być, kim zechcesz. – Pocieszająco głaszczę ją po ramieniu, kiedy idzie do drzwi.

Pamiętam, że poczułam niewielką ulgę, gdy przeprowadziłyśmy się do ciotki Darli i wujka Raymonda, ponieważ poszłam do nowej szkoły i poznałam nowych ludzi, którzy nic o mnie nie wiedzieli. Byłam na tyle głupia, by wierzyć, że przerwa w dostrzeganiu współczucia w ludzkich oczach będzie trwała. Jednak w małych miasteczkach wieści prędko się rozchodzą i szybko skończyłam jedząc obiady w szkolnej łazience lub w ogóle nie chodząc na zajęcia, aby uniknąć szeptania za plecami. Jednakże teraz jesteśmy bardzo daleko od Michigan. Naprawę mamy szansę zacząć od nowa.

Livie zatrzymuje się i odwraca, by spojrzeć na mnie pustym wzrokiem.

– Jestem Olivia Cleary, nie staram się być kimś innym.

– Wiem. Chodziło mi tylko o to, że nikt nie zna naszej przeszłości. – Przyjazd tutaj był kolejnym punktem w naszych negocjacjach. Postawiłam warunek, że nie będziemy dzielić się z nikim naszą przeszłością.

– Przeszłość nie stanowi o tym, kim jesteśmy. Ja to ja, ty to ty i właśnie tym musimy być – przypomina mi Livie.

Wychodzi, a ja dokładnie wiem, co sobie myśli. Już nie jestem Kacey Cleary. Jestem pustą skorupą, która ma niewyparzoną gębę i nic nie czuje. Jestem podróbką Kacey.

★ ★ ★

Kiedy szukałam nowego mieszkania, chciałam znaleźć nie tylko przyzwoite liceum dla Livie, ale i dobrą siłownię dla siebie. Nie taką, w której chude jak szczapy laski lansują się w swoich nowych ciuszkach i przystają w pobliżu wagi pogadać przez telefon. Potrzebowałam siłowni, w której można walczyć.

Tak właśnie znalazłam The Breaking Point.

The Breaking Point jest takiej samej wielkości jak siłownia O'Malleys w Michigan, więc gdy wchodzę do środka, natychmiast czuję się jak w domu. Jest tu słabe oświetlenie, ring, a kilkanaście worków w różnych rozmiarach zwisa z krokwi. Powietrze przesycone jest znajomym zapachem potu i agresji – wynik stosunku klientów płci męskiej i żeńskiej równy pięćdziesiąt do jednego.

Wchodzę do głównej sali, oddychając głęboko, witając poczucie bezpieczeństwa, jakie niesie ze sobą znajomy zapach. Trzy lata temu, gdy po długotrwałej hospitalizacji wypuszczono mnie ze szpitala – po intensywnej rehabilitacji, mającej na celu wzmocnić prawą stronę mojego ciała, która ucierpiała w wypadku – zaczęłam uczęszczać na siłownię. Każdego dnia spędzałam tam wiele godzin, podnosiłam ciężary, robiłam *cardio*, wszystkie rzeczy, które mogły wzmocnić moją pogruchotaną stronę ciała, ale żadne ćwiczenie nie było w stanie pomóc mojej strzaskanej duszy.

Pewnego dnia zaczepił mnie mięśniak imieniem Jeff, mający więcej tatuaży i kolczyków niż niejedna leciwa gwiazda rocka. „Bardzo intensywnie trenujesz" – powiedział. Tylko przytaknęłam, niezainteresowana dalszym ciągiem tej konwersacji, póki nie wręczył mi wizytówki. „Odwiedziłaś kiedyś siłownię O'Malleys na końcu ulicy? Wieczorami uczę tam kick-boxingu",

Najwyraźniej mam talent. Szybko stałam się jego wzorową uczennicą, prawdopodobnie dlatego, że trenowałam bez przerwy siedem dni w tygodniu. Okazało się to idealnym mechanizmem radzenia sobie ze stresem. Z każdym kopnięciem i z każdym uderzeniem jestem w stanie przetransformować gniew, frustrację i poczucie krzywdy w jeden potężny cios. Wszystkie emocje nad pogrzebaniem, których ciężko pracowałam, mogę wyrzucić z siebie na siłowni i to nie w destruktywny sposób.

Na szczęście The Breaking Point nie jest drogi i można płacić co miesiąc bez żadnych długoterminowych umów. Akurat mam na zapłacenie miesięcznego karnetu. Wiem, że raczej powinnam wydać to na jedzenie, ale brak treningu nie wchodzi w grę. Dla społeczeństwa lepiej, jeśli ćwiczę.

Kiedy już opłaciłam wejście i pokazano mi, co gdzie jest, przebieram się i dopadam wolny worek. W tym momencie czuję na sobie ciekawskie spojrzenia. „Kim jest ta Ruda? Czy wie, co to za siłownia?". Wszyscy zastanawiają się, czy potrafię wyprowadzić choć gówno warty cios. Prawdopodobnie już obstawiają, który pierwszy zaliczy mnie pod prysznicem.

Niech tylko spróbują.

Ignoruję ich uwagę, głupie komentarze i szepty, rozciągam mięśnie, obawiając się ich nadwerężyć po trzydniowej przerwie w ćwiczeniach. I uśmiecham się. Zarozumiałe z nich dupki.

Biorę kilka oddechów, by ukoić nerwy, skupiam się na worku, który łaskawie, bez protestu pochłonie cały mój ból, moje cierpienie i nienawiść.

Wtedy je uwalniam.

Słońce nawet jeszcze nie wstało, a w moim pokoju rozbrzmiewa lamerski kawałek heavymetalowy dla podstarzałych typów. Budzik wskazuje szóstą rano. *Jasne, zgodnie z planem.* To trzeci dzień, kiedy ktoś z sąsiedztwa budzi mnie tak wystrzałowo.

– Zachowajcie spokój – mamroczę słowa Tannera, gdy naciągam sobie kołdrę na głowę. Najwyraźniej zachowanie spokoju oznacza, że nie można dobijać się do drzwi sąsiada i rozbić mu sprzętu grającego o ścianę.

Ale nie oznacza, że nie mogę się zemścić.

Łapię iPoda – to jedna z niewielu rzeczy oprócz ubrań, które spakowałyśmy – i przewijam listę odtwarzania. No i jest. Hannah Montana. Moja przyjaciółka Jenny rok przed wypadkiem wgrała mi ten cały młodzieżowy syf dla żartu. *Wygląda na to, że w końcu się przyda.* Odpycham na bok ból, który idzie w parze ze wspomnieniami związanymi z tymi piosenkami, kiedy wciskam guzik *play* i podkręcam głośność do maksimum. Zniekształcony dźwięk odbija się od ścian niewielkiej przestrzeni mojej sypialni. Prawdopodobnie wysadzę głośniczki, ale jest to tego warte.

I tańczę.

Jak wariatka skaczę po pokoju, wymachując rękami, licząc na to, że tamta osoba nie lubi Hannah Montany tak samo jak ja.

– Co robisz?! – krzyczy Livie, wychylając się zza drzwi w pomiętej piżamie i potarganych włosach. Podbiega do iPoda, by go ściszyć.

– Tylko daję nauczkę sąsiadowi. Tak jakby jest dupkiem.

Livie marszczy brwi.

– Spotkałaś go? Skąd wiesz, że to facet?

– Bo żadna laska nie puszcza tak gównianej muzyki o szóstej rano, Livie.

– Och. U mnie chyba nie słychać. – Ze zmarszczonym czołem uważnie studiuje ścianę graniczną. – To okropne.

Unoszę brew.

– Myślisz? Szczególnie, że wczoraj pracowałam do jedenastej w nocy!

Zaczęłam pierwszy dzień pracy w najbliższym Starbucksie. Byli zdesperowani, a ja miałam list polecający dzięki uprzejmości poprzedniego kierownika, dwudziestoczteroletniego maminsynka imieniem Jake, zakochanego w niesamowitym rudzielcu. Byłam na tyle sprytna, by być dla niego miła. Opłaciło się.

Po chwili Livie wzrusza ramionami i krzyczy:

– Impreza! – I daje głośniej.

We dwie skaczemy po pokoju, chichocząc, aż słyszymy walenie w drzwi.

Z twarzy Livie odpływa kolor. Taka właśnie jest – może warczeć, ale nie ugryzie. A ja? Ja się tym nie przejmuję. Zakładam znoszony, fioletowy szlafrok i z dumą idę do drzwi. *Zobaczmy, co ten gość ma do powiedzenia.*

Już trzymam rękę na klamce, by otworzyć drzwi, kiedy Livie szepcze szorstko:

– Czekaj!

Zatem nie otwieram, tylko obracam się i widzę Livie grożącą palcem wskazującym, jak zwykła robić mama, gdy szykowała się do karcenia.

– Pamiętaj, że obiecałaś! Taka była umowa. Zaczynamy od nowa, prawda? Nowe życie? Nowa Kacey?

– Tak, no i co z tego?

– No i czy możesz postarać się nie być królową lodu? Może spróbujesz być bardziej jak Poprzednia Kacey? Wiesz, ta, która nie budowała murów przed każdym, kto chciał się zbliżyć? Kto wie, może mogłybyśmy mieć tu przyjaciół? Tylko spróbuj.

– Chcesz się przyjaźnić ze starszym mężczyzną, Livie? Jeśli o to chodzi, mogłyśmy zostać w domu – mówię chłodno.

Ale jej słowa wbijają się prosto w moje serce niczym długa igła. Gdyby to były słowa kogoś innego, ześlizgnęłyby się po mojej grubej barierze ochronnej. Problemem jest to, że nie wiem, kim była Poprzednia Kacey. Nie pamiętam jej. Słyszałam, że jej tęczówki błyszczały, kiedy się śmiała, że grana przez nią na pianinie interpretacja *Stairway to Heaven* powodowała płacz u jej ojca. Miała hordy przyjaciół i wymykała się, kiedy tylko mogła, by się całować, ściskać i trzymać za ręce z chłopakiem.

Poprzednia Kacey umarła cztery lata temu, a wszystko, co po niej pozostało, to wrak. Wrak, który spędził rok na rehabilitacji, by naprawić zrujnowane ciało tylko po to, aby został wypuszczony ze strzaskaną duszą. Wrak, którego stopnie zjechały do najniższych w klasie. Który na rok wsiąknął w świat prochów i alkoholu, by jakoś sobie poradzić. Powypadkowa Kacey nie płacze, nie uroniła ani jednej łzy. Nie jestem pewna, czy wie, jak się to robi. Nie otwiera się, nie potrafi znieść dotyku dłoni, ponieważ przypomina jej o śmierci. Nie dopuszcza nikogo do siebie, ponieważ idzie za tym ból. Widok fortepianu wprowadza ją w stan odrętwienia. Jej jedyną pociechą jest walenie w wielki worek wypełniony piaskiem, aż ma zaczerwienione kostki, bolące nogi, a ciało – które trzyma się w kupie przy pomocy niezliczonych metalowych prętów i śrub – czuje się, jakby miało się rozpaść. Dobrze znam Powypadkową Kacey. Myślę, że utknęłam z nią na dobre i na złe.

Jednak Livie pamięta Poprzednią Kacey i to dla Livie będę się starać. Unoszę kąciki ust, by uformować uśmiech. Czuję się niezręcznie i obco, a sądząc po minie Livie, wyglądam nieco groźnie.

– Dobrze. – Odwracam się, by złapać za klamkę.

– Czekaj!

– Boże, Livie! Co znowu? – wzdycham z irytacją.

– Trzymaj. – Podaje mi różowy, nakrapiany czarnymi kropkami parasol. – To może być seryjny morderca.

Teraz odchylam głowę i się śmieję. To taki dziwny, rzadki dźwięk, ponieważ nie robię tego często, ale teraz jest prawdziwy.

– A co mam z tym zrobić? Szturchnąć go?

Livie wzrusza ramionami.

– Lepiej szturchnąć, niż sprać na kwaśne jabłko, jak miałaś w planie.

– Dobra, już dobra, zobaczymy, z czym tu mamy do czynienia. – Pochylam się do okienka przy drzwiach, odsuwam firankę i wypatruję siwiejącego pana w za małym podkoszulku i czarnych skarpetkach. Maleńka iskierka rozpala się we mnie na myśl, że może to Trent z pralni. Te pełne żaru oczy od paru dni bez zaproszenia nawiedzają moje myśli i ciężko mi je wyprosić, gdy już tam są. Złapałam się nawet na tym, że gapię się w ścianę oddzielającą nasze mieszkania, zastanawiając się, co tam robi. Jednak muzyka pochodzi z drugiej strony mieszkania, więc to nie może być on.

Zamiast niego przed naszymi drzwiami dostrzegam kołyszący się złoty kucyk.

– Poważnie? – prycham, odblokowując zamek.

Za drzwiami stoi Barbie. To nie żart. Prawdziwa, wysoka na metr siedemdziesiąt pięć, opalona, blond seksbomba z wydatnymi ustami i gigantycznymi, niebieskimi oczami. Brakuje mi słów, gdy widzę niewielkie spodenki i to, jak zniekształca się logo *Playboya* na jej bokserce. *One nie mogą być prawdziwe. Są wielkości balonów.*

Z transu wyrywa mnie głos, w którym słychać lekkie zaciąganie.

– Cześć, jestem Nora Matthews, mieszkam obok. Wszyscy nazywają mnie Storm.

Storm? „Burza" z sąsiedztwa z przyczepionymi na klatce piersiowej balonami?

Słyszę chrząknięcie i orientuję się, że nadal się na nie gapię. Szybko odrywam wzrok i kieruję spojrzenie ku jej twarzy.

– W porządku. Chirurg za darmo dodał kilka centymetrów, kiedy spałam – żartuje z nerwowym chichotem, powodując tym samym, że Livie zaczyna kaszleć z zaszokowania.

Oto nasza nowa sąsiadka Nora, znana także jako Storm, z wielkimi cyckami. Zastanawiam się, czy Tanner pouczył ją o zachowaniu spokoju i zakazie orgii, gdy wręczał jej klucze.

Wyciąga opaloną rękę, a ja natychmiast się spinam, walcząc, by moja negatywna reakcja nie była widoczna. To właśnie dlatego nienawidzę poznawania ludzi. Czy w dzisiejszych czasach nie moglibyśmy po prostu do siebie machać i dawać sobie spokój?

Kruczoczarna głowa wyłania się zza mnie, gdy Livie przeciska się, by uścisnąć wyciągniętą dłoń Storm.

– Cześć, jestem Livie. – W duchu dziękuję siostrze za kolejny ratunek. – To moja siostra Kacey. Jesteśmy nowe w Miami.

Storm obdarowuje Livie pięknym uśmiechem i zwraca się do mnie.

– Słuchajcie, przepraszam za muzykę. – *Zaraz pewnie powie, że to ja zaczęłam.* – Nie miałam pojęcia, że ktoś się wprowadził obok. Pracuję na nocki i moja pięcioletnia córka budzi mnie wcześnie rano. Tylko przy tej muzyce mogę pozostać na nogach.

Dopiero teraz zauważam, że ma przekrwione oczy. Kłuje mnie poczucie winy z powodu dziecka. *Cholera.* Nienawidzę poczucia winy, zwłaszcza gdy chodzi o nieznajomych.

Livie odchrząkuje i obdarowuje mnie spojrzeniem przypominającym, że mam nie być wiedźmą.

– Nic się nie stało. Może mogłoby być trochę ciszej? Albo coś z lat osiemdziesiątych? – sugeruję.

– Tata puszczał mi AC/DC. Wiem, że to, co grałam nie jest fajne. – Uśmiecha się. – Wyciągnę wnioski, tylko proszę, wszystko, byle nie Hannah Montana! – Wyciąga ręce w górę w geście poddania się, przez co Livie chichocze.

– Mamusiu! – Pojawia się malutka wersja Storm w piżamie w paski, chowa się za długimi, zgrabnymi nogami matki, przygląda się nam i ssie kciuk. Jest najpiękniejszą dziewczyneczką, jaką kiedykolwiek widziałam.

– To są nasze nowe sąsiadki, Kacey i Livie. A to jest Mia – przedstawia nas Storm, dłonią głaszcząc ciemnoblond loczki na główce córeczki.

– Hej – mówi Livie tonem zarezerwowanym dla małych dzieci. – Miło nam cię poznać.

Bez względu na to, jakim stałam się wrakiem, małe dzieci potrafią tymczasowo stopić lodową czapę pokrywającą moje serce. Dzieci i okrąglutkie szczeniaczki.

– Cześć, Mia – witam się miękko.

Mia cofa się, niepewna, co ma zrobić, i patrzy na Storm.

– Jest nieśmiała w stosunku do nieznajomych – przeprasza Storm, po czym patrzy w dół na Mię. – W porządku. Może te dziewczyny staną się twoimi nowymi przyjaciółkami.

Słowo „przyjaciółki" wystarcza. Mia wychodzi zza nóg matki i idzie w głąb naszego mieszkania, ciągnąc za sobą wyblakły żółty kocyk z polaru. W pierwszym momencie rozgląda się po mieszkaniu, jakby poszukiwała wskazówek, jakie są jej nowe przyjaciółki. Gdy w końcu jej spojrzenie ląduje na Livie, już się od niej nie odkleja.

Livie przyklęka, by być z Mią twarzą w twarz, a na jej ustach maluje się szeroki uśmiech.

– Jestem Livie.

Mia unosi swój kocyk z bardzo poważną miną.

– To Pan Magoo. Jest moim przyjacielem. – Kiedy się odzywa, widzę wielką szparę, bo brakuje jej dwóch przednich zębów. Jest przez to jeszcze słodsza.

– Miło mi cię poznać, Panie Magoo. – Livie ściska materiał między kciukiem a palcem wskazującym, imitując uścisk dłoni. Najwyraźniej Livie pozytywnie przeszła test Pana Magoo, bo Mia łapie ją za rękę i ciągnie do drzwi. – Chodź, poznasz innych moich przyjaciół. – Obie znikają w mieszkaniu Storm, zostawiając mnie sam na sam z jego właścicielką.

– Nie pochodzicie z tej części Stanów. – To stwierdzenie, nie pytanie. Mam nadzieję, że tak to zostawi. – Od dawna tu jesteście? – Taksujące spojrzenie Storm, podobnie jak poprzednio jej córka omiata nasz skromny salon, w końcu spoczywa na wiszącym na ścianie zdjęciu, na którym jesteśmy z rodzicami. Livie zabrała je ze sobą, gdy uciekałyśmy.

W duchu złoszczę się na Livie, że zawiesiła to zdjęcie, by wszyscy mogli je widzieć i zadawać pytania, nawet jeśli nie mają do tego prawa. Tylko kilka razy Livie koniecznie musiała postawić na swoim.

To jedna z takich sytuacji. Jeżeli ode mnie by to zależało, zdjęcie znajdowałoby się w pokoju Livie, gdzie mogłabym od czasu do czasu na nie zerkać.

Po prostu ciężko mi patrzeć na ich twarze.

– Zaledwie od kilku dni. Czyż nie ma tu domowej atmosfery?

Usta Storm wykrzywiają się w uśmieszek z powodu mojej próby błyśnięcia humorem. Razem z Livie przegrzebałyśmy miejscowy sklep Dollarama, gdzie wszystko jest po trzy dolary lub mniej, i zaopatrzyłyśmy się w artykuły pierwszej potrzeby. Poza tymi kilkoma rzeczami i rodzinnym zdjęciem, w mieszkaniu zamieniłyśmy tylko zapach kulek na mole na zapach wybielacza.

Storm kiwa głową i krzyżuje ręce na piersiach, jakby chroniła się przed chłodem. Jednak nie jest zimno. W Miami jest gorąco nawet o szóstej rano.

– Musi na razie wystarczyć, co? Nie możemy prosić o nic więcej – mówi cicho. Jakoś wydaje mi się, że mówi o czymś innym niż tylko mieszkanie.

Zza ściany dochodzi pisk zadowolenia, więc Storm się śmieje.

– Twoja siostra dobrze radzi sobie z dziećmi.

– Tak, Livie ma w sobie jakiś niezwykły magnetyzm, jeśli chodzi o dzieci. Żaden dzieciak nie umie jej się oprzeć. W domu często była wolontariuszką w przedszkolu. Jestem pewna, że dorobi się przynajmniej dwunastki własnych. – Pochylam się i symuluję szept, przysłaniając ręką usta. – Czekaj, aż dowie się, co będzie musiała robić z chłopakami, by to się stało.

Storm chichocze.

– Jestem pewna, że nie potrwa to długo. Jest powalająca. Ile ma lat?

– Piętnaście.

Kobieta powoli kiwa głową.

– A ty? Studiujesz?

– Ja? – wzdycham ciężko, walcząc z chęcią, by nie odpowiadać. Zadaje dużo osobistych pytań. W głowie słyszę, jak Livie mówi: „Spróbuj...".

– Nie, ja pracuję. Na szkołę przyjdzie czas. Może za rok czy dwa. – *Albo dziesięć.* Z pewnością dopilnuję, by najpierw Livie ustawiła się w życiu. To ona ma przed sobą świetlaną przyszłość.

Następuje długa chwila milczenia, gdy obie jesteśmy pogrążone w myślach.

– Musi na razie wystarczyć, co? – powtarzam jej wcześniejsze słowa i widzę w niebieskich oczach zrozumienie, słabo skrywające jej własne, ciemne zakamarki życia.

ETAP DRUGI

ZAPRZECZENIE

ROZDZIAŁ TRZECI

Na wpół śpiąco wchodzę do kuchni, w której przy stoliku znajduję Mię i Livie grające w karty w *Idź na ryby*.

– Dzień dobry! – woła Livie.

– Dzień dobry! – naśladuje ją Mia.

– Jest coś koło ósmej – mamroczę, sięgając do lodówki po karton taniego soku pomarańczowego, na który wczoraj się szarpnęłyśmy.

– Jak było w pracy? – pyta Livie.

Biorę duży łyk bezpośrednio z kartonu.

– Do dupy.

Słyszę ostry syk i odwracam się, by spostrzec paluszek Mii skierowany w moją stronę.

– Kacey powiedziała brzydkie słowo – szepcze.

Kulę się, gdy dostrzegam oburzenie w spojrzeniu Livie.

– Czasem może mi się wyrwać, dobrze? – Szukam sposobu, by się usprawiedliwić. Kiedy Mia jest w pobliżu, muszę uważać na słowa.

Mia przechyla główkę na bok, jakby rozważając moją logikę. Następnie, jak każdy pięciolatek, który potrafi skupić uwagę tylko przez chwilę, szybko zapomina o moim haniebnym wykroczeniu. Uśmiecha się i ogłasza:

– Idziecie na brunch. Nie śniadanie ani nie lunch.

Pytająco patrzę na Livie.

– Idziemy?

Livie marszczy czoło, wstaje i podchodzi do mnie.

– Obiecałaś spróbować – przypomina szeptem, żeby Mia nie słyszała.

– Obiecałam, że będę miła, a nie, że będę wymieniała się z sąsiadkami przepisami na muffinki – odpowiadam, mocno starając się zachować spokój.

Livie przewraca oczami.

– Przestań dramatyzować. Storm jest spoko. Myślę, że polubiłabyś ją, gdybyś jej nie unikała. Tak jak innych żywych stworzeń.

– Chciałabym ci przypomnieć, że w tym tygodniu byłam miła, kiedy serwowałam kilka tysięcy kubków z kawą tym żywym stworzeniom. I tym wątpliwie żywym też.

Livie patrzy na mnie, trzymając skrzyżowane ramiona na piersi, ale nic nie mówi.

– Nie unikam ludzi. – *A właśnie, że unikam.* Wszystkich, w tym Barbie. I Dołeczków zza ściany. Jego na bank. Jestem pewna, że kilka razy, gdy wracałam nocą do domu, dostrzegłam jego szczupłą sylwetkę, kiedy wyglądał przez okno, ale pochyliłam głowę i szybko przeszłam obok. Na myśl o ponownym spotkaniu z nim twarzą w twarz skręca mnie w środku.

– Naprawdę? Storm uważa inaczej. Kiedyś chciała z tobą pogadać, a ty wpadłaś do mieszkania jak błyskawica i nawet nie zdążyła się przywitać.

Udaję, że nagle jestem całkowicie pochłonięta piciem soku, by odsunąć moment konfrontacji. Przyłapana. Rzeczywiście uciekłam przed nią. Słyszałam, jak otwiera drzwi i jak woła: „Cześć, Kacey", więc pośpieszyłam do siebie i zatrzasnęłam drzwi.

– Bo jestem jak błyskawica. Dziewczyna Błyskawica brzmi fajnie – mówię.

Livie przygląda się, jak badam skromną zawartość naszej lodówki i w tym idealnym momencie zaczyna mi burczeć w brzuchu. Umówiłyśmy się, że będziemy wydawać tak mało, jak tylko można, póki do banku nie wpłyną pieniądze z kilku moich wypłat. Zatem żyjemy już ponad tydzień na podróbkach płatków śniadaniowych i makaronie z sosem bolońskim. Czuję się przez to osłabiona, zwłaszcza że do funkcjonowania potrzebuję znacznie więcej kalorii niż przeciętna dwudziestolatka. Myślę, że Storm za chęć nakarmienia nas zarabia pięć gwiazdek akonto potencjalnej przyjaźni.

Przeciągam językiem po przednich zębach.

– Dobra.

Twarz Livie rozjaśnia się.

– Czy to znaczy „tak"?

Nonszalancko wzruszam ramionami. Wewnątrz mnie rośnie panika. *Livie za bardzo przywiązuje się do tych ludzi.* Przywiązanie jest złe. Przywiązanie prowadzi do cierpienia.

Krzywię się.

– O ile nie zrobi makaronu.

Livie chichocze i wiem, że jest w tym coś więcej niż reakcja na mój kulawy żart. Wie, że się staram i to ją uszczęśliwia.

Zmieniam temat.

– A tak przy okazji, jak tam nowa szkoła? – Przez cały tydzień harowałam na popołudniowej zmianie, więc nie miałyśmy okazji pogadać, poza wymianą liścików zostawianych na kuchennym blacie.

– Och... w porządku. – Livie bladnie, jakby zobaczyła ducha. Sięga do plecaka, jednocześnie zerkając, czy Mia nadal jest zajęta grą w karty przy stole. – W szkole sprawdziłam e-mail – wyjaśnia, gdy podaje mi kawałek papieru.

Spinam się. Wiedziałam, że to nastąpi.

Najdroższa Olivio,
zakładam, że to siostra namówiła Cię do ucieczki. Nie jestem w stanie pojąć powodów, ale mam nadzieję, że jesteście bezpieczne. Proszę, odpowiedz mi, daj znać, gdzie jesteście. Przyjadę po Ciebie i zabiorę do domu, gdzie rodzice chcieliby, żebyś była. To by ich radowało. Nie jestem na Ciebie zła. Jesteś owcą sprowadzoną na

manowce przez wilka. Proszę, pozwól mi zabrać Cię
do domu. Wujek i ja bardzo za Tobą tęsknimy.

Kochająca
Ciocia Darla

Żar niczym wulkan eksploduje w moim wnętrzu i krew zaczyna gotować mi się w żyłach. I to nie z powodu komentarza o wilku. Mam to gdzieś. Nazywała mnie gorzej. Wkurza mnie, że używa naszych rodziców, by wywołać poczucie winy, dobrze wiedząc, że to zaboli Livie.

– Nie odpowiedziałaś, prawda?

Livie z powagą kręci głową.

– To dobrze – syczę przez zaciśnięte zęby, zgniatając kartkę w zbitą kulkę. – Skasuj konto. Załóż nowe. Nigdy jej nie odpowiadaj. Nawet raz, Livie.

– Dobrze, Kacey.

– Mówię poważnie! – słyszę, jak Mia wzdycha, więc łagodzę ton głosu. – Nie potrzebujemy ich w naszym życiu.

Następuje chwila ciszy.

– Ona nie jest zła. Chce dobrze – mówi miękko Livie. – Nie ułatwiałaś jej życia.

Przełykam rywalizującą z gniewem gulę poczucia winy formującą mi się w gardle.

– Wiem, Livie. Naprawdę. Ale to, że ciotka Darla „chce dobrze", wcale nie oznacza dobrze dla nas.

Pocieram czoło. Nie jestem głupia. W pierwszym roku po wypadku wkładałam wiele wysiłku w naprawę swojego ciała, bym ponownie mogła się ruszać. Kiedy wypuszczono mnie ze szpitala, całą swoją uwagę poświęcałam wrzucaniu wspomnień z poprzedniego życia do bezdennej studni. Jednak bywały dni, w których było to niemożliwe – święta, urodziny i takie tam. Szybko więc nauczyłam się, że alkohol i narkotyki, choć niszczą życie, mają również pewne magiczne moce: potrafią przytępić ból. Zatem coraz bardziej polegałam na tej broni przeciwko stałemu, przytłaczającemu szumowi wody zalewającej mi głowę, grożącej utopieniem.

One i seks. Bezsensowny i bezmyślny, seks na zasadzie „bierz, co chcesz", z nieznajomymi, którzy nic mnie nie obchodzili i których ja nic nie obchodziłam. Bez żadnych oczekiwań, przynajmniej z mojej strony. Chłopaki na imprezach, koledzy ze szkoły. Jeżeli po fakcie czuli się niezręcznie, miałam to gdzieś. Nigdy nie pozwalałam im się zbliżyć na tyle, by zrozumieli. To był doskonały mechanizm radzenia sobie z tragedią.

Ciotka Darla wiedziała, co się dzieje. Nie wiedziała tylko, jak sobie z tym poradzić. Początkowo próbowała skontaktować mnie ze swoim księdzem, żeby mógł wypędzić siedzące we mnie demony. To wszystko miało być dziełem demonów, przynajmniej według niej. Jednak kiedy demony okazały się odporne na jej kościelne moce, zdecydowała, że najlepsza będzie ignorancja. „To tylko etap" – słyszałam, jak pocieszająco szeptała do Livie. Odrażający etap samopotępienia, w którym nie chciała uczestniczyć. Od tamtego momentu cała jej uwaga skupiała się na „niezepsutej" siostrzenicy.

Nie przeszkadzało mi to.

Do momentu, gdy Livie obudziła mnie waleniem w plecy, bym nie udławiła się własnymi wymiocinami. Łzy płynęły jej po policzkach, szlochała histerycznie i w kółko powtarzała: „Obiecaj, że mnie nie zostawisz!". Jej słowa jak nóż przeszywały mi serce.

W tamtą noc zaprzestałam wszystkiego. Picia. Prochów. Przygodnego seksu. Seksu w ogóle. Od tamtego czasu nawet nie spojrzałam na faceta. Nie jestem pewna dlaczego. Chyba to wszystko jakoś jest powiązane w moim umyśle. Na szczęście niedługo później odnalazłam w kick-boxingu nowy sposób wyzwalania emocji. Livie nigdy nie pochwalała ani nie wspierała mnie w nowym uzależnieniu, ale jest zadowolona, że nie są to tamte rzeczy.

Zatrzaskuję drzwi lodówki, nie chcąc dłużej myśleć o ciotce Darli ani o swojej autodestrukcyjnej przeszłości.

– O której godzinie to śniadanie?

– Brunch! – z głośnym westchnieniem irytacji poprawia mnie Mia.

★ ★ ★

Rozkoszny zapach bekonu i kawy budzi we mnie napad głodu, kiedy wchodzimy za Mią do jej mieszkania. W duchu gratuluję sobie właściwego wyboru. Jeśli nic się nie wydarzy, będę miała dzisiaj na siłowni sporo energii.

Z uwagą i podziwem oglądam mieszkanie Storm. To lustrzane odbicie naszego, tyle że tu jest przyjemnie. W salonie ma narożną sofę w gołębim kolorze z błyszczącymi poduszkami i małe szklane stoliki z pięknymi kryształowymi lampami. Płaski telewizor stoi na stylowej szafce z drewna tekowego. Ohydny zielony dywan wygląda spod kremowego, kudłatego dywanika. Ściany są jasnoszare, wypełnione biało-czarnymi fotografiami Mii. Podczas gdy nasze mieszkanie wygląda jak taniocha do wynajęcia, lokal Storm wygląda jak modny, dziewczęcy butik.

Muszę przyznać, że kiedy siedzimy przy stole, a Livie i Mia przerzucają się żarcikami, podczas gdy ja słucham Storm, czy tego chcę, czy nie, zaczynam ją lubić. Chociaż patrząc na te rozpraszające balony na jej klatce piersiowej, nigdy bym o niej nie powiedziała, że jest inteligentna i zachowuje się wyjątkowo dojrzale jak na swoje dwadzieścia trzy lata. Nie trzeba wiele czasu, by to dostrzec. Jest wyluzowana i od czasu do czasu miękkim, ale gardłowym głosem rzuca jakiś dowcip. Często przeczesuje palcami włosy, łatwo wywołać u niej uśmiech, a w jej oczach widzę tylko szczerość i zainteresowanie. Jak na kogoś tak urodziwego, nie jest próżna czy zapatrzona w siebie. Głównie słucha. I patrzy. Jej wielkie oczy wychwytują wszystko. Przyłapuję ją przyglądającą się tatuażowi na moim udzie. Jej spojrzenie lekko się zwęża, więc jestem pewna, że dostrzegła okropną bliznę znajdującą się pod nim. To moja największa blizna, która nie powstała na skutek którejś z licznych operacji, tylko została spowodowana rozszarpaniem przez lecący kawałek szkła.

Ale nie pyta o bliznę i przez to jeszcze bardziej ją lubię.

– O rany! – mówi Storm, ziewając. Ma zaczerwienione oczy i sine worki pod nimi. Opierając się na łokciach, szybko przeciera twarz. – Nie mogę się doczekać, kiedy Mia nauczy się dłużej spać. Przynajmniej w tygodniu, jak jest w przedszkolu, mogę zaliczyć jakąś poranną drzemkę.

– Och, właśnie miałam pytać. Nie miałabyś nic przeciwko, żebym zabrała Mię do parku przy końcu ulicy? – pyta Livie, jakby rzeczywiście o tym myślała i zapomniała powiedzieć. Od razu widzę, co robi. Taka właśnie jest Livie. – Nie spuszczę jej z oka. Ani na momencik, obiecuję. Mam kurs z pierwszej pomocy, uprawnienia młodszego ratownika i tysiąc godzin spędzonych w prywatnym przedszkolu. – Livie zaczyna przedstawiać swoje imponujące CV. –

W mieszkaniu mam wydrukowany życiorys, gdybyś chciała zobaczyć. I referencje! – *Oczywiście, Livie.* – Wróciłybyśmy za jakieś cztery godziny, jeśli nie będziesz miała nic przeciwko.

– Tak, mamusiu! Zgódź się! – Mia podskakuje na kanapie, gorączkowo machając rączkami. – Zgódź się! Powiedz tak! Tak! Tak! Mamusiu, powiedz tak!

– Dobrze, dobrze, uspokój się. – Storm śmieje się, machając dłonią. – Oczywiście, że możesz ją zabrać, Livie. Spędziłaś z nią już tak dużo czasu, że nie martwię się o żadne referencje. Chociaż powinnam ci płacić!

– Nie. Absolutnie nie. – Livie kategorycznie odmawia, przez co zarabia ode mnie ostre spojrzenie. *Zwariowała? Cieszy się z jedzenia makaronu? Cały czas mamy jechać na mielonce?*

Livie pomaga Mii założyć buciki.

– Pa, mamusiu! – krzyczy Mia, wychodząc. Livie unika patrzenia mi w oczy. Jakby istniało między nami połączenie i mogła odczytać zjadliwe myśli wprost z mojej głowy.

Gdy tylko drzwi się zamykają, Storm opiera czoło na stole.

– Myślałam, że dzisiaj umrę. Och, Kacey. Przysięgam, że twoja siostra jest aniołkiem z magiczną różdżką, latającym na maleńkich, satynowych skrzydełkach. Nigdy nie spotkałam kogoś takiego jak ona. Mia już ją kocha.

Warstewka lodu na moim sercu roztapia się. Decyduję, że może uda mi się „spróbować" zaprzyjaźnić się ze Storm Matthews z wielkimi sztucznymi cyckami i całą resztą.

★ ★ ★

– Do zobaczenia później, Livie – mamroczę, chwytając rzeczy do pracy i robiąc niezadowoloną minę.

– Kace... – Następuje długa pauza, Livie przełyka ślinę, a ja wiem, że coś ją trapi.

– Rany, Livie! – Odchylam głowę w tył. – Wyduś to z siebie. Nie chcę się spóźnić do mojej fantastycznej pracy.

– Myślę, że powinnam zostać w Grand Rapids.

Zamieram. Gniew rozpala się we mnie na myśl o siostrzyczce pozostawionej w tamtym miejscu. Niebędącej ze mną.

– Przestań gadać pieprzone bzdury, Livie. – Dotykam jej nosa, a ona się wzdryga. – Oczywiście, że nie powinnaś zostawać w Grand Rapids.

– To jak uda nam się tutaj przeżyć?

– Będziemy się prostytuować, każda przez dziesięć godzin. Maksymalnie.

– Kacey!

Wzdycham i poważnieję.

– Coś wykombinujemy.

– Mogłabym iść do pracy.

– Musisz skupić się na nauce, Livie. Jednak... – Wskazuję na nią palcem. – Jeśli Storm ponownie zaoferuje ci pieniądze, przyjmij je.

Już kręci głową.

– Nie. Nie będę brała kasy za spędzanie czasu z Mią. To przyjemność.

– Powinnaś zażywać przyjemności z przebywania z ludźmi w twoim wieku, Livie. Na przykład z chłopakami.

Zaciska usta z uporem.

– Kiedy przestaną być idiotami, wtedy będę. Do tego czasu przebywanie w towarzystwie pięciolatki ma więcej sensu.

Staram się stłumić śmiech. To właśnie problem Livie. Jest nazbyt inteligentna. Jest genialnie mądra. Nigdy nie umiała nawiązać relacji z dziećmi w jej wieku. Myślę, że urodziła się z dojrzałością dwudziestopięciolatki. Utrata rodziców tylko to pogłębiła. Livie dorosła zbyt szybko.

– A co z tobą? Nigdy nie jest za późno, by spełnić marzenia o Princeton – mówi cicho.

Ucieka mi mało kulturalne prychnięcie.

– Livie, to marzenie umarło wiele lat temu i ty o tym wiesz. Ty tam pójdziesz, zapracujesz na pełne stypendium. Ja, gdy tylko uzbieram pieniądze, pójdę na jakąś miejscową uczelnię. – *I jakoś sfałszuję zapis o powtarzaniu dwóch okropnych klas.*

Marszczy czoło ze zmartwieniem.

– Miejscową, Kacey? Tacie by się to nie spodobało.
– Ma rację, że nie byłby zadowolony. Tata ukończył Princeton. Podobnie jak jego ojciec. Według niego równie dobrze mogłabym iść do szkoły z żółtym „M" w herbie i studiować na kierunku przewracanie burgerów. Ale rodzice nie żyją, a wujek Raymond roztrwonił cały nasz spadek, grając w karty w blackjacka.

Pamiętam noc, kiedy się o tym dowiedziałam, jakby to było wczoraj. Były moje dziewiętnaste urodziny i poprosiłam ciotkę Darlę i wujka Raymonda o nasze pieniądze, byśmy mogły się wyprowadzić. Chciałam zostać prawnym opiekunem Livie. Wiedziałam, że coś jest nie tak, gdy ciotka zaczęła unikać kontaktu wzrokowego. Wujek zająknął się, nim obwieścił, że nic nam nie zostało.

Kiedy rozbiłam już wszystkie naczynia, jakie stały na blacie w kuchni i kopnęłam wujka Raymonda w szyję tak mocno, że jego twarz stała się fioletowa, zadzwoniłam na policję, żeby zgłosić kradzież. Livie odebrała mi telefon i rozłączyła się, zanim ktokolwiek zdążył odebrać. Nie mogłyśmy wygrać. Raczej to ja zostałabym aresztowana. Chociaż moi rodzice byli bardzo rozsądnymi ludźmi, nie poczynili żadnych planów na wypadek swojej śmierci. Wszystkie pieniądze, jakie po nich zostały, po spłacie zadłużenia przeszły w ręce wujka i ciotki na „opiekę" nad nami. W duchu jestem nawet zadowolona, że wujek Raymond zrobił to, co zrobił. To dało mi uzasadniony pretekst, by zabrać siostrę i wyjechać, na dobre zostawiając tamtą część życia za sobą.

Klepię Livie po plecach, próbując złagodzić jej poczucie winy.

– Tata cieszyłby się, że jesteśmy bezpieczne. Koniec tematu.

★ ★ ★

Kiedy następnego dnia robię pranie, przyłącza się do mnie Storm. Uśmiecha się, ale oczy ma podpuchnięte. Livie znów zabrała Mię do parku i poważnie zastanawiam się, czy jej nie skopać tyłka za odmowę przyjęcia pieniędzy.

– Tanner ciskał gromy na temat tego. – Storm przesuwa stopę po lepkiej, zielonej plamie pozostałej po moim płynie do prania. Chowam głowę między ramionami, notując w pamięci, by tu wrócić i wyszorować podłogę. Myśl o Tannerze ciskającym czymkolwiek powoduje, że żółć podchodzi mi do gardła.

W ciszy kontynuuję swoje rozważania, aż zauważam, że Storm stoi bezczynnie i mi się przygląda. Oczywiste jest, że chce ze mną pogadać, jednak prawdopodobnie nie wie, od czego zacząć.

– Jak długo tu mieszkacie? – pytam w końcu.

Dźwięk mojego głosu chyba ją zaskakuje, bo wzdryga się i zaczyna przerzucać małe koszulki Mii i niewielkie majteczki.

– Och, chyba ze trzy lata. Budynek jest całkiem bezpieczny, ale i tak nie przychodzę tutaj sama w nocy.

Jej słowa sprowadzają moje myśli do Trenta i nie-chcianych uczuć, jakie z łatwością we mnie wznieca. Jesteśmy tu już kilka tygodni, a od tamtego czasu nie wpadłam na niego. Jeżeli głębiej się zastanowię, jeśli przyjrzę się temu, co tak bardzo chcę pogrzebać, od-kryję rozczarowanie z powodu tego faktu. Ale szyb-ko to niszczę i wyrzucam tam, gdzie inne niechciane uczucia.

– Jacy są pozostali mieszkańcy tego budynku?

Wzrusza ramionami.

– Wielu ludzi wprowadza się na krótko. Czynsz jest niewielki, więc jest tu dużo studentów. Do tej pory wszyscy byli mili, szczególnie dla Mii. Pani Potte-rage z drugiego piętra opiekuje się Mią po powrocie z przedszkola lub kiedy idę do pracy. Aha. – Macha palcem. – I unikaj jak ognia tego z 2B. To Zboczek Pete.

Z jękiem odchylam głowę.

– Super. Żaden budynek nie jest kompletny, jeśli nie ma w nim rezydującego zboczeńca.

– Och i nowy facet wprowadził się obok do 1D.

Nie potrafię kontrolować rumieńca wspinającego mi się na policzki.

– Ach, Trent – mówię od niechcenia, ustawiając program w pralce. Nawet jego imię wypowiadane głośno brzmi apetycznie. Trent. Trent. Trent. *Prze-stań, Kace.*

– Cóż, nie rozmawiałam z tym Trentem, ale wi-działam go i... o rany! – Sugestywnie porusza brwiami.

Świetnie. Moja sąsiadka o wyglądzie Barbie uważa, że Trent jest przystojny. Wszystko, co musi zrobić, to założyć ciasną koszulkę, a powali go na kolana. Orientuję się, że mam zęby boleśnie zaciśnięte i muszę się skupić, by rozluźnić mięśnie. *Może go sobie mieć i wszystkie problemy, jakie się z nim wiążą. Co cię to obchodzi, Kace?*

Storm zamyka drzwiczki pralki i wciska guzik. Wzdycha głęboko, dmuchnięciem odgarniając z twarzy długie kosmyki włosów.

– Będziesz tu siedzieć? – Patrzy na czasopisma, jakie ze sobą przyniosłam. – Mogłabyś wyjąć moje rzeczy, gdy skończą się prać? To znaczy, jeśli będziesz tutaj i jeśli to nie będzie kłopot.

Ponownie na nią spoglądam, na jej poszarzałą skórę i na fioletowe cienie pod jej niebieskimi oczami i dostrzegam, jak jest zmęczona. Młoda, samotna matka pięciolatki, pracująca sześć razy w tygodniu, każdej nocy do trzeciej nad ranem.

– Tak, żaden problem. – *Brzmi jak coś, co zrobiłaby każda miła i normalna osoba* – wmawiam sobie. Livie będzie ze mnie dumna.

– Na pewno? Nie chcę się narzucać.

Zauważam, że przygryza wargę i garbi się, więc dociera do mnie, że jest zdenerwowana. Jakby poproszenie mnie o pomoc wymagało od niej sporo odwagi, więc musi być zdesperowana, jeśli to robi. Kiedy zdaję sobie z tego sprawę, chcę walnąć czołem w ścianę. Najwyraźniej nie starałam się wystarczająco mocno, by być otwarta, jak obiecałam Livie. A Storm jest sympatyczna.

Naprawdę jest miła.

– Tak, panienko, myślę, że zaszczytem dla mnie będzie, jeśli wyjmę twoje pranie – zaciągam z podrabianym południowym akcentem, podnosząc gazetę, by powachlować się nią.

Twarz Storm rozjaśnia się z powodu zaskoczenia, po czym chichocze. Otwiera usta, by mi odpowiedzieć, ale nie wychodzi z nich żadne słowo. To nagłe ujawnienie się mojego poczucia humoru całkowicie ją powaliło. *Cholera. Livie ma rację. Jestem królową lodu.*

Szybko dodaję:

– Poza tym jestem ci winna przysługę za tamten tydzień. Przynajmniej tak mogę się zrehabilitować za Hannah, najokrutniejszą z broni. – Uśmiecham się i to nie jest wymuszony grymas. – Będę się przegrzebywać przez ogłoszenia o pracę, więc równie dobrze mogę wyciągać pranie w tym raju.

Storm marszczy brwi.

– Niezbyt dobrze pracuje ci się w Starbucksie? – Livie musiała powiedzieć jej, gdzie pracuję, bo ja z pewnością tego nie zrobiłam.

– Jest w porządku, ale zarobki są do dupy. Jeśli chciałabym do końca życia jeść mielonkę z chlebem w niebieskie kropki, to może być.

Kiwa głową w zamyśleniu.

– Może wpadniecie dzisiaj na kolację? – Otwieram usta, by odrzucić jej propozycję, ale Storm dodaje: – Jako moje podziękowanie za dzisiejszą opiekę Livie nad Mią. – Jest coś w jej głosie, mieszanina odwagi, ale także naturalność, co sprawia, że zamykam buzię. – I… – Nieco niepewnie przestępuje z nogi na nogę, jakby nie była pewna, czy powiedzieć głośno, co jej chodzi po głowie. – Wiesz, jak przyrządzać drinki?

– Och… – Mrugam zaskoczona z powodu nagłej zmiany tematu. – Nie jest na to za wcześnie?

Uśmiecha się idealnym uśmiechem.

– Martini czy Long Island?

– Umiem nalać średniej wielkości kieliszek tequili – przyznaję bez przekonania.

– Cóż, mogę porozmawiać z szefem i zobaczymy, czy będzie chciał cię zatrudnić, gdybyś chciała. Jestem barmanką w klubie. Zarobki są dobre. – Jej oczy rozszerzają się wraz z ostatnimi słowami. – Naprawdę dobre.

– Barmanka, co?

Uśmiecha się.

– To co o tym myślisz?

Poradziłabym sobie? Nic nie odpowiadam, tylko wyobrażam sobie siebie za barem. Moja wizja kończy się na roztrzaskanej butelką głowie klienta.

– Chociaż pewnie powinnam cię ostrzec – dodaje z wahaniem. – To klub dla dorosłych.

Czuję, jak czoło mi się marszczy.

– Co to znaczy dla dorosłych...?

– To klub ze striptizem.

– Och... – *Oczywiście.* Patrzę w dół, na siebie. – Tylko jestem typem dziewczyny lubiącej mieć na sobie ubrania.

Storm macha ręką.

– Nie, tym się nie martw. Nie będziesz musiała się rozbierać. Przyrzekam.

Ja? Miałabym pracować w klubie ze striptizem?

– Storm, myślisz, że pasowałabym tam?

– A potrafiłabyś się odnaleźć otoczona seksem, alkoholem i kupą kasy?

Wzruszam ramionami.

– Brzmi jak opis moich młodych lat. Z wyjątkiem kasy.

– Potrafiłabyś bardziej się uśmiechać? – pyta, nerwowo chichocząc.

Obdarowuję ją najlepszym fałszywym uśmiechem.

Kiwa głową z aprobatą.

– Dobrze. Myślę, że świetnie poradziłabyś sobie za barem. Wyglądasz tak, jak lubią.

Prycham.

– Jak wyglądam? Jakbym całkiem niedawno wysiadła z autobusu z Michigan i zrobiła wszystko dla kasy, żeby tylko nie jeść mielonki?

W kącikach oczu pojawiają jej się kurze łapki, gdy chichocze.

– Pomyśl o tym, a ja pogadam z szefem. To naprawdę dobra kasa. Dłużej nie będziesz musiała jeść mielonki. Nigdy. – I to mówiąc, wchodzi na schody. Rozmyślam nad tym. Dumam i patrzę, jak ciuchy Storm i Mii kręcą się w pralce. Myślę, gdy program się kończy i muszę przerzucić ubrania do suszarki, i wrzucić nową porcję do pralki. Kontempluję, gdy składam wyprane rzeczy, układam w równe stosy i wkładam do kosza, gapiąc się zbyt długo na skąpy strój Storm leżący w jednym z koszy. Mały czarny top, który wygląda jak coś pomiędzy biustonoszem z cekinami i czymś, co porozrywało dzikie zwierzę. Podnoszę tę rzecz. Czy ona w tym serwuje drinki, czy swoje ciało? To tłumaczyłoby jej absurdalny biust. Wow. Przyjaźnię się ze striptizerką. To brzmi dziwnie. Po czym utwierdzam się w tym przekonaniu, gdy składam jej bieliznę. To jeszcze dziwniejsze.

– Powiedz mi, gdzie będziesz w tym chodzić, żebym mógł popatrzeć. – Głęboki głos znów mnie zaskakuje.

Łapię oddech, przekręcając głowę, by zobaczyć, że Trent idzie w moim kierunku z torbą pełną prania przewieszoną na ramieniu. Na jego widok tracę oddech, ponieważ w jego policzkach bezwstydne ukazują się dołeczki. Minęły ponad dwa tygodnie, od kiedy wpadłam tu na niego, jednak jego widok natychmiast wznieca ogień w moim wnętrzu.

Znów w pralni? Czy to może być przypadek?
Wzdycham głęboko, zmuszając się do odprężenia.
Tym razem jestem lepiej przygotowana. *Nie będę
zachowywać się jak głupia koza. Nie pozwolę, by ta
piękna twarz mnie rozbroiła. Nie dopuszczę, by...*

– No proszę, Pralniana Nowicjuszka uderza ponownie.

Trent z uśmieszkiem na twarzy przesuwa spojrzeniem po moim ciele, na chwilkę zatrzymuje się,
by uważniej przyjrzeć się tatuażowi na udzie, zanim
powróci do mojej twarzy. Przez ten czas serce bije
mi jak szalone i myślę, że muszę zmienić majtki.
Cholera. Znowu to samo.

– Runda druga – mamroczę mimowolnie.

Z uniesionymi ze zdziwienia brwiami idzie
w kierunku otwartej pralki.

Próbuję nie gapić się na jego ciało ubrane w obci-
sły biały podkoszulek, obserwując, jak wrzuca białą
pościel do pralki.

– Często pierzesz pościel – zauważam spokojnym głosem, myśląc, że to dość neutralny komentarz.

Dłonie Trenta zatrzymują się na chwilę, po czym
wracają do przerwanej czynności. Mężczyzna chichocze i kręci głową, ale nic nie mówi. Nie musi.
Wpadłam na to, co mój komentarz może sugero-
wać, więc jęczę w duchu, walcząc z chęcią walnięcia
się w czoło, kiedy policzki stają się coraz cieplejsze.

Cała przewaga, którą myślałam, że mam, kiedy tu wszedł, właśnie się roztapia.

Jestem pewna, że jego pościel była świadkiem wielu poczynań. Musi mieć dziewczynę. Ktoś taki jak on z pewnością ją ma. Albo kilka koleżanek do łóżka. Tak czy siak, teraz chcę tylko wleźć w jakąś dziurę i schować się, póki on nie wyjdzie.

– Cóż mogę rzec, w Miami jest gorąco, szczególnie, gdy nie ma się klimatyzacji – wyjaśnia po chwili, jakby chcąc przełamać niezręczną ciszę. Tak przynajmniej staram się myśleć, póki zwinnie nie dorzuca ku mojemu udręczeniu: – Nawet bez ubrania czuję, że się gotuję.

Trent śpi nago. Mam sucho w ustach, gdy moja uwaga znów mimowolnie ląduje na jego klatce piersiowej. Po drugiej stronie ściany mojego salonu leży w łóżku nagi bóg. Choć myślałam, że to niemożliwe, moje serce jeszcze przyspiesza.

Otwieram usta, by zmienić temat, ale nie potrafię wydusić z siebie ani słowa. Zdania w mojej głowie układają się w bełkot. Nie mogę wymyślić jednej cholernej, sensownej odpowiedzi. Ani jednej. Ja, która sypię żartami na temat orgii, która miażdży najostrzejsze uwagi pod swoim adresem, jestem rozłożona na łopatki. Rozwalił moje tarcze ochronne za pomocą pościeli i wyobrażenia jego nagiego ciała.

I tych przeklętych dołeczków.

Patrzę, jak mięśnie jego ramion pracują, gdy nalewa płynu do prania. Kto mógł przypuszczać, że robienie prania może być tak seksowne? Kiedy odwraca się do mnie i mruga jednym okiem, dosłownie podskakuję.

– W porządku? – pyta.

Kiwam głową i próbuję wydobyć z siebie potwierdzenie, ale wychodzi mi coś na kształt odgłosu duszenia się kota i jestem pewna, że cała moja twarz staje w ogniu.

Trent zamyka pralkę i wrzuca drobniaki, by zacząć pranie, po czym odwraca się do mnie i pochyla.

– Jeśli mam być szczery, to widziałem, jak idziesz z praniem, więc złapałem, co miałem pod ręką, a nadawałoby się do wrzucenia do pralki.

Chwileczkę... o czym on mówi? Kręcę głową, by odzyskać trzeźwość myślenia. *Chyba mówi mi coś ważnego.*

Uśmiecha się, przeciągając ręką po swoich potarganych włosach. *Też chcę to zrobić* – myślę, mimowolnie zginając palce. *Proszę, pozwól mi to zrobić.* W rzeczywistości chcę zrobić z nim wiele rzeczy. Właśnie tutaj, w tej obskurnej piwnicy. Na pralce. Na podłodze. Wszędzie. Walczę z pragnieniem, by rzucić się na niego jak wściekłe zwierzę. Do diabła, właśnie dyszę jak jedno z nich.

– A co ludzie robią tutaj dla zabawy? – pyta, odchylając się nieco, by dać mi przestrzeń, jakby wiedział, że zaraz zemdleję z powodu jego bliskości.

– Yyy... – Chwilę zajmuje mi, by znaleźć słowa. I rozum. – Przychodzą do pralni?

To zdanie wychodzi mi niepewnie. *Cholera, co się ze mną dzieje?*

Śmieje się, patrzy mi na usta. Świadomość, że tam spogląda, sprawia, że wymykają mi się słowa, jakich umysł jeszcze nie zaakceptował:

– Nie wiem. Niedawno się tu przeprowadziłam. Jeszcze nie robiłam nic, by się rozerwać. – *O rany, Kacey, zamknij się! Zamknij się! Teraz brzmisz jak trzpiotka i ofiara losu!*

Trent opiera się o pralkę, krzyżując umięśnione ramiona na klatce piersiowej. Uśmiecha się ironicznie i patrzy na mnie. To spojrzenie trwa wieczność, aż pot spływa mi po plecach.

– Cóż, musimy to zmienić, prawda?

– Co?! – skrzeczę, a żar rozniecia mi się w dole brzucha. Znów skutecznie pozbawił mnie tytanowej osłony. Wywalił ją na inną planetę, gdzie nawet nie mam nadziei ponownie jej znaleźć. Jestem naga i bezbronna, a jego spojrzenie przenika mnie do głębi.

Przesuwa się oparty o pralkę, aż znajduje się obok mnie, jego biodro styka się z moim, ramię ma wyciągnięte do przeciwległego końca maszyny, na którym się opiera, zakłócając moją przestrzeń osobistą.

– Musimy zmienić to, że w ogóle się nie bawisz – mruczy.

Przestaję oddychać. Czuję się, jakby sięgnął w głąb mojego ciała i ścisnął mi bijące serce. Czy on zdaje sobie sprawę, co mi robi? Czy to oczywiste?

Przeciąga palcem wskazującym po mojej skroni i policzku, dołącza pozostałe palce, by objąć moją twarz. Opuszkiem kciuka przesuwa po mojej dolnej wardze, a ja tylko patrzę. Nie mogę się ruszyć. Nie drży mi ani jeden mięsień, jakby jego dotyk potrafił paraliżować.

– Jesteś taka piękna.

Moje emocje są pełne sprzeczności. Tak dobrze czuć jego dotyk na wardze, a mimo to jakiś głos w moje głowie krzyczy: *Nie! Stop! Uważaj!*

– Tak jak i ty. – Słyszę własny szept i natychmiast przeklinam zdradziecki głos. *Nie dopuść do tego!*

Pochyla się coraz niżej, aż jego oddech pieści moje usta. Jestem sparaliżowana. Przyrzekam, że ma zamiar mnie pocałować.

Przysięgam, że mam zamiar mu na to pozwolić.

Jednak on się prostuje, jakby przypomniał sobie o czymś. Odchrząkuje i puszczając mi oko, mówi:

– Do zobaczenia, Kacey. – Odwraca się i znika na schodach, a jego długie nogi przeskakują po dwa stopnie naraz.

– Taa... taa... Na... na pewno – jąkam się, podpierając się na pralce, bo moje nogi przeistoczyły się w galaretki. Jestem przekonana, że brakuje mi dwóch sekund do roztopienia się w kałużę. Walczę z chęcią, aby biec za nim. *Jeden... Dwa... Trzy...* Walczę, by strząsnąć z siebie niebezpieczną krawędź, nad którą zawędrowało moje ciało. Pochylam się i opieram policzek na pralce, moja wrząca skóra rozkoszuje się chłodem metalu.

Och, jest diabelnie dobry w tej grze. Zazwyczaj jestem niezła w kasowaniu takich typów. Byłam kobietą na siłowni, w której przeważali mężczyźni i codziennie w O'Malleys miałam do czynienia z takimi pokręconymi egomaniakami. *Potrzymaj mi worek... Pokaż mi, gdzie moje miejsce...* Komentarze były mało kreatywne i nigdy się nie kończyły. Po czym wielu stwierdziło, że muszę być lesbijką, ponieważ nie zrzucałam spodenek przed żadnym z nich, a wtedy te głupie komentarze nasiliły się dziesięciokrotnie.

Nigdy nie miałam problemu, by oprzeć się najgorętszemu z nich. Żadnemu nie udało się rozbić muru mojego instynktu zachowawczego, jaki wokół siebie zbudowałam. Cieszyłam się możliwością sparingu z nimi. Uwielbiałam posyłać ich na deski. Jednak nigdy nie zyskali mojego zainteresowania, fizycznego czy jakiegokolwiek innego.

Ale Trent... Jest w nim coś innego i nie muszę intensywnie myśleć, by na to wpaść. Jest coś w sposobie, w jaki wypełnia sobą pomieszczenie, w sposobie, w jaki na mnie patrzy, jakby bez wysiłku potrafił zidentyfikować i rozbroić każdy z moich mechanizmów obronnych, jakby umiał patrzeć przez nie i potrafił dostrzec tragedię leżącą pod nimi.

I chce tego.

– Pieprzony flirciarz – mamroczę pod nosem, gdy spieszę do umywalki. Opłukanie twarzy na chwilę gasi żar w mojej klatce piersiowej. Trent jest niesamowity. Tak bardzo grzeszny. Bardziej wyrafinowany niż te palanty, z którymi mam do czynienia na co dzień. – Jesteś taka piękna – powtarzam po nim, po czym ostrzejszym głosem powtarzam po sobie: – Tak jak i ty. Jestem pewna, że wszystkim o tym powie. Już widzę, jak spotyka Storm i przekazuje jej te słowa. *O Boże.* Żołądek skręca mi się tak mocno, że zaciskam palce w pięści, aż bieleją mi knykcie. Co się stanie, gdy spotka Storm? Zakocha się w niej, oto, co się stanie. Jest facetem. Jaki facet nie zakochałby się w Słodkiej Striptizerce Barbie? Wtedy stanę się niczym więcej, jak sąsiadką z 1C i będę musiała patrzeć, jak się obściskują na kanapie, słuchać, jak uprawiają dziki seks po drugiej stronie ściany mojej sypialni, i będę chciała urwać Storm łeb. *Niech to szlag.* Zanurzam dłonie w zimnej wodzie i ponownie ochlapuję twarz. W krótkim czasie ten gość stworzył trwałe szczeliny w mojej starannie wykonanej barierze zdrowego rozsądku i teraz nie wiem, jak ją naprawić, by chronić siebie, a jego trzymać na dystans.

By nikogo do siebie nie dopuścić.

Dziewięćdziesiąt dziewięć procent mnie wie, że powinnam trzymać się od niego z daleka. Nie ma sensu pozwalać mu się zbliżyć. Jeden rzut oka na mój bałagan i ucieknie, pozostawiając za sobą jeszcze większy burdel. A jednak gdy patrzę na pralkę, obok której stał, w której kręci się jego pościel, bardzo poważnie rozważam jej kradzież i zostawienie karteczki z wiadomością: „Przyjdź, żeby ją odzyskać". Ale nie. Wplatam palce w grubą grzywkę, przeciągając ręce na tył głowy, jakby powstrzymując czaszkę, żeby nie wybuchła. Muszę trzymać się od niego z dala. On zniszczy wszystko, na co tak ciężko pracowałam.

Nagle nie umiem wystarczająco szybko wydostać się z pralni.

★ ★ ★

Mia i Livie siedzą po turecku na podłodze w salonie, a między nimi rozłożona jest plansza do gry. Świeżo wykąpana Storm wrzuca paczkę makaronu spaghetti do wrzącej wody.

– Mam nadzieję, że nie będzie przeszkadzać ci cielęcina w sosie – mówi, gdy wchodzę bez pukania. Myślę, że etap pukania mamy już za sobą. Przecież dotykałam jej majtek.

– Mięso będzie mile widziane. Przyniosłam twoje ubrania.

Patrzy przez ramię na kosz pełen ciuchów i szok maluje się na jej twarzy.

– Poskładałaś mi bieliznę?

– Eee... Nie?

Odwraca się nieco bardziej, by przyjrzeć się mojej nadal mokrej twarzy i marszczy brwi.

– Co ci się stało?

Jak mam wytłumaczyć, że musiałam wziąć zimny miniprysznic w pralni, bo nasz serwujący gładką gadkę sąsiad mnie przyszpilił? Nie potrafię.

– Znów było jak w *Maksymalnym przyspieszeniu* Stephena Kinga. Pralka ożyła i rzuciła się na mnie. Pralnia i ja to wielkie nieporozumienie.

– Nigdy nie czytałam tej książki – mówi Storm, a ja w tym samym czasie słyszę cieniutki jęk.

– Jakoś się nie dziwię – mruczę pod nosem, gdy idę do kuchni, łapiąc po drodze zjadliwe spojrzenie Livie i przestraszone Mii.

Tata zmuszał nas do obejrzenia każdego filmu z jego czasów, ponieważ uważał, że klasyka nie może umrzeć. Często ludzie w moim wieku nie wiedzieli, o czym mówię.

Storm odwraca się do mnie i uśmiecha się szeroko. Ma na sobie fartuszek, na którym napisane jest: „Jak smakuje sos? Czy ktoś wie, gdzie jest plaster?".

– A właśnie, rozmawiałam z szefem. Jeśli chcesz, masz tę pracę.

– Storm! – Oczy wychodzą mi z orbit.

Jej długie, jasne loki kołyszą się, gdy porusza głową, śmiejąc się. Najwyraźniej mój szok jest dość zabawny. Widać, że jest szczęśliwa, mogąc przekazać mi tę wiadomość. Mam wrażenie, że naprawdę chce mi pomóc i nie ma w tym ukrytych powodów, po prostu jest miła.

– Jeszcze nie zdecydowałam. – *Okropna kłamczucha*. Dobra kasa to dobra kasa, a tak długo, jak nie będę musiała się rozbierać, zniosę pracę w samym środku cyrku wagin.

– Co to za praca? – pyta Livie z dużą ciekawością.

– Ze mną, tam, gdzie pracuję – wyjaśnia Storm.

– Mamusia zarabia, podając ludziom napoje w restauracji. Podoba mi się to! – Mia wstaje i biegnie, by chwycić pusty kubeczek stojący na blacie. – Życzy sobie pani szklankę lemoniady? – Powoli i starannie niesie go Livie.

– Dziękuję ci, uprzejma kelnerko. – Livie kłania się teatralnie i zaczyna pić wyimaginowanego drinka, jakby dopiero wróciła z Sahary. Kończy i mruga do Mii jednym okiem. Jednak kiedy odwraca się do mnie, jej zmarszczone czoło wyraża niepokój. – Będziesz serwować coś więcej niż lemoniadę, jak rozumiem?

Przytakuję, opuszczając głowę, by ponownie poprawić sztućce ułożone na stole, zanim znów będę musiała spojrzeć w jej zmartwione oczy. Przygryza dolną wargę, starając się ukryć jej drżenie, lecz ja wiem, o czym myśli. Boi się, że wrócę do tego mrocznego miejsca, w którym tequila leje się strumieniami, a numerki na jedną noc są czymś zwyczajnym. Nawet jeśli milion razy przysięgałam, że ten etap mam już za sobą, wciąż jest przerażona, że ponownie mnie straci. Nie mogę jej za to winić.

I właśnie dlatego zaskakują mnie jej kolejne słowa.

– Powinnaś ją przyjąć, Kacey.

Przechylam głowę na bok, gdy patrzę na nią. Wzrusza ramionami.

– Gdy będziesz ich obsługiwać, będziesz się mogła od tego odciąć, prawda?

– Prawda. – Kiwam powoli głową, przetwarzając tę logikę. Livie zawsze potrafi znaleźć dobre strony pewnych rzeczy. Rzucam okiem w kierunku Storm, by zobaczyć, jak intensywnie koncentruje się na mieszaniu sosu pomidorowego. Wiem, że musiała to słyszeć. Pewnie zastanawia się, jakie sekrety skrywają jej sąsiadki. Jak zwykle ma na tyle przyzwoitości, by się nie wtrącać.

– I z tego, co słyszałam, można dostać naprawdę dobre napiwki – dodaje Livie. – Być może przy użyciu fałszywych dokumentów też udałoby mi się dostać tam pracę!

– Nie! – krzyczymy ze Storm równocześnie i wymieniamy porozumiewawcze spojrzenia. Spojrzenia, które znaczą, że dla nas ta praca jest wystarczająco dobra, ale z pewnością nie jest taka dla Livie. Ona jest zbyt przyzwoita, jak na ten świat.

– Mamusiu, pracujesz dzisiaj? – ćwierka cieniutki głosik Mii, opóźniając kolejne pytania Livie.

Storm smutno uśmiecha się do córeczki.

– Tak, misiaczku. – Z pewnością trudno jest opuszczać dziecko na sześć wieczorów pod rząd.

– Mogę zostać z Livie? Proszę, mamusiu. – Mia składa rączki jak do modlitwy.

– Och, no nie wiem. Wydaje mi się, że dzisiaj zabrałaś Livie już dużo czasu, nie sądzisz?

– No, ale... mamusiu! – Mia zaczyna jęczeć i tupać, chodząc w kółko po pokoju, przypominając wszystkim, że ma tylko pięć lat. Zatrzymuje się zirytowana, wyrzuca rączki w górę i krzywi się. – Nie lubię pani Potterage!

– Jest sympatyczną panią, Mia – mówi Storm, wzdychając, jakby mówiła już to setki razy. Pochyla się ku mnie i szepcze: – Nie wiń mojego biednego dzieciątka. Potterage kopci jak stara lokomotywa. Ale zazwyczaj mogę polegać na niej przez cztery wieczory w tygodniu.

– Nie mam nic przeciwko – mówi Livie i klepie Mię po pleckach.

– Widzisz, mamusiu? Livie się zgadza!

Storm ma wątpliwości.

– Na pewno?

– Oczywiście. Właściwie, jeśli chcesz, mogę pilnować jej co wieczór – oferuje z pełną powagą Livie.

– Och, Livie, pracuję sześć nocy w tygodniu. To wielka prośba w stosunku do piętnastolatki. Zasługujesz na trochę czasu, by iść na imprezę, czy cokolwiek robi młodzież w dzisiejszych czasach.

Livie już kręci głową.

– Nie, to żaden kłopot i nie mam nic przeciwko.

– Szczypie Mię w policzek, kiedy mała podchodzi do niej. – Bardzo bym chciała.

Następuje chwila ciszy. Storm przełyka ślinę, rozważając propozycję.

– Ale pozwolisz, bym płaciła za twój czas. I bez dyskusji.

Livie macha ręką lekceważąco.

– Jasne, jak chcesz. Nieważne. I tak przez większość czasu będzie spała, a Kacey będzie z tobą w pracy, prawda? Więc przynajmniej nie będę sama.

Wszystkie trzy obracają się i patrzą na mnie z nadzieją.

Wymyka mi się głośne westchnienie.

– Tylko drinki, tak? Nie będę musiała oferować nikomu... nic innego?

W oczach Storm pojawia się błysk.

– Nie, chyba że będziesz chciała.

– I nie będę musiała nosić niczego odsłaniającego ciało?

– Cóż...

– A więc to tak.

– Chciałam tylko powiedzieć, że pokazując nieco dekoltu zarobisz więcej z napiwków, niż gdy będziesz ubrana jak mormonka. Dużo więcej. Na twoim miejscu pokazałabym maleńki kawałek skóry.

Ponownie wzdycham.

– A będę mogła zrezygnować, jeśli mi się nie spodoba? Bez urazy?

– Oczywiście, Kacey. Bez urazy – potwierdza Storm, na znak ślubowania unosząc drewnianą łyżkę.

Robię długą pauzę, aż Storm zaczyna się niecierpliwić.

– No dobra.

– Super! – Storm obejmuje mnie opalonymi ramionami, nieświadoma, że przez to kurczy mi się żołądek, a w głowie rozlega się krzyk. Tak samo niespodziewanie mnie puszcza i wraca do garnka z sosem, dając mi szansę na złapanie oddechu. – Tak przy okazji, zaczynasz dziś wieczorem.

– Dziś. Fajnie. – Nie potrafię ukryć sarkazmu w głosie, ponieważ motyle w brzuchu podrywają się do lotu, doszczętnie zabijając apetyt. Ciasno oplatam się ramionami, uznając, że klub pełen nowych znajomości oznacza podawanie ręki i pytania o prywatne sprawy, które nikogo nie powinny obchodzić. Nie jestem na to gotowa. Nie jestem przygotowana. *Jeden... Dwa... Trzy... Cztery...* Nim doliczam do dziesięciu, wpadam w panikę.

ETAP TRZECI

OPÓR

ROZDZIAŁ CZWARTY

Parkujemy jeepa Storm przy *Pałacu Penny*, gdy słońce chyli się za horyzont. Storm jeszcze nie wyłącza samochodu, a ja już z niego wyskakuję. Obchodzi auto, by stanąć przede mną ze spojrzeniem, jakiego dawno nie widziałam – to mieszanina zaskoczenia i niepokoju. Jednak nie komentuje mojego zachowania.

Za to poprawia mój wygląd, ciągnąc w górę małą, czarną spódniczkę, którą od niej pożyczyłam.

– Przestań się wiercić. – Odpycha moją dłoń. – Nie wiedziałam, że tak łatwo się denerwujesz.

– Dobrze ci mówić. Tobie nie wystaje tyłek. Nie wierzę, że zgodziłam się założyć tę przepaskę. Jeśli się pochylę, wszyscy zobaczą moją pupcię.

Storm się śmieje.

– Oczywiście, że powinnaś nosić tę przepaskę. Ona odsłania twoje niesamowite nogi.

– Odsłania więcej niż nogi – mruczę pod nosem, ponownie ciągnąc spódniczkę w dół, by zakryć dół mojego tatuażu. Nie wstydzę się go, tylko nie chcę zwracać na siebie więcej uwagi niż to konieczne.

– Dobry Boże! Niby taka z ciebie twardzielka, a jak przychodzi co do czego, to okazujesz się strachliwą dużą dziewczynką, co?

Ma rację. Czuję się tutaj niezręcznie i to jest przyczyną mojego dziwnego zachowania. Gdyby to była siłownia, nie miałabym problemu z króciutkimi spodenkami opinającymi mi tyłek. Jednak to nie jest siłownia i nie będę mogła nikogo tu skopać.

Przechylam głowę na bok, gdy patrzę na Storm.

– Czy ty właśnie nazwałaś mnie „strachliwą dziewczynką"?

Nie daje się sprowokować.

– A czy ty właśnie powiedziałaś: „pupcia"? To klub dla dorosłych, a nie przedszkole.

– Postaram się zapamiętać – chichoczę, gdy zbliżamy się do solidnych, metalowych, czarnych drzwi z maleńkim wizjerem na środku.

– Kacey, wyglądasz świetnie. Poważnie. – Staram się nie wzdrygnąć, gdy klepie mnie w ramię.

W duchu muszę przyznać, że naprawdę tak wyglądam. Oprócz miniówki mam na sobie wiązany na szyi grafitowy top i trochę srebrnej biżuterii z kolekcji Storm. Sąsiadka pomogła mi też przy czesaniu włosów i robieniu makijażu. Wyglądam lepiej niż dobrze. Chociaż nie mogę przebić Storm, która ma turkusową sukienkę, opaloną skórę i krzywizny Barbie, to i tak wyglądam przyzwoicie. Na tyle przyzwoicie, że, gdy wychodziłyśmy z bloku, bardzo powoli przechodziłam pod oknem 1D, mając nadzieję, że Trent mnie zobaczy. Po czym zdałam sobie sprawę, co robię, więc przebiegłam resztę drogi do jeepa Storm, a głos w głowie beształ mnie przez cały czas.

Storm cztery razy stuka w solidne drzwi. Ustępują, a moje wnętrzności się wywracają. Niewielu potrafi mnie jeszcze nastraszyć. Chociaż gigantyczny mężczyzna z ciemną skórą i wielkimi mięśniami, który wypełnia sobą całe wejście, daje radę... Mam gdzieś to, że tchórzę. Gdy tak na niego patrzę, stwierdzam, że nie zdziwiłabym się, gdyby ani razu w życiu się nie uśmiechnął. Z pewnością nie był uroczym dzieckiem. Jestem przekonana, że zmaterializował się bezpośrednio z nicości do bestii stojącej przede mną.

– To Nate. Jest głównym ochroniarzem i prawą ręką Caina. Hej, Nate! To moja przyjaciółka Kacey. – Storm nie czeka na jego odpowiedź. Po prostu przechodzi obok, opierając dłoń na jego twardym brzuchu i popychając delikatnie, by zszedł z drogi.

– Hej – mówi. Małe słówko huczy w moim wnętrzu. Gość ma głos jak grzmot, więc tymczasowo oniemiała jedynie kiwam głową. Odsuwa się, by zrobić mi nieco miejsca. – Proszę, wejdź.

Wymuszając w sobie odwagę, jakiej nie czuję, zadzieram brodę i wchodzę do środka. Storm prowadzi mnie wąskim korytarzem, gdzie stoją skrzynki z alkoholem i srebrne kegi, a w powietrzu unosi się zapach drożdży piwnych. Napływają mroczne wspomnienia związane z tym zapachem. Wspomnienia dyskotek, tequili pitej wprost z męskich torsów i białych kresek na stolikach w ciemnych kątach. Natychmiast wciskam je tam, gdzie ich miejsce. Do przeszłości.

– Tu jest szatnia dla tancerek... – Palec wskazujący Storm wyciągnięty jest w stronę zamkniętych drzwi. – Nie wchodź tam, chyba że chcesz się napatrzeć na wszelkiego rodzaju „pupcie" – mówi ze śmiechem.

Mijamy barczystego blondyna, ubranego w opięty czarny podkoszulek i czarne spodnie. Wnosząc po stroju, to kolejny ochroniarz, ale wygląda nieco mniej złowieszczo niż Nate. Jego aparycja mówi: „Jestem z Wisconsin i gram w football". Przypomina mi o Billym...

– Kacey, to Ben – przedstawia nas Storm.

– Cześć, Kacey. – Uśmiecha się i przechyla głowę, jakby właśnie mnie rozpoznał. – Nie widziałem cię kiedyś w The Breaking Point?

Przyglądam mu się. Nie pamiętam go, ale przecież nie zwracam uwagi na każdego faceta na siłowni.

– Być może. Niedawno tam trafiłam.

Powoli kiwa głową.

– Tak, to na pewno ty. – Spojrzeniem bezwstydnie taksuje całe moje ciało. – Jesteś niesamowita. Walczysz?

Puszczam mimo uszu komplement.

– E tam, robię to tylko dla zabawy. – Prawda jest taka, że uwielbiam walczyć, ale jest to dla mnie zbyt niebezpieczne, biorąc pod uwagę moje urazy. Jeden cios w nieodpowiednie miejsce i cała praca chirurgów, wykonana lata temu, by mnie poskładać, może iść w cholerę. Chociaż nie mam zamiaru ujawniać tego Benowi.

– Pierwsza noc w *Penny*? – pyta, opierając ramię na futrynie.

– Tak. – Rozpalone spojrzenie ponownie wędruje po mojej sylwetce. – Tylko na barze – dodaję, krzyżując ręce na piersiach, podkreślając: „tylko".

Powraca wzrokiem do mojej twarzy i szeroko się uśmiecha.

– Jasne, słyszałem to już wielokrotnie.

– A ode mnie usłyszysz to za każdym razem, gdy zapytasz – rzucam chłodno. Co za nadęty osioł. Potrzebuje porządnego kopniaka w łeb, by zetrzeć mu ten uśmieszek z twarzyczki. Może następnym razem na siłowni poproszę go o sparing.

Storm prowadzi mnie obok niego, rzucając przez ramię:

– Na razie, Ben. – Puka do drzwi z napisem „Super Szef". Obok znajduje się karykaturalny rysunek kobiety siedzącej w rozkroku, z boku przybite są czarne koronkowe stringi. *Jakie to akuratne.*

– A to biuro Caina. Nie martw się. Będziesz tu pasować – szepcze, otwierając drzwi. Gdy nie widzi, unoszę brwi. Myśli, że mnie zna. Myśli, że będę pasowała do silikonu, wódy, cipuszek lub jakkolwiek mam je nazywać.

Mogę się tylko domyślać, jak mądra jest naprawdę.

– Wejść! – woła szorstki głos, więc się spinam.

Wchodzę i widzę małe biuro, na wszystkich czterech ścianach od podłogi aż po sufit zastawione regałami, wypełnionymi każdym rodzajem alkoholu. Jest tu gorzały na tony.

– To część baru – wyjaśnia Storm. – Są tu wszystkie podstawowe trunki. W ten sposób można kontrolować, ile ich schodzi. Wciskasz przycisk pod barem i dostajesz pięćdziesiątkę. Wciskasz dwa razy, dostajesz setkę. To nie takie trudne.

– Zatem nie będę mogła odtworzyć mojej ulubionej sceny z *Koktajlu*? – mruczę, wyobrażając sobie kręcenie butelką niczym batutą.

Storm chichocze.

– Będziesz mogła, ale tańszymi trunkami, bo kiedy rozbija się butelka tych, to kosztuje fortunę.

Mężczyzna z gładko zaczesanymi czarnymi włosami i w granatowej koszuli siedzi za gigantycznym mahoniowym biurkiem, tyłem do nas. Jak mniemam, to Cain. Rozmawia przez telefon, zdaje się, że z dostawcą piwa. Przez to, jak ostro przytakuje i odmawia, wnioskuję, że nie jest zadowolony. Gwałtownie odkłada słuchawkę i okręca się na fotelu w naszą stronę, więc przygotowuję się na bolesną rozmowę.

Jednak kiedy spojrzenie jego kawowych oczu ląduje na Storm, natychmiast się rozpogadza. Jest młodym mężczyzną – tuż po trzydziestce – ma atrakcyjną twarz.

I jest dobrze ubrany. Według powszechnych standardów jest przystojny. Ale jest właścicielem klubu ze striptizem, a to sprawia, że na mojej liście ląduje pośród drani.

– Witaj, aniołku – przeciąga, rzucając Storm powłóczyste spojrzenie. Stają mi włoski na karku. Nie będę lubić tego faceta. Ani trochę.

Storm ignoruje pożądliwe spojrzenie. A może cieszy się nim. Szczerze mówiąc, nie mam pojęcia. Nie znam jej zbyt dobrze.

– Cześć, Cain. – Ruchem głowy wskazuje na mnie. – To moja znajoma, Kacey. Na nową barmankę.

Kurczy mi się żołądek, gdy te ciemne oczy przenoszą spojrzenie na mnie, by mnie ocenić, jednak trwa to pół sekundy. Wstaje z fotela, obchodzi biurko i zawodowo wyciąga dłoń.

– Cześć, Kacey. Jestem Cain, właściciel *Pałacu Penny*. Miło mi cię poznać.

I oto moja mała fobia utrudnia mi życie. Nie mogę uścisnąć ręki szefa, gdy chce się przywitać. Chyba że wybiegnę stąd z krzykiem, ale wtedy nie dostanę pracy. Takiej, do której nie jestem przekonana, ale jednak pracy. Jedynym wyjściem pozostaje zacisnąć zęby i liczyć na to, iż nie zemdleję z powodu napadu lękowego, kiedy jego palce owiną się wokół moich, posyłając mnie w mrok, z którego staram się wyczołgać.

Patrzę na niego, na jego dłoń i na Storm. W głowie słyszę głos Livie, mówiącej, żebym spróbowała.

Wyciągam dłoń...

Czarne plamy przysłaniają mi wizję, gdy jego kości, mięśnie i ścięgna owijają się wokół mojej ręki i ściskają ją. Moja druga ręka na ślepo uderza w powietrze, aż natrafia na łokieć Storm. Łapię za niego. Prawie mdleję. Padnę na podłogę i będę się trząść jak idiotka. Wielki Nate wyrzuci mnie stąd, a Cain będzie krzyczał: „Sorry, ale nie ma pracy dla świrusów", po czym wrócę do Starbucksa, a Livie będzie musiała jeść kocie żarcie i...

– Storm wiele o tobie mówiła.

Natychmiast orientuję się, że Cain puścił moją dłoń. Łapię powietrze.

– Naprawdę? – pytam drżącym głosem, zerkając na Storm.

Cain uśmiecha się serdecznie.

– Tak. Mówiła, że dużo jej pomogłaś. Że jesteś bystra i że szukasz pracy. I że jesteś oszałamiająca.

Teraz widzę na własne oczy. Pracowałaś kiedykolwiek w lokalu z rozrywką dla dorosłych?

– Hm… nie… – odpowiadam i modlę się w duchu, żeby Storm wcześniej nie powiedziała mu czegoś innego. Nie wiem dlaczego, ale nagle chcę zaimponować Cainowi. Roztacza wokół siebie autorytarną atmosferę, jakby był starszy i mądrzejszy, niż na to wygląda, jakby bardziej był opiekuńczym typem człowieka niż niemającym skrupułów właścicielem klubu ze striptizem.

Moja odpowiedź najwyraźniej mu nie przeszkadza.

– Jedna z moich barmanek zaszła w ciążę. Razem zgodziliśmy się, że klub pełen mężczyzn nie jest dla niej najlepszym miejscem, więc… Przez ile nocy będziesz mogła pracować?

Patrzę na Storm i wzruszam ramionami.

– Wszystkie?

Głowa Caina odchyla się w tył, gdy mężczyzna śmieje się z całego serca, odsłaniając tatuaż za lewym uchem. Ma tam napis „Penny". Musi być kimś szczególnym, ponieważ zdecydował się nazwać po niej klub i wytatuował sobie jej imię.

– Nie musisz rezygnować z życia, kochanie. Pięć czy sześć nocek wystarczy. – Spojrzeniem przeciąga po moich ramionach, śledząc długą, białą bliznę, jaką mam na ręce, więc karcę się w duchu za to, że jej nie zakryłam. Ludzie prawdopodobnie nie będą chcieli być obsługiwani przez oszpeconą kobietę. Ale zamiast wspomnieć o tym, Cain mówi:

– Masz ciało wojownika.

– Nie walczę. Dbam tylko o kondycję – natychmiast odpowiadam.

Wolno kiwa głową. To wydaje się mu imponować.

– To dobrze. Lubię kobiety potrafiące zadbać o siebie. – Ponownie rozsiada się za biurkiem, po czym mówi: – Storm, przeszkolisz Kacey, dobrze?

Storm uśmiecha się od ucha do ucha.

– Tak, Cain.

Mężczyzna ponownie na nią patrzy i widzę, co tak naprawdę maluje się w jego spojrzeniu. To uwielbienie, a nie zwierzęce pożądanie. Jakby darzył ją uczuciem. Zastanawiam się, czy sypiają ze sobą. Zastanawiam się, czy Cain sypia ze wszystkimi swoimi pracownicami. Myślę, że mógłby, gdyby chciał. Czy będzie chciał spróbować ze mną? Nie mam czasu zastanawiać się nad tym, ponieważ jestem jak w transie, a Storm prowadzi mnie w stronę drzwi.

– No chodź. Wkrótce otwieramy. Musisz wszystko poznać.

★ ★ ★

Noc mi się rozmywa. Pracujemy ze Storm w głównym barze – ona robi bardziej skomplikowane drinki i uczy mnie podstaw, kiedy ja nalewam piwo i wódkę do kieliszków. Lokal nie jest taki, jak oczekiwałam. Na środku jest wysoki na trzy piętra, podczas gdy po bokach ma obniżane sufity, co pozwala na stworzenie eleganckich boksów, ustawienie błyszczących, czarnych, wysokich stolików i stworzenie korytarza prowadzącego do pokoi dla VIP-ów. Najwyraźniej Cain jest surowy, jeśli chodzi o dyscyplinę. Nie pozwala dziewczynom na nic nielegalnego.

– Nie wchodź tam – mówi Storm, mając poważny wyraz twarzy. – Nie wchodź tam, Kacey.

Na podwyższonej scenie na środku tańczą dziewczyny. Bez przerwy są trzy, każda ma dla siebie małą scenę obok tej głównej, aby zgromadzić przed sobą rządek mężczyzn. Niebieskie światło sączy się w całym lokalu, tworząc mistyczną atmosferę. Resztę spowija mrok, w powietrzu unosi się alkohol, testosteron i pożądanie. Muzyka pulsuje w moim ciele, rytm dyktuje każdy ruch na scenie.

Rozmawiamy, od czasu do czasu żartujemy ze Storm podczas obsługi klientów i nic nie mogę na to poradzić, ale zaczynam przy niej dobrze się czuć. Lokal jest wypełniony, ale ludzie nie włażą sobie na głowy, by dostać drinka przy barze, jak działo się to w dyskotekach, w których bywałam. Storm przedstawia mnie trzem dziewczynom i obiecuje, że je polubię. Ginger, Layla i Penelope. Wszystkie są zabójczo atrakcyjne, wesołe i przyjacielskie. Wszyscy tu wydają się atrakcyjni, weseli i przyjacielscy, a ja po raz setny zastanawiam się, dlaczego Storm uważa, że będę tu pasowała. Jednak nic nie mówię, tylko przytakuję im wszystkim, dbając o to, bym zawsze miała zajęte obie ręce. Unikam w ten sposób fizycznego kontaktu. Zdaje się, że nikt tego nie zauważa.

Zebrałam kilka komentarzy z serii „nowa dziewczyna" od klientów, którzy najwyraźniej są stałymi bywalcami, ale zignorowałam je. Nie wychylam się i pracuję ciężko, aby Cain nie miał powodu, by dorzucić mi obowiązków w postaci tańca czy obsługi klientów w pokojach VIP-ów. Przyjmuję zamówienia, robię drinki, kasuję pieniądze bez dotykania czyjejkolwiek dłoni. W takiej kolejności. Niemniej czuję na sobie spojrzenia – prześlizgują się po moich kształtach, oceniają mnie, nawet mimo znacznej ilości nagich ciał w lokalu. Gnojki.

Bar jest moją twierdzą. Jestem bezpieczna za ladą.

★ ★ ★

– Jak sobie radzisz do tej pory? – pyta Storm podczas dwuminutowej przerwy. – Poradzisz sobie z pracą barmanki w klubie ze striptizem sześć nocy w tygodniu?

Wzruszam ramionami.

– Tak, to nic trudnego. Po prostu dużo cycków i tyłków, więc unikam patrzenia na nie... – Rzucam okiem na scenę, gdzie Azjatka, niemająca na sobie nic poza cieniutką srebrną nitką, zakłada nogi na szyję. – O! – Ruchem głowy wskazuję na nią. – Co ona robi?

– To Cherry. Uprawia hot jogę.

Przewracam oczami.

– Nie, nie chodzi mi o to, co robi. Mam na myśli... dlaczego?!

– Każdy ma swoją cenę. – Tylko taką odpowiedź dostaję od Storm, która idzie nalać kolejną kolejkę Jim Beama.

– Najwyraźniej – mruczę pod nosem, w duchu zastanawiając się, czy Storm też ma swoją cenę.

– Zatem, jeśli zaznajomiłaś się już z pracą za barem, Kacey – mówi Storm – w każdej chwili możesz zacząć się uśmiechać. Wiesz, że kiedy będziesz uśmiechać się do klientów, dostaniesz większe napiwki, prawda?

Przywdziewam uśmieszek.

– Dlaczego mieliby płacić za mój uśmiech, gdy mogą te pieniądze przeznaczyć na kogoś rozkładającego nogi? To idioci?

– Po prostu... zaufaj mi. – Wzdycha, wykazując dużo cierpliwości i idzie obsłużyć klienta, rzucając na odchodnym: – Jesteś nową, błyszczącą, rudą zabaweczką i zmuszasz ich do wykorzystywania wyobraźni.

Świetnie. Właśnie tym chcę być. Mokrym snem jakiegoś kolesia.

Aby udowodnić, że się myli, kolejnych trzech klientów obdarowuję uśmiechem tak wielkim, jak tylko mogę, by twarz nie pękła mi na pół. Do jednego nawet mrugam okiem. No i uwaga, napiwki się podwajają. *Hm, może coś jest na rzeczy.* Jeśli pojedynczy uśmiech generuje taki napływ kasy...

Kowboj w średnim wieku w za dużym kapeluszu i we wranglerach pochyla się nad barem. Ma wykrzywione usta, jakby przygryzał słomkę, ale nic w nich nie trzyma.

– Miło na ciebie patrzeć, jesteś taka stonowana i naturalna – mówi, zbyt długo gapiąc mi się w dekolt. Nie wiem dlaczego. Na tle kobiet znajdujących się w tym lokalu wyglądam jak dziesięcioletni chłopczyk. Kiedy się uśmiecha, dostrzegam zęby pożółkłe przez lata palenia.

Przełykam niechęć i zmuszam się do uśmiechu.

– Co mogę panu podać?

– Może być drink Tom Collins i prywatny pokaz.

– Robi się, jeden Tom Collins. Nie daję prywatnych pokazów. – Nadal się uśmiecham, chociaż moja niechęć rośnie. Pragnę jedynie pozbyć się tego typa. Kiedy po barze przesuwam dla niego drinka i sięgam po rachunek na dwadzieścia dolarów, jego łapa zamyka się na moim przedramieniu. Pochyla się, a mnie owiewa tytoniowo-alkoholowy oddech.

– A może zrobisz sobie przerwę i pokażesz mi swój zgrabny tyłeczek?

– Proszę pana, jestem tylko barmanką – syczę przez zaciśnięte zęby, moje ciało napina się w trybie obronnym. – Jest tu wiele dziewcząt, które zapewnią panu to, czego pan oczekuje. – I nie przesadzam. Wszędzie, gdzie spojrzę, dostrzegam pośladki, sutki i wiele innych. W szkole uprawiałam sport, więc po zajęciach pod prysznicem napatrzyłam się na dużo nagich ciał. Kurde, nawet ochrzciłam Jenny „Ekshibicjonistką z Grand Rapids", bo nie miała żadnych skrupułów, by rozebrać się przede mną do naga. Ale ten lokal jest inny. Kobiety przechadzają się tutaj, prezentując swoje walory. Sprzedają własne ciała.

– Mam kasę! Rzuć cenę.

– Nie stać pana, proszę mi wierzyć – warczę, ale wiem, że nie słucha. Jego druga ręka znika pod barem, jakby musiał się poprawić z powodu rosnącego podniecenia. Chce mi się śmiać. Wyobrażam sobie, jaki będzie ostry, gdy w końcu przydybie jakąś biedną, zdesperowaną i koniecznie ślepą kobietę. – Na pana miejscu puściłabym...

Kątem oka widzę, że Nate i Ben śpieszą mi na ratunek. Ten pomysł z jakiegoś powodu mi nie pasuje. Nie potrzebuję, by mnie chronili.

Już nie.

I chcę nakopać temu kolesiowi.

Częściowo się pochylam, a częściowo rzucam się przez bar, by wolną ręką złapać za spocony kark kowboja. Szybko i mocno pociągam w dół. Krztusi się, gdy twarzą uderza o bar. Gdy tak go trzymam, moje palce wbijają mu się w kręgosłup. Serce tłucze mi się o żebra, a w uszach szumi krew. To taki dobry stan. Czuję, że żyję.

– I jak teraz podoba ci się mój zgrabny tyłeczek? – syczę.

Ręce Nate'a zamykają się na moich ramionach, przez muzykę słyszę jego niski głos, gdy odciąga kowboja, któremu krwawi dolna warga.

– Będzie pan musiał wyjść.

Klient ma także czerwony ślad na czole. Zdecydowanie będzie miał jutro siniaka, chociaż nie stawia oporu. Z drugiej strony wątpię, czy nawet Hulk stawiałby opór Nate'owi.

Ben wraca, by zapytać:

– Nic ci nie jest?

– Nic – zapewniam, gdy Storm podchodzi do mnie ze zmartwieniem malującym się na twarzy. Spojrzeniem śledzę Nate'a, po czym mój wzrok krzyżuje się ze spojrzeniem Caina, który siedzi przy stole po drugiej stronie lokalu. Znów czuję się, jakbym tonęła. Musiał widzieć przebieg całego zajścia. Przychodzi mi na myśl, że pewnie nie życzy sobie, by uderzać głowami klientów o bar. Być może właśnie załatwiłam sobie zwolnienie.

Cain pokazuje uniesiony w górę kciuk i ucieka mi ogromne westchnienie ulgi.

– Mówiłam, żebyś się uśmiechała, a nie wdawała w bójki – żartuje Storm, dając mi kuksańca w bok.

– Chciał prywatnego pokazu – wyjaśniam. Krew nadal roznosi adrenalinę po moim ciele. – W zamian załatwiłam mu publiczny.

Ben pochyla się i opiera łokcie na barze. Po uśmieszku, jaki ma na twarzy, widać, że mu zaimponowałam.

– Z pewnością wiesz, jak o siebie zadbać.

– Wychowywały mnie wilki. Musiałam walczyć o żarcie.

Odchyla głowę w tył i śmieje się gardłowo.

– Przepraszam, jeśli wcześniej byłem dupkiem. Przywykłem, że przychodzą tu nowe, ładne dziewczyny, które wychodzą stąd wyczerpane i zmęczone. Nienawidzę tego.

– Zatem to twój szczęśliwy dzień. Ja już jestem wykończona. – Raz jeszcze zerkam na niego. – I może nie powinieneś pracować w klubie ze striptizem.

– Tak, też tak uważam, ale kasa jest naprawdę dobra i zarabiam, by móc studiować prawo. – Zauważa moją uniesioną brew i się uśmiecha. – Nie tego się spodziewałaś, co?

– Nie wyglądasz mi na prawnika.

Ben odwraca się, plecami opiera o bar, kładzie na nim łokcie, patrzy na klientów, po czym mówi do mnie:

– Słyszałem, że niedawno się tu przeprowadzi-
łaś.

– To prawda. – Zajmuję się wycieraniem baru
i ustawianiem czystych szklanek.

– Jesteś gadułą, prawda?

– My, ubrane dziewczyny, musimy pracować naprawdę ciężko, jeśli chcemy zarobić.

Odchyla głowę, by na mnie spojrzeć.

– W porządku. Słuchaj, gdy następnym razem
będziesz na siłowni i mnie zobaczysz, podejdź. Możemy machnąć kilka rundek. – Odchodzi powoli,
nie czekając na moją odpowiedź.

*Och, stoczę z tobą kilka rundek, ale prawdopodobnie
nie takich, o jakich myśli twoje krocze.* Patrzę na jego
ruchy i mam zamiar krzyknąć: „Załatwione, prawniczku!", ale słowa zamierają mi na ustach.

Trent siedzi przy jednym z wysokich stolików.

I nie ogląda nagiego precelka na scenie. Patrzy
na mnie.

Nie, poprawka. Gapi się na mnie.

– Co u licha…? – mamroczę pod nosem, pochylając głowę. Nie jestem w stanie radzić sobie dzisiaj z nim i z tym, jak na mnie działa. Tutaj. Dzisiaj.
Kurwa!

Słyszę, że ktoś zbliża się do baru, więc patrzę
w górę. Dzięki Bogu, to Nate. Wrócił po eksmisji
kowboja.

– Czy ten gość cię niepokoi, Kacey?

Przełykam ślinę.

– E tam. – *Tak, ale nie z powodów, o jakich myślisz.*

– Na pewno? – Obraca swoje masywne ciało, by rozejrzeć się po sali. Trent nadal tam jest, opiera się wygodnie, popijając drinka przez słomkę i patrząc na Cherry. – Jest tu od pół godziny i cały czas cię obserwuje.

– Tak? – mówię cienkim głosikiem, po czym szybko dodaję już normalnym tonem: – To mój sąsiad. Wszystko w porządku.

Ciemne spojrzenie Nate'a przeczesuje resztę klubu, szukając natrętów, których bez wątpienia mógłby wyrzucić.

– Gdyby się narzucał, daj mi znać, dobrze, Kacey?

Kiedy nie odpowiadam, ponownie na mnie patrzy, a jego grzmiący głos nieco łagodnieje.

– Dobrze?

Kiwam głową.

– Tak, jasne, Nate.

Z lapidarnym skinieniem głowy wraca na swój posterunek, by stanąć niczym wartownik. Strażnik, który mógłby powyrywać facetom nogi, gdyby mocniej kichnął.

– O co chodziło? – Storm pyta zza moich pleców.

– Och, o nic. – Nadal mam niepewny głos i nie mogę zmusić języka do poprawnej pracy. Ryzykuję kolejny rzut oka na Trenta. Opiera się o stolik, bawiąc się słomką, podczas gdy śródziemnomorskiej urody Barbie – chyba wołają na nią Bella – przyciska swoje skąpo odziane ciało do jego uda. Patrzę, jak wskazuje na pokój VIP-ów, pieszczotliwie przesuwa dłonią po jego karku.

– Wszystko w porządku? Wyglądasz, jakbyś chciała kogoś udusić.

Zauważam, że skręcam w dłoniach ścierkę, jakby była szyją, i zdaję sobie sprawę, że Storm ma rację. Teraz jest szyją konkretnej osoby. Belli...

– Jasne, nic mi nie jest. – Rzucam ściereczkę i ryzykuję jeszcze jeden rzut oka na Trenta. W tej samej chwili jego niebieskie spojrzenie ponownie się przenosi i natrafia na moje. Wzdrygam się. Obdarowuje mnie tym swoim drażniącym uśmieszkiem, który rozbraja moje mechanizmy obronne, pozostawiając mnie nagą jak tancerki na scenie. Dlaczego on tak na mnie działa? To wkurzające!

– To nie jest „nic", Kacey. Gapisz się na tego gościa. Kto to? – Pochyla się przez moje ramię, chcąc spojrzeć mi w oczy. – Czy to...?

Unoszę dłoń, by delikatnie odepchnąć jej twarz.

– Odwróć się! Teraz wie, że o nim gadamy.

Storm zgina się wpół ze śmiechu.

– Zakochana Kacey – śpiewa. – Sąsiad pożera cię wzrokiem. Idź z nim pogadać.

– Nie! – odwarkuję, porażając ją swoim najlepszym lodowatym spojrzeniem.

Pochyla głowę i znajduje sobie zajęcie przy wycieraniu szklanek pod barem. Niewątpliwie poczuła się urażona moim tonem. Natychmiast rozkwita we mnie poczucie winy. *Niech to szlag, Storm!*

Staram się ignorować stolik Trenta, ale to tak, jakby lekceważyć rozbity pociąg. Nie da się nie patrzeć. Pod koniec nocy jestem wyczerpana i rozdrażniona przez sejsmiczne fale zazdrości, które rozbijają się w moim wnętrzu, gdy parada striptizerek odwiedza jego stolik. Dotykając go, chichocząc, jedna wślizguje się nawet na jego kolana, by pogadać. Moja jedyna ulga wynika z faktu, że Trent grzecznie odmawia im wszystkim.

★ ★ ★

Storm sięga do torebki leżącej między nami w samochodzie i rzuca mi na kolana wyciągniętą stamtąd grubą kopertę.

Bez większego zastanowienia rozrywam ją i przerzucam banknoty.

– O cholera! Tu musi być jakieś...

– A nie mówiłam? – pieje i dodaje mrugając okiem: – A teraz wyobraź sobie, ile byś dostała za występy na scenie.

Tu musi być z pięćset dolców! Jakie to proste!

– Mówiłaś, że pracujesz w *Pałacu Penny* już... cztery lata? Dlaczego nadal mieszkasz na Jackson Drive? Mogłabyś kupić sobie dom!

Wzdycha.

– Rok byłam mężatką z ojcem Mii. Byłam bankrutem, gdy od niego odchodziłam, ponieważ narobił wielkich długów. Żaden bank nie da mi też kredytu hipotecznego.

– Brzmi, jakby był prawdziwym... palantem. – Poprawiam się na siedzeniu, by było mi wygodniej, ale to niemożliwe, bo jesteśmy w jeepie. Storm opowiada o swoim życiu, więc naturalnie moje bariery ochronne wznoszą się.

Gdy ludzie dzielą się osobistymi sprawami, oczekują odwzajemnienia.

– Nie znasz nawet połowy – mówi z zamyśleniem. – Na początku nie było tak źle. Gdy poznałam Damona, miałam szesnaście lat. Zaszłam w ciążę, a on zaczął ćpać. Bardzo potrzebowaliśmy pieniędzy, więc po urodzeniu Mii zaczęłam pracować dla Caina. Damon powiedział, że jeśli chcę zarabiać dużą kasę, muszę je sobie zrobić. – Wskazuje na piersi. – Oczywiście byłam na tyle głupia, że się zgodziłam. – Rzadko słyszana u niej gorycz barwi jej głos. – Bolało jak diabli. To jedyny powód, dlaczego nie poszłam ich zmniejszyć. Przysięgam, że dziewczyny robią głupoty, gdy są ślepo zakochane.

– To kiedy zdecydowałaś się od niego odejść? – Nie mogę się powstrzymać przed zadaniem tego pytania.

– Gdy po raz drugi podniósł na mnie rękę.

Mówi to tak beznamiętnie, iż jestem pewna, że się przesłyszałam.

– Och, tak mi przykro, Storm. – I jest tak naprawdę. Myśl, że ktoś mógłby uderzyć Storm, sprawia, że się jeżę.

– Za pierwszym razem okłamałam wszystkich. Powiedziałam, że wpadłam na ścianę – prycha. – Nie kupili tego, ale pozwolili mi żyć w świecie złudzeń. Jednak za drugim razem... – Wzdycha ciężko. – Przyszłam do pracy ze spuchniętą wargą i krwią kapiącą z nosa. Cain i Nate odwieźli mnie do domu i stali nade mną, kiedy pakowałam rzeczy swoje i Mii. Damon wrócił, gdy wychodziliśmy. Nate go troszkę poturbował. Ostrzegł go, że jeśli ponownie zbliży się do mnie czy do Mii, będzie sikał przez słomkę. A widziałaś Nate'a. – Storm patrzy na mnie wielkimi oczyma. – Mógłby to zrobić. – Parkuje jeepa przed naszym blokiem i wyłącza silnik.

– Cain załatwił mi to mieszkanie i żyję tu od tamtego czasu, zbierając pieniądze, by mieć całą kwotę na zakup domu. Jeśli wszystko dobrze pójdzie, będę mogła na dobre zrezygnować ze sceny za jakieś dwa, trzy lata. – Po czym dodaje cicho: – I rodzice więcej nie będą musieli się mnie wstydzić.

Prycham.

– Nie musisz mi mówić. Moi rodzice pewnie przewróciliby się w grobie, gdyby się dowiedzieli, gdzie pracuję... – Mój głos echem unosi się w niezręcznej ciszy, karcę się w duchu za przywołanie ich.

– Kacey? – W głosie Storm słychać nerwowość, więc znów się spinam. Dokładnie wiem, do czego zmierza. – Słuchaj, poskładałam do kupy kilka rzeczy. To, że twoi rodzice nie żyją i to, że ma to jakiś związek z alkoholem... Masz sporo blizn. Nienawidzisz, gdy ludzie dotykają twoich dłoni...

Nie daję jej dokończyć. Otwieram drzwi i wybiegam.

Uświadamiam sobie, że Storm jest błyskotliwa. Normalnie jak jakiś pieprzony naukowiec.

ROZDZIAŁ PIĄTY

– Klimatyzacji! – jęczę, odklejając pościel od spoconego ciała. *Cholera, potrzebujemy prawdziwych zasłon* – myślę, patrząc na prześwitujący materiał, którego fragmenty wiszą na moim oknie. W ogóle nie zatrzymują słońca. Od śmierci rodziców nie miałyśmy klimatyzacji. Ciotka Darla nie chciała płacić za chłodne powietrze, kiedy gdzieś na świecie żyją głodujące dzieci. Lub mężowie uzależnieni od hazardu. Teraz, kiedy mieszkamy w Miami, nie rozumiem, dlaczego brak klimatyzacji nie jest nielegalny.

Livie i Mia opróżniają w kuchni brązową torebkę pełną owoców i warzyw, nucąc przy tym dziecięcą rymowankę.

– Dzień dobry! – śpiewa Livie, gdy mnie zauważa.

– Dzień dobry! – powtarza jak echo Mia.

Patrzę na zegar. Jest prawie trzynasta. To oznacza, że jest popołudnie. Chyba nigdy nie spałam tak długo.

– Przyniosłam jedzenie. Reszta jest na szafce. – Livie wskazuje ruchem głowy małą kupkę banknotów. – Musiałam targować się ze Storm, żeby zapłaciła mi połowę z tego, co zaproponowała.

Uśmiecham się. Storm upierała się, że znalazła anioły. Jestem pewna, że my też znalazłyśmy. Decyduję, że muszę się przed nią otworzyć. Jeszcze nie wiem, jak tego dokonać, ale muszę to zrobić. Idę, by wyciągnąć kasę z torebki. Rzucam grubą kopertę na stół.

– Bam! Patrz na to!

– Jasna cho... – Livie przenosi zaskoczone spojrzenie z koperty na zaciekawioną minkę Mii. – ...Choinka! Serwujesz tam tylko drinki... prawda?

Zatem Livie domyśliła się. Przechylam głowę na bok i mrużę oczy, żeby podkreślić efekt głębokiego zamyślenia.

– Zdefiniuj serwowanie drinków. – Chichocząc, wyjmuję sok pomarańczowy z lodówki i piję wprost z butelki, czując na plecach jej spojrzenie. – Żartuję! Tak, tylko podaję napoje. I jakieś gówniane kanapki, jeśli ktoś ma szczęście. – Brwi Mii wystrzeliwują w górę, a buzia jej się krzywi. – Przepraszam – szepczę do oburzonej Livie, która szybko zapomina o moim przewinieniu, obracając w palcach pieniądze.

– Jasna anielka.

– Prawda? – Wiem, że szczerzę się jak głupi do sera, ale mam to gdzieś. To może się udać. Być może przetrwamy. Może nie będziemy musiały wcinać kociego żarcia.

Livie z tajemniczym uśmiechem patrzy na mnie.

– Co?

Milczy, po czym mówi:

– Nic, po prostu... jesteś podekscytowana. – Gryzie marchewkę. – To fajne.

Mia naśladuje ją, marszcząc nosek jak królik, kiedy przeżuwa.

– To fajne – papuguje.

Kradnę im jedną marchewkę, daję Livie wielkiego buziaka w policzek i ruszam w kierunku łazienki.

– Wezmę prysznic, a ty przelicz pieniądze. I przypomnij mi, żebym zadzwoniła do Starbucksa i powiadomiła ich, że odchodzę, dobrze? – Za nic nie wrócę do stawki minimalnej.

★ ★ ★

To nic, że woda płynie pod tak słabym ciśnieniem. Nie obchodzi mnie, że śmierdzi chlorem. Zamykam oczy i wmasowuję dużą porcję szamponu we włosy, wdychając jego różany zapach. Pierwszy raz od naszej nocnej ucieczki myślę, że mogę to zrobić. Mogę o nas zadbać. Jestem wystarczająco dorosła, wystarczająco silna i wystarczająco inteligentna. Moje problemy nie wpłyną na nas. Wszystko będzie dobrze. Wyjdziemy z tego obronną ręką i...

Dziwny, miękki, grzechoczący dźwięk rozchodzi się gdzieś obok mnie. Unoszę powieki i dostrzegam czerwone, czarne i białe paski owinięte wokół prysznica. Para paciorkowatych oczek gapi się centralnie na mnie.

Zdecydowanie się na krzyk zajmuje mi chwilę. Ale kiedy zaczynam, nie potrafię przestać. Odskakuję i uderzam o przeciwległą ścianę. Nie wiem, jak udaje mi się zachować pionową pozycję, ale nadal stoję. Wąż się nie rusza. Jest dokładnie w tym samym miejscu, potrząsa ogonem i patrzy na mnie. Jakby zastanawiał się nad najlepszym ułożeniem szczęk wokół mojej głowy, by połknąć mnie w całości. Nadal się drę, gdy zza drzwi słyszę spanikowany głos Livie, ale to nie pomaga. To, że wali w te drzwi, też nie.

Nic nie pomaga.

Nagle rozchodzi się głośny trzask i zaczynają latać drzazgi.

– Kacey! – krzyczy Livie, a silne ramiona oplatają moje ciało, by mnie stamtąd wyciągnąć. Szybko owija się wokół mnie ręcznik i zostaję przetransportowana z łazienki do sypialni.

– Nienawidzę węży! Nienawidzę węży! Kurwa, nienawidzę węży! – powtarzam raz po raz. Jakaś ręka głaszcze mnie po włosach. Przestaję się trząść dopiero, gdy moje serce zwalnia do w miarę normalnej prędkości, więc jestem w stanie skupić się na otoczeniu.

Na zmarszczonym czole Trenta i iskierkach turkusu w jego tęczówkach.

Znajduję się w jego ramionach.

Naga siedzę na kolanach Trenta, który otacza mnie ramionami.

Moje tętno na powrót wzrasta do niebezpiecznego poziomu, gdy dociera do mnie ta nowa sytuacja. Jego koszula jest przemoczona i wysmarowana szamponem. Na nagich plecach czuję ciepło jego ramion, na nogach jego dłonie, gdy mocno mnie tuli. Wszystkie istotne części ciała mam zakryte ręcznikiem, ale nie mogłabym być przed nim bardziej naga, niż jestem w tej chwili.

Livie wpada jak burza, oczy jej płoną.

– Za kogo ty się uważasz, że możesz się tu włamywać? – wrzeszczy, jej twarz jest czerwona jak moje włosy, jest gotowa do wydrapania Trentowi oczu.

– Trent. To Trent – odpowiadam. – W porządku, Livie. Pod... pod prysznicem jest grzechotnik. – Mimowolnie drżę. – Wyprowadź stąd Mię, zanim ją pożre. I zawołaj Tannera. Teraz, Livie!

Spojrzenie Livie przeskakuje pomiędzy Trentem a mną, aż w końcu spoczywa na łóżku. Widzę, że nie chce mnie zostawiać. Ale w końcu coś postanawia i kiwa głową. Zamyka za sobą drzwi.

Trent przyciąga mnie jeszcze mocniej do siebie, aż na ramieniu czuję twarde mięśnie jego torsu.

– Wszystko dobrze? – szepcze, a jego usta są tak blisko, że dolna warga ociera się o moje ucho. Znów drżę.

– Fantastycznie – szepczę, zaraz dodając: – Oprócz tego, że prawie umarłam.

– Usłyszałem, jak krzyczysz. Myślałem, że ktoś cię morduje.

– Nie ktoś. Coś! Widziałeś to? – Odsuwam jedną rękę, pokazując łazienkę, podczas gdy drugą trzymam ręcznik, by nie spadł mi z piersi. – Milimetry dzieliły mnie od pożarcia żywcem!

Trent zaczyna chichotać – jest to miękki i piękny dźwięk, który wibruje mi w ciele i ogrzewa wnętrze.

– Myślę, że to Lenny. Zwierzątko z 2B. Rano widziałem łysiejącego gościa przeszukującego krzaki i nawołującego go po imieniu.

– Zwierzątko? – wypluwam z siebie to słowo i siadam prosto. – Ten pożeracz ludzi jest czyimś pupilkiem? Czy nie trzeba mieć pozwolenia na posiadanie grzechotnika?

Spojrzenie Trenta wędruje po mojej twarzy, aż ląduje na moich ustach.

– To lancetogłów mleczny. Z tego, co wiem, zjada myszy. – Jest tak blisko, że jego oddech owiewa mi policzek. Ponieważ nasze ciała są do siebie przyciśnięte, czuję, że serce wali mu jak młotem, rywalizując z moim własnym. On również może to czuć. To nie tylko moje wrażenie. Unosi dłoń, by dotknąć mojej brody. – Nic ci nie grozi, Kacey.

Nie jestem pewna, czy to stres z powodu sytuacji, czy żar płonący w moim brzuchu, który rozpala się, gdy Trent jest w pobliżu, a może to moja wewnętrzna bestia będąca w uśpieniu zbyt długo, ale ta cała sytuacja z przerażającej w kilka sekund zmienia się w cholernie seksowną.

Nie potrafię się powstrzymać.

Przyciskam wargi do ust Trenta, łapię za przód jego koszuli, bez wysiłku pozbawiając ją kilku guzików, gdy przyciągam go jeszcze bliżej siebie. Opór jest krótkotrwały – to zaledwie sekunda, kiedy jego usta i ciało nie odpowiadają. Jego ręka wymyka się spod mojego kolana, by pojawić mi się na żebrach, paląc dotykiem nagą skórę. Pogłębia pocałunek, wsuwając mi język do ust, drugą ręką przesuwa przez moje pełne szamponu włosy i zaciska mi palce na karku. Wymusza, bym odchyliła głowę, gdy nasze języki spotykają się. Jego usta są świeże i słodkie. Mogę wyczuć, że jest silny. Nie sądzę, abym mogła z nim walczyć, nawet gdybym chciała. Ale nie chcę. Ani trochę.

Bez odrywania ode mnie ust, Trent w jakiś sposób opuszcza mnie na plecy i unosi się nade mną na łóżku. Nasze klatki piersiowe przylegają do siebie, udami obejmuję jego biodra, podczas gdy ciało on podtrzymuje swoje na przedramionach. Nie wiem, co się dzieje, co robię, gdzie zniknęło całe racjonalne myślenie, ale wiem jedno – nie chcę, żeby to się skończyło. Pragnie tego każda komórka mojego ciała.

Pożąda Trenta.

Czuję się tak, jakbym złapała pierwszy haust powietrza po wieloletnim przebywaniu pod wodą.

Niestety, następuje koniec. Nagły. Trent przerywa pocałunek i odsuwa się, dysząc i patrząc na mnie z niedowierzaniem. Jego spojrzenie pozostaje złączone z moim, nie odrywa go nawet na sekundę. Gdyby jednak to zrobił, zobaczyłby, że ręcznik, którym byłam owinięta, zsunął się i leżę teraz całkowicie naga. Z obnażonym ciałem i równie obnażoną duszą.

– Nie dlatego wyciągnąłem cię spod prysznica – szepcze.

Przełykam ślinę, poszukując własnego głosu. Ten, który znajduję, jest ochrypły.

– Nie, ale raczej dobrze się to dla ciebie ułożyło, prawda?

Obdarowuje mnie półuśmiechem, od którego całe moje ciało rozpala się, jakby ktoś przystawił do niego palnik. Po czym, gdy patrzy mi w twarz, w jego spojrzenie wkrada się chłód.

– To nie jest męczące? – Opuszkiem kciuka głaszcze moją szyję.

– Co?

– Utrzymywanie ludzi na dystans.

– Nie trzymam nikogo na dystans. – Jego słowa trafiają mnie niczym cios w żołądek. Szybko zaprzeczam, zdradza mnie jednak niepewny głos. Jakim cudem on widzi coś, czego nie chcę, by zobaczył, nad czym tak ciężko pracowałam, by to ukryć? Znalazł po prostu sposób, by się zbliżyć. Niczym intruz najechał moją przestrzeń, naruszył bezpieczeństwo i wślizgnął się, by zająć to, co nie było przeznaczone dla niego.

Płomień, który z taką łatwością we mnie rozpala, nadal płonie w moim ciele, tyle że teraz czuję potrzebę walki z pochłaniającymi mnie płomieniami.

– Nie chcę tego. Nie chcę ciebie. – Słowa mają gorzki smak, ponieważ nie mam ich na myśli. *Chcę tego. Pragnę cię, Trent.*

Trent przyciska usta do moich, a moje zdradzieckie ciało wychyla się do przodu, ujawniając kłamczuchę, jaką jestem. Jednak Trent trzyma ręce po obu stronach mojej głowy, zaciskając palce na poduszce, jakby walczył o utrzymanie kontroli. Ja z kolei zdaję sobie sprawę, że ją straciłam, kiedy moje palce wślizgują mu się pod koszulę, by drapać go po plecach, gdy moje nogi owijają się wokół niego.

– Nie chcesz tego, Kacey? – mruczy mi do ucha, dociskając do mnie naprężony członek.

– Nie… – szepczę, przesuwając wargami po jego szyi, po czym zaczynam śmiać się sama z siebie, ze swojego uporu. Z tego, jak niedorzecznie muszę teraz wyglądać, gdy wiję się pod nim. Ta odrobina śmiechu jest niczym koło ratunkowe rzucone mi na pomoc. Wykorzystuję je, by wyciągnęło mnie znad krawędzi.

Odrywając usta od jego szyi, rzucam:

– Wyjdź.

Obdarza mnie trzema pocałunkami na linii mojej szczęki, po czym delikatnym ruchem przeciąga knykciami po moim policzku.

– Dobrze, Kacey. – Schodzi ze mnie i wstaje. Wciągam powietrze przez zęby, gdy jego spojrzenie z głodem i mrokiem omiata moje ciało. Trwa to jedynie sekundę, ale w moim podbrzuszu wyzwala głęboką potrzebę. Odwraca się i kieruje do wyjścia. – Wezmę na siebie winę za zniszczenie dwojga drzwi.

– Drzwi? – *Dlaczego dwojga?*

Nadal się nie odwraca.

– Tak. Wejściowych i tych od łazienki. Jeśli Tanner będzie chciał kogoś za to wywalić, dopilnuję, żebym to był ja.

I wychodzi.

Cholera! Ten facet jest słownikową definicją sprzeczności. Przeskakuje między fajnym facetem a podłym draniem tak płynnie, że nigdy nie udaje mi się złapać momentu przejścia. Byłoby łatwiej, gdyby był zawodowym flirciarzem, ale oto on wyłamuje drzwi, by uratować mnie przed wężem. Z drugiej jednak strony, ja w okamgnieniu przeskakuję z bycia jędzą do napastliwości seksualnej i wracam do jędzowatości, a on tylko pokazuje mi dołeczki. Myślę, że wcale nie jestem lepsza, jeśli chodzi o sprzeczność.

Kiedy piętnaście minut później w końcu wychodzę ze swojego pokoju, zauważam, że nasze mieszkanie zostało zaatakowane.

Livie jest w kuchni, stoi obok seksownie rozczochranej Storm z płaczącą pięciolatką w ramionach. Najwyraźniej mój krzyk wyciągnął Storm z głębokiego snu, ponieważ ma na sobie jedynie bokserkę i stringi.

Policjant przesłuchuje łysiejącego mężczyznę ze sprawcą zamieszania owiniętym wokół nadgarstka. Drżę. Zakładam, że jest to Lenny. Trent miał rację. Teraz, gdy widzę gada, zauważam, że nie jest tak wielki, jak pierwotnie zakładałam. Mimo to w geście obronnym zaplatam ramiona na piersiach, czując, jak śledzą mnie jego małe paciorkowate oczka.

Tanner kiwa się na piętach obok uszkodzonych drzwi wejściowych, drapie się po głowie jakby był zdezorientowany przez kawałki drewna. Muszę przyznać, że jestem pod wrażeniem. Trent jest duży, ale nie założyłabym się o kasę, że rozwali nie jedne, ale aż dwoje drzwi, by mnie uratować. To sprawia, że poczucie winy za wyrzucenie go z pokoju szybko wzrasta.

Trent stoi spokojnie obok Tannera, ręce ma wciśnięte w tylne kieszenie, a głowę spuszczoną, bo patrzy na demolkę. Jego koszula w połowie jest niezapięta, bo urwałam guziki, reszta jest przemoczona i klei mu się do piersi. Nawet w obecności wielu osób ten widok sprawia, że zasycha mi w ustach.

Storm podaje Mię Livii i jako pierwsza śpieszy ku mnie. Zarzuca mi ręce na szyję. Po raz kolejny się wzdrygam, ale nie tak mocno, jak kiedy zrobiła to po raz pierwszy.

– Wszystko w porządku? – Jeśli jest obrażona za moją wczorajszą ucieczkę z jej samochodu, nie daje mi tego odczuć. Ponad jej ramieniem obserwuję, jak policjant i łysiejący facet gapią się na jej tyłek. Policjant ma przynajmniej na tyle przyzwoitości, by się zarumienić i przenieść wzrok na plamę na linoleum. Łysiejący przeciwnie; jego uśmiech się poszerza.

– Byłoby lepiej, gdybym walnęła tego kolesia w nos – mówię wystarczająco głośno, by mnie usłyszał. Przyłapany na gorącym uczynku odwraca spojrzenie.

– To Zboczek Pete – szepcze Storm, ciągnąc z tyłu koszulkę, by zakryć tyłek. Ale to daremne. Koszulka jest za krótka, a stringi zbyt wycięte. – Zaraz wracam. – Ucieka z mieszkania.

Tanner podnosi spojrzenie z roztrzaskanego drewna.

– O, cześć, Kerry.

Kerry? Moje czoło mocno się marszczy.

– Cześć, Larry! Jak leci?

Livie stara się dłonią zakryć parsknięcie. Początkowo Tanner wygląda na zdezorientowanego, po czym na jego twarzy pojawia się szeroki uśmiech.

– Kacey – poprawia się. – Przepraszam, Kacey.

Policjant cierpliwie sporządza notatki, kiedy opisujemy cały incydent, ale często robi sobie przerwy, by zerkać na ubraną teraz Storm. Na koniec daje Mii naklejki wyglądające jak odznaki szeryfa, przez co mała uśmiecha się od ucha do ucha.

Zboczek Pete mocno przeprasza i zabiera Lenny'ego do klatki, solennie przyrzekając Tannerowi, że dwa razy sprawdzi, czy klatka jest porządnie zabezpieczona. Policjant pyta, czy chcę wnieść oskarżenie przeciwko Trentowi, więc patrzę na niego, jakby na czole wyrosła mu dodatkowa ręka.

Gdy policjant wychodzi, obdarzywszy najpierw Storm długim uśmiechem uznania, Tanner i Trent nadal gapią się na dwoje zniszczonych drzwi.

– Rozumiem, że to był nagły wypadek, ale… ee… to trzeba naprawić, a Zbocz… – Tanner odchrząkuje. – A Peterowi zejdzie, zanim zapłaci. Wątpię, by dziewczyny wykupiły ubezpieczenie… – Tanner sięga do tylnej kieszeni i wyciąga portfel. – Mam jakieś, hm, sto dolarów, które mogę na to przeznaczyć.

Opada mi szczęka. *Co?* Spodziewałam się tyrady i groźby eksmisji, a tymczasem Tanner wyciąga kasę, by zapłacić za nasze drzwi? Livie, Storm i ja wymieniamy zszokowane spojrzenia. Nim mogę dojść do słowa, Trent podaje zwitek banknotów wyciągniętych z portfela.

– Proszę. Powinno pokryć straty.

Tanner ze skinieniem głowy przyjmuje gotówkę, po czym wychodzi bez słowa, pozostawiając nas w zdumieniu.

Trent podchodzi do Livie i wysuwa dłoń.

– Hej, jestem Trent. Nie poznaliśmy się oficjalnie.

Jakakolwiek wściekłość wrze w żyłach Livie, gaśnie, przez co rumieniec wykwita na jej twarzy i jest zakłopotana niczym dwunastolatka. Szybko potrząsa jego ręką, jakby się bała, że zajdzie w ciążę przez ten dotyk. Jej spojrzenie unika jego na wpół rozpiętej koszuli i tego wspaniałego, opalonego ciała wystającego spod niej. Śmieję się w duchu. Moja niewinna Livie.

Następnie Trent przedstawia się Storm, która rumieni się słodko, a mnie kłuje nieuzasadnione uczucie zazdrości. Kiedy Trent przesuwa się ku Mii, chowającej się za nogami Storm, przyłapuję matkę na puszczeniu oka córce na znak, że wszystko jest w porządku. Przewracam oczami.

– A ty musisz być Księżniczka Mia. Słyszałem o tobie.

Ściąga usteczka i tylko nieznacznie wychyla się zza Storm.

– Słyszałeś?

Trent przytakuje.

– Cóż, słyszałem o Księżniczce Mii, która lubi lody. To musisz być ty, prawda?

Powolutku kiwa główką i szepcze:

– Słyszałaś, mamusiu? Ludzie wiedzą, że jestem księżniczką!

Wszyscy się śmieją. Wszyscy, tylko nie ja. Jestem zajęta wewnętrzną walką, która toczy się o odparcie jego uroku. To wszystko, to tylko gra. On nie jest dla mnie dobry.

Z niechęcią muszę przyznać, że wcale nie o to chodzi.

Prawdziwy problem stanowi to, iż wiem, że jest dla mnie za dobry.

Trent staje na wprost mnie.

– Wszystko z tobą będzie dobrze?

Zawsze się o mnie troszczy. Kiwam głową, krzyżując ramiona na klatce piersiowej i patrząc w dół na swój szlafrok, czuję się skrępowana jego spojrzeniem, przypominając sobie, jak dobrze było czuć na sobie jego ciało. I to, że wyciągnął mnie zupełnie nagą spod prysznica i okrył ręcznikiem.

Odczuwam wszelakiego rodzaju upokorzenie.

Nie wiem, czy Trent rejestruje moje zaniepokojenie, ale odsuwa się i dłonią przeciąga po włosach.

– Cóż, do zobaczenia niebawem. – Mruga do mnie. – Muszę zmyć z siebie cały ten szampon.

Mam nadzieję, że pod moim prysznicem nie ma żadnych atrakcji.

– Pewnie... – mamroczę, czując się głupio, podążam spojrzeniem za jego ciałem i naprędce układam plan, co też takiego mogłabym wymyślić, by dostać się pod jego prysznic, jaką mogłabym mieć wymówkę, by rozwalić mu drzwi, wskoczyć tam i go uratować. *To nie może być wąż. Wyraźnie widać, że nie boi się węży. Może aligator? Tak, pełno ich na Florydzie. Szybka podróż na bagna Everglades i tam znajdę jakiegoś, złapię, przywiozę...*

– Kacey?

Storm pytaniem sprowadza mnie z powrotem na ziemię. Ma uniesione brwi i patrzy na mnie z uśmiechem. Najwidoczniej umknęło mi pytanie.

– Co?

– Jestem pewna, że Trent z przyjemnością zjadłby z nami kolację w ramach podziękowania. – Widzę błysk w jej oczach. To jej szybka zagrywka.

Nie podoba mi się.

Trent nie chce mieć nic wspólnego z tym bałaganem.

– Rób jak chcesz. Ja idę na siłownię – odpowiadam, a mój ton jest niczym arktyczny wiatr, zamrażający jakąkolwiek wesołość w pomieszczeniu. Odwracam się na pięcie i wracam do sypialni, nim ktokolwiek zgłosi weto.

I nienawidzę siebie za to.

★ ★ ★

The Breaking Point jest cichy jak na późne popołudnie, ale wcale mi to nie przeszkadza. Nadal jestem nabuzowana z powodu dzisiejszych wężowych emocji. I Trenta. Potrzebuję swojej miłej i sprawdzonej rutyny. Robię szybką rozgrzewkę i przygotowuję się na rundkę z workiem.

– Hej, Ruda! – Dobiega mnie głos Bena.

Cholera! Odwracam się w tym samym momencie, w którym on przenosi spojrzenie z mojego tyłka.

– Ben.

Podchodzi i przytrzymuje mi worek bokserski.

– Potrzebujesz partnera, który na ciebie popatrzy?

– Najwyraźniej mam już jednego tak czy inaczej, prawda? – docinam mu. Jednak wtedy jego szelmowski uśmieszek w jakiś sposób rozśmiesza mnie, uwalniając napięcie z mojego ciała. – Na pewno wiesz, co robisz?

Wzrusza ramionami.

– Jestem pewien, że mnie nauczysz. – Po czym znów raczy mnie tym swoim uśmieszkiem i dodaje: – Wolę sprawować kontrolę, ale dla ciebie...

Ben rzuca mnóstwo insynuacji, więc przestaję słuchać. By dać mu nauczkę, zaskakuję go kopniakiem z półobrotu. Wymyka mu się jęk, gdy dostaje workiem w biodro.

– Potraktuj to jako swoją pierwszą lekcję. Zamknij się. Nie odzywaj się do mnie, kiedy trenuję.

Przez następne piętnaście minut ciosami rąk i kopnięciami walę w worek, a Ben wykonuje na wpół przyzwoitą robotę, trzymając worek i przyjmując siłę uderzenia. Jeśli mówi, nie słucham go. Jestem odcięta od świata, w strefie sekwencji, które mnie napędzają. Wielokrotnie ponawiam uderzenia, z każdym z nich uwalniając gniew.

Trzech kretynów upiło się pewnej nocy.

Trzej mordercy odebrali mi życie.

Jeden. Drugi. Trzeci.

W końcu, zmęczona, pochylam się i ląduję na czworakach, łapiąc oddech.

– Jezu, Kace. – Spoglądam w górę, by zobaczyć zdziwioną twarz Bena. – Nigdy nie widziałem kogoś, kto byłby tak całkowicie skupiony podczas walki. Byłaś jak Ivan Drago. To Rosjanin, który...

Przerywam mu, recytując z udawanym rosyjskim akcentem kawałek z *Rocky'ego IV* – kolejnego ulubionego filmu taty.

– Jak umrze, to umrze.

Ben podrywa głowę, unosząc brwi z zaskoczenia.

– Znasz ten film?

– A kto nie zna? – Nie mogę się powstrzymać przed ponownym chichotem. Wkrótce oboje się śmiejemy i myślę, że Ben mimo wszystko nie jest nadętym palantem.

Właśnie wtedy wysoka postać przechodzi obok nas i spuszcza młot kowalski na moje tarcze.

Trent.

Mój uśmiech zamiera, a wszelkie oznaki swobody zanikają. Biorę butelkę wody i próbuję ukryć swoją reakcję przed Benem, pociągając długi łyk. Patrzę, jak Trent zostawia swoje rzeczy przy gruszce bokserskiej i, ciągnąc za kołnierz, ściąga bluzę.

Co on tu do cholery robi!? Na mojej siłowni!? To jest moja... O matko... Strużka wody ciekne mi po brodzie, więc ocieram ją ręką, starając się nie gapić na wyrzeźbione ciało, które ma na sobie tylko biały podkoszulek na ramiączkach. Jest odwrócony do mnie plecami i nie spogląda w moim kierunku. Zaczyna uderzać w gruszkę z precyzją, która mnie zaskakuje. Jakby trenował. Przez chwilę patrzę na niego zahipnotyzowana i nieco rozczarowana, że mnie nie zauważył, nawet jeśli nie zasługuję na jego uwagę.

Może nie wie, że tu jestem.

Jakoś wątpię.

Czarne zawijasy tatuażu wystają spod ramiączek sportowego podkoszulka. Jakikolwiek jest rysunek, jest szeroki na całe plecy i zajmuje miejsce od łopatki do łopatki. Chciałabym zedrzeć tę koszulkę i przestudiować jego wzór, podczas gdy Trent byłby rozciągnięty w moim łóżku.

– Chyba widziałem tego kolesia w *Penny* – zauważa Ben. Zatem przyłapał mnie na gapieniu się na Trenta. Super.

– Lecisz na niego? – drażnię się.

– Nie, ale słyszałem, że ktoś inny tak. – Nie da się przegapić sugestii w jego głosie.

Cholerna Storm.

– To mój sąsiad. To wszystko.

– Jesteś pewna?

– Tak. Nie lecę na nikogo. Wliczając w to ciebie. – Sięgam po torbę.

Ben uśmiecha się pod nosem.

– To nie pójdziesz i nie przywitasz się z sąsiadem?

Odpowiadam kopniakiem. Ben w końcu odczytuje wskazówkę, kiedy nurkuje, by przytrzymać worek. Więcej nie wspomina o Trencie.

Robię, co mogę, by dokończyć drugą rundę, ale moja głowa już nie działa, a wszystko przez przystojniaka po drugiej stronie pomieszczenia, walącego w worek treningowy. Choć staram się, jak mogę, żeby nie patrzeć, orientuję się, że ciągle na niego zerkam.

Teraz przyłapuję Trenta ocierającego pot z czoła spodem podkoszulka, przy tym geście odsłaniającego idealny ośmiopak. Wciągam powietrze przez zęby, chwilowo porażona, moje serce przyspiesza do galopu, zaczyna...

Coś mocno uderza mnie w tyłek.

– Ała! – Natychmiast odwracam się i widzę Bena ze zwiniętym ręcznikiem w dłoniach i szatańskim uśmieszkiem na twarzy.

– Strzeliłeś mnie w tyłek ręcznikiem?! – pytam ze wściekłością.

Mój gniew nie robi na nim wrażenia. Za to mój kopniak w żebra już tak. Zwija się z bólu, jęcząc.

– Mam nadzieję, że było warto, dupku. – Schylam się po swoje rzeczy. Gdy się podnoszę, moje spojrzenie krzyżuje się ze spojrzeniem Trenta. Jego twarz jest bez wyrazu, ale jego oczy... Nawet z tej odległości widzę w nich determinację, ból i gniew.

Wiedział, że tu jestem. Przez cały czas.

Po dłuższej chwili Trent odwraca się i ponownie uderza w worek, a ja nagle czuję, jakbym to ja była workiem, a ktoś uderzał we mnie z poczuciem winy. I bólem. Naprawdę cierpię przez Trenta.

Mam tego dosyć.

Bez słowa uciekam do damskiej szatni i siedzę w tym niewielkim, ciemnym lochu z dwiema kabinami prysznicowymi i maleńką powierzchnią do przebierania, próbując pogrzebać te wszystkie niechciane emocje, które próbują się wydostać na powierzchnię. Dlaczego on musi tam być? Dlaczego na tej siłowni? Prześladuje mnie? Tak naprawdę to wiem, że to jedyna wyspecjalizowana siłownia dla pięściarzy po tej stronie Miami, więc jeśli trenuje sporty walki, miałoby sens, że musiał tu trafić, mimo to...

Przywykłam, by mieć wszystko pod kontrolą. Walczyłam o spokój. Tak właśnie przeżywałam każdy dzień i to się sprawdzało. Aż do teraz. Trent powoli przesącza się w moje życie i nie potrafię się skoncentrować. Moje ciało dostaje bzika, czuję wewnętrzny konflikt, jednocześnie chcąc odepchnąć go od siebie i trzymać blisko. Zbyt często o nim myślę. Nawet teraz myślenie o nim rozpala we mnie pragnienie, jakiego nie czułam od mojego ostatniego, jednorazowego numerka, który miał miejsce dwa lata temu. Tylko że tym razem to milion razy mocniejsze, jestem w większej potrzebie. Kołyszę się w przód i w tył, dłońmi zakrywam twarz. *Nie chcę tego. Nie chcę tego. Nie chcę tego...*

Słyszę ciche pukanie do drzwi. Nadzieja wylewa się niczym z pękniętej tamy i zdaję sobie sprawę, że bardzo bym chciała, żeby pukał Trent. Nic nie mogę na to poradzić. Pragnę tego. Pragnę jego. *Proszę, bądź...*

Wyglądający na skruszonego Ben staje w drzwiach, wywołując we mnie rozczarowanie.

– Wszystko u ciebie w porządku? Przepraszam. Pewnie uderzyłem cię mocniej, niż miałem w planach, ale odpłynęłaś w sferę marzeń.

Nie odpowiadam, adrenalina płynie w moich kończynach, moje serce pędzi, frustracja dobija się o uwagę. Patrzę w jego twarz i widzę słodkiego, rzeczywistego faceta. Bardzo atrakcyjnego w tej chwili. Nie zastanawiając się, czy to dobre, czy destruktywne, łapię obiema rękami za koszulkę Bena i wciągam go do szatni. Nie stawia oporu, chociaż sądząc po jego powolnych ruchach, nie bardzo wie, co się dzieje. Wpycham go do kabiny prysznicowej i zamykam za nami zasuwkę w drzwiach.

– Zdejmuj ciuchy. I nie dotykaj moich dłoni.

– Hm... – Mogę stwierdzić, że to nie jest to, czego spodziewał się Ben. Do diabła, to nawet nie to, czego ja się spodziewałam. Jednak muszę usunąć problem Trenta, a bezmyślny seks z kimś innym powinien pomóc.

Kiedy Ben nie wykonuje żadnego ruchu, zrywam z niego koszulkę i przyciągam go do swoich ust. W końcu łapie, o co mi chodzi. Unosi tył mojej sportowej koszulki, gdy przyciąga mnie do siebie. Jego język wślizguje mi się w usta. Jego pocałunek jest słodki, ale nie jest jak... *Nie, przestań Kacey. Robisz to, by zapomnieć o Trencie.*

Samo jego imię rozpala serię fajerwerków w moim wnętrzu.

– Kacey – mruczy Ben, a jego dłonie wędrują tam i z powrotem po moich ramionach, ściskają moje piersi. Odsuwa się na tyle, by ściągnąć mi przez głowę koszulkę, nim na powrót nakrywa moje wargi. Mamy ograniczoną przestrzeń, którą w większości zajmuje on, ale udaje mu się unieść mnie na niewielką półeczkę znajdującą się na ścianie, więc jestem nad nim. – Myślałem, że na mnie nie lecisz.

– Przestań gadać – nakazuję, gdy zsuwam spodenki razem z majtkami. Jego dłoń natychmiast znajduje się po wewnętrznej stronie mojego uda i przesuwa się w górę. I w górę. Aż ląduje dokładnie tam, gdzie chcę, żeby była.

Odchylam się i zamykam oczy.

I wyobrażam sobie, że to Trent.

Ben nie traci czasu, opada na kolana, by językiem zastąpić palce.

– Boże, jaka jesteś słodka – jęczy. Na krótko wyobrażam go sobie w kagańcu, by przestał gadać. Ale wtedy jego usta byłyby bezużyteczne. A w tej chwili naprawdę są przydatne. Minęło tak dużo czasu, odkąd pozwoliłam sobie na coś takiego, czy w ogóle czegoś takiego chciałam. Opieram się i rozluźniam, biorąc od Bena to, czego potrzebuję.

I wszystko działa wyśmienicie.

Aż Ben musi to zepsuć. Robi dokładnie to, czego mu zabroniłam. Chwyta mnie za dłoń.

To gwałtowny szok, jakbym po godzinie moczenia się w gorącej kąpieli została wrzucona do wanny pełnej lodowatej wody. Cała przyjemność znika, więc odpychając od siebie jego twarz, odsuwam się od jego ust i od jego dotyku.

– Cholera, Ben. Po prostu wyjdź. Teraz.

– Co? – Niezrozumienie maluje się na jego obliczu, gdy patrzy na mnie, jakbym właśnie przyznała się do potrójnego zabójstwa podczas wyrabiania ciasta na szarlotkę.

– Dotknąłeś mojej dłoni. Mówiłam, żebyś tego nie robił. Wyjdź.

Nadal się nie rusza, uśmieszek niedowierzania błąka się po jego ustach.

– Mówisz poważnie?

Pochylam się do przodu, odsuwam zasuwkę w drzwiach i nakazuję Benowi mającemu najbardziej widoczną erekcję w spodenkach, z jaką się w życiu spotkałam, wyjście z kabiny. Kiedy wychodzi, ponownie zamykam drzwi, opadam na posadzkę i przyciągam kolana do piersi.

Co wcale nie pomaga.

Tak naprawdę tylko wszystko pogarsza.

Nudności kłębią się w moim wnętrzu. Jak mogłam być taką egoistką? Ben mnie pewnie znienawidzi. Co więcej, teraz, kiedy intensywne napięcie seksualne zniknęło, czuję się zażenowana swoim postępowaniem wobec niego. Nigdy nie czułam się winna z powodu moich wyczynów. I... Szybko wciągam powietrze przez zęby. *A co, jeśli Trent to słyszał?* *O Boże.* Głowa opada mi na kolana.

Obchodzi mnie. Dbam o to, co myśli Trent. Interesuje mnie, czy jemu to przeszkadza. Po prostu... zależy mi. I bez względu na to, co zrobię, nie będę

w stanie zagłuszyć tego uczucia. Ani przypadkowym seksem, ani byciem wiedźmą, żadną z kilku-
nastu okrutnych wersji, których mogłabym użyć,
by go od siebie odepchnąć. Jakimś cudem udało
mu się wsunąć dłoń pod mój tytanowy płaszcz
i dotknąć mnie w sposób, w jaki nikt nigdy mnie
nie dotknął.

ROZDZIAŁ SZÓSTY

Dzisiaj w barze mamy promocję, dwa drinki w cenie jednego, więc lokal jest wypełniony klientami, przez co mamy ze Storm kupę roboty, aż moje ciało lśni od potu. Cainowi udało się znaleźć bliźniaka Nate'a – kolejny czarnoskóry, olbrzymi brutal – by niczym złowieszczy wartownik strzegł naszego baru i w mgnieniu oka był gotów pozbyć się natarczywych klientów. Właściwie lokal ma dzisiaj tyle ochroniarzy, ile tancerek. Uwzględniając Bena. Od tamtego popołudnia na siłowni nie odezwał się do mnie ani słowem i to mi pasuje. Wolę pochylać głowę ze wstydem niż mieć do czynienia z ciągłym wypominaniem.

Ustawiam dziesięć kieliszków wódki, a Cain pochyla się nad barem.

– Jak ci się do tej pory podoba w *Pałacu Penny*, Kacey? – pyta, przekrzykując muzykę.

Obdarowuję go uśmiechem i skinieniem głowy.

– Jest świetnie, Cain. Pieniądze są naprawdę dobre.

– Super. Mam nadzieję, że oszczędzasz na studia.

– Tak. – *Tylko że nie na swoje.*

– A jakim kierunkiem się interesujesz?

Milczę przez chwilę, zastanawiając się, jak mu odpowiedzieć. Wybieram szczerość ponad przemądrzałą uwagę. Mimo wszystko to mój szef.

– Nie jestem pewna. Teraz jest sporo kierunków do wyboru. – Z jakiegoś powodu pytanie Caina mnie nie krępuje. Przeszkadza mi natomiast moja nieuczciwość. – Bardziej interesuje mnie wysłanie młodszej siostry na kierunek przygotowujący na medycynę.

– Ach tak. Ten kruczoczarny aniołek, którego chwaliła Storm. – Spojrzenie Caina się zwęża. – Jesteś pracowita i mile widziana tak długo, jak długo będziesz potrzebowała pracy, ale mam nadzieję, że wkrótce zdecydujesz się na jakiś kierunek. Stać cię na coś więcej, niż serwowanie drinków. Nie poddawaj się. – Ręką poklepuje bar, po czym odchodzi, zostawiając mnie gapiącą się na jego plecy.

– Jaka jest jego historia? – zagaduję do Storm.

– O co pytasz?

– Cóż, wydaje mi się, że może być jednym z najciekawszych ludzi, jakich kiedykolwiek poznałam. Paradoksalne, skoro chodzi o właściciela klubu ze striptizem. Nie patrzy mi na ręce. Ale przychodzi się przywitać. A teraz zniechęca mnie do pracy tutaj, ponieważ jestem za dobra na ten lokal.

Storm się śmieje.

– Tak, na pewno jest wyjątkowy. Jego przeszłość jest nieco skomplikowana. Miał do czynienia z wieloma lokalami, a kobiety, które przewinęły się przez jego życie, były zazwyczaj ofiarami przemocy domowej. – Sięga po butelkę Jacka Danielsa, która stoi przede mną. – A mówiąc o Trencie...

Co? Nagła zmiana tematu sprawia, że zaczynam się wiercić. Z radosnym uśmiechem, Storm ruchem głowy wskazuje stolik nie tak daleko od nas. Rzeczywiście, siedzi przy nim Trent. Przez trzy noce z rzędu pojawia się około dwudziestej trzeciej i jest sam. Nie zbliża się do mnie. Tylko zamawia coś do picia i siedzi w bezpiecznej odległości. Wiem jednak, że mnie obserwuje. Skóra mnie mrowi pod wpływem jego spojrzenia. Zaczyna mnie to wkurzać.

– Kacey. – Storm pochyla się ku mnie. – Mogę cię o coś zapytać?

– Nie. – Sięgam po nóż oraz limonkę i zaczynam ją kroić w ósemki.

Następuje chwila ciszy.

– Dlaczego nadal go ignorujesz? Przychodzi tu co noc, by cię zobaczyć.

– Jasne, do klubu ze striptizem. Każdej nocy. Samotnie. Właśnie taką osobę nazywamy maniakiem.

– On ledwie rzuca okiem na tancerki, Kacey – mówi. – I widziałam, że ty też całą noc gapisz się na niego.

– Wcale nie! – zaprzeczam zbyt szybko, piskliwym głosem. Próbowałam tego unikać, ale najwyraźniej mi nie wychodzi.

Storm mnie ignoruje.

– Wydaje mi się, że mu się podobasz, poza tym wygląda na porządnego faceta. Mogłabyś przynajmniej z nim porozmawiać, to by cię przecież nie zabiło. Wiem, że w głębi duszy nie jesteś złośliwą osobą.

Walczę z poczuciem winy. *Jestem, Storm. Jestem złośliwa. Robię to celowo. W ten sposób jest bezpieczniej. Dla każdego.*

– Nie jestem zainteresowana. – Zaciskam zęby i kontynuuję krojenie.

Storm przeciągle wzdycha.

– Miałam nadzieję, że to powiesz. Zatem zamierzam się z nim umówić, bo jest fajny.

Opada mi szczęka, a spojrzenie natychmiast ląduje na twarzy Storm i jestem pewna, że w oczach błyszczy mi chęć mordu. Jak może drażnić mnie w ten sposób? Śmie nazywać się przyjaciółką?

– Ha! Mam cię! – Storm wyciąga palec w górę. – Wiedziałam. Przyznaj się. Przyznaj, że chcesz tam iść i pogadać z tym „seksem na patyku". – Odsuwa się z drażniącym uśmieszkiem i zaczyna śpiewać: – Zakochana para, Kacey i Trent...

– Zamknij się. – Moja twarz jest gorąca niczym płonący las. Kiedy podchodzi klient, by zamówić drinka, próbuję ignorować Storm, Trenta i zbliżającego się Nate'a.

– Dwa razy whisky sour, robi się! – wołam, stawiając na barze dwie szklanki. Nie mam pojęcia, jak je przygotować, a wątpię, żeby ten facet chciał eksperymentować. Wyczekująco unoszę brew i patrzę na Storm.

Odpowiada, krzyżując ręce na piersiach.

– Nie, dopóki nie pójdziesz z nim pogadać.

Zaciskam zęby.

– Dobra – syczę. – Później. Ale najpierw, czy mogłabyś pomóc mi w przyrządzeniu drinków, zanim otruję tego znakomitego dżentelmena?

Ze zwycięskim uśmieszkiem Storm przygotowuje dwa drinki i przesuwa je po barze.

– Ta twoja południowa słodycz jest markowana, co? – pytam.

Jej uśmiech zamienia się w pozorne oburzenie.

– Nie wiem, o co ci może chodzić – odpowiada, wachlując się ścierką.

W jakiś sposób to jej dogryzanie, czy może jej rozentuzjazmowany nastrój sprawia, że przez moją twarz rozciąga się uśmiech.

– Alleluja! Patrzcie na to! Panna Kacey znów się uśmiecha! – Przyciska dłoń do czoła. – Czyż to nie znak z nieba?

Odskakuje, gdy kawałek rzuconej przeze mnie limonki uderza ją w udo. Po czym mówię z głębokim ukłonem:

– Nauczyć mnie musisz. Wtedy stanę się wspaniała.

Storm daje mi kuksańca w bok i wraca, by obsłużyć kolejnego klienta, a w moim wnętrzu kotłują się nerwy. *O Boże, na co ja się zgodziłam?* Przyciskam dłonie do brzucha. *Jeden... Dwa... Trzy...* Koncentruję się na wdechu i wydechu. Nie jestem przyzwyczajona do tego uczucia. Jest okropne, stresujące i jeśli je zaakceptuję będę podekscytowana. Pochylam się, by włożyć nóż do szuflady i prostuję się z chęcią wyjścia zza baru.

Pojawiają się przede mną dołeczki.

– Bez zaczepki chyba nie mogę dostać napoju do stolika – mruczy Trent, uśmiechając się ironicznie i pochylając się nad barem. – Nie mam pojęcia dlaczego.

Powoli wciągam powietrze. *Nie trać przy nim kontroli, Kacey. Chociaż raz!*

– Niektórzy muszą uważać cię za bardzo... zaczepialnego – odpowiadam, a moje wnętrze się roztapia. *Jezu, nawet sutki mi twardnieją.* Co gorsza, jeśli tylko Trent spojrzy w dół, będzie mógł je zobaczyć przez cienką czarną satynę.

– Jest takie słowo? – Jego oczy błyszczą, a ja muszę uspokoić oddech, bo serce zaczyna mi się rozbijać o żebra. Teraz, gdy pogodziłam się z faktem, że ten drań, czy mi się to podoba czy nie, ma na mnie wpływ, stał się jeszcze lepszym kąskiem. *Oddychaj, Kace.*

– I jak tam, żadnych więcej węży? – pyta. Jeżeli moje okrucieństwo wobec niego tamtego dnia ubodło go, to albo już mu przeszło, albo nie przywiązał do tego większej wagi. To ulga dla mojego sumienia na każdym z poziomów.

– Nie, Superman Tanner wszystkim się zajął. – Właściwie Tanner stał się moim małym bohaterem. Tamtego dnia, kiedy już wykąpałam się u Storm i poszłam na siłownię, strzegł naszego mieszkania niczym wierny pies i nie opuścił posterunku, póki drzwi nie wróciły na miejsce i nie zostały zamknięte na zamek. Storm słyszała, że poszedł potem do Zboczka Pete'a i zrobił mu karczemną awanturę, grożąc zawiązaniem przyrodzenia niczym krawata, jeśli podobny incydent kiedykolwiek się powtórzy. Okazuje się, że Tanner to nieoszlifowany diament.

Trent stawia szklankę na barze.

– Zatem, czy mogłabyś mnie zaczepić... eee... podać mi coś do picia?

Próbuję odzyskać spokój, spoglądając na limonki, które znajdują się przede mną. On ze mną flirtuje. Nie pamiętam, jak to się robi. Nie wiem, czy to przez ciała wokół, czy muzykę, czy przez to, że Storm nazwała go „seksem na patyku", ale nagle mam ochotę spróbować flirtu.

– To zależy. Masz jakiś dokument?

Podpiera się łokciami na barze i żartobliwie marszczy brwi.

– Żeby dostać wodę mineralną?

To zbija mnie z tropu. Całą noc siedzi w klubie ze striptizem i nie pije alkoholu? Szybko odzyskuję spokój i wzruszam ramionami.

– Jak chcesz. – Ponownie wyciągam nóż z szuflady i zaczynam kroić limonki, moje ruchy są precyzyjne i powolne, żebym z powodu jego intensywnej obecności nie posiekała sobie palców.

– Uparciuch. – Słyszę, jak mruczy pod nosem, przesuwając prawo jazdy po barze. Zabieram je, uśmiechając się z ciekawością. W słabym świetle ciężko jest cokolwiek odczytać, ale przymykam jedno oko i mozolnie składam litery.

– Trent Emerson. Wzrost: metr dziewięćdziesiąt. – Mierzę spojrzeniem w górę i w dół wspaniały, złożony z twardych mięśni tors, zatrzymując się przy pasie. – Tak, chyba się zgadza. Oczy: niebieskie. – Nawet nie muszę patrzeć, by to stwierdzić, ale i tak to robię, przyglądając się usilnie, aż czuję, że zaczynam się rumienić. – Też się zgadza. Urodzony trzydziestego pierwszego grudnia? – Dwa tygodnie po moich urodzinach.

Uśmiecha się.

– Prawie noworoczny dzidziuś.

– W tysiąc dziewięćset osiemdziesiątym siódmym. Masz prawie dwadzieścia pięć lat? – Pięć lat starszy ode mnie. *Nie za stary.* Chociaż jeśli jego dokument mówiłby tysiąc osiemset osiemdziesiąty siódmy i chłopak nadal tak by wyglądał, miałabym to gdzieś.

– Myślę, że jestem dostatecznie dorosły, by dostać wodę mineralną. – Uśmiecha się, wyciągając rękę. Nie zwracam dokumentu od razu. Przynajmniej dopóki nie rzucam okiem na adres w Rochester.

– Jesteś bardzo daleko od stanu Nowy Jork – mówię, przesuwając dokument po barze i zostawiając, by go zabrał.

– Potrzebowałem zmian.

– Czyż wszyscy ich nie potrzebujemy? – Nalewam wodę. Kątem oka zauważam, że jego spojrzenie przyklejone jest do mojego ramienia, więc świadomie lekko zmieniam kąt ustawienia. Jestem pewna, że blizny na moim ciele go zniesmaczają. Ale przecież już widział kilka z nich. Gdzie tam, wszystkie widział. Gość widział mnie golusieńką. Mnóstwo facetów widziało mnie nago, ale nie zwracałam na to uwagi. Ale czy Trent naprawdę widział mnie gołą? Ręce zaczynają mi się trząść.

– Lepiej się dzisiaj czujesz, Kace?

Wzdrygam się z powodu tego pytania i krew odpływa mi z twarzy, kiedy Ben z porozumiewawczym uśmieszkiem pochyla się obok mnie nad barem. Wyciąga rękę.

– Cześć, jestem Ben. Kiedyś, gdy pomagałem w treningu Kacey, widziałem cię na siłowni. – Słowa

„pomagałem w treningu Kacey" wypowiedział tak, że język ucieka mi w głąb gardła.

– Trent. – Trent jest dość serdeczny, ale zauważam, że wyprostował się, a kąciki jego ust zjechały w dół, tworząc prostą linię. Jest wysoki. Wyższy od Bena, choć nie tak napakowany.

– To dla kogo tu dzisiaj jesteś, Trent? I wczoraj dla kogo tu byłeś? I wcześniej? Chyba nie dla tancerek, skoro cały czas gapisz się na Kacey.

– Ben! – warczę, wyobrażając sobie, że moje spojrzenie ciska zatrutymi sztyletami wprost w jego język.

Ignoruje mnie.

– Pewnie, Kacey też cały czas o tobie gada. Nie chce się zamknąć. To się robi wkurzające.

Drżącą dłonią uderzam o bar szklanką z wodą, cały czas w duchu wyrywając Benowi jęzor z gardła i wsadzając mu go w tyłek, by zasmakował, jaki z niego dupek.

– Bardzo w to wątpię. – Z miękkim śmiechem Trent zabiera szklankę z wodą i cofa się, a dziwny uśmieszek błąka mu się po twarzy. – Lepiej, żebyś wróciła do pracy. Dzięki za napój.

Gdy tylko Trent się odwraca, łapię Bena za uwypuklony mięsień na ramieniu i przekręcam.

Ben wrzeszczy i odskakuje, ale sekundkę później już się szczerzy i pociera obolałe miejsce.

– Co to, do cholery, miało być? – syczę.

Pochyla się ku mnie.

– Życie jest zbyt krótkie na głupie gierki, w które się bawisz, Kacey. Oboje na siebie lecicie, więc przestań ściemniać.

– Pilnuj własnego nosa, Ben.

Pochyla się jeszcze niżej, jego twarz dzieli od mojej zaledwie kilka centymetrów.

– Pilnowałbym, gdybyś mnie nie wciągnęła w sam środek tej zabawy. Dosłownie. I mnie z niej nie wykopała. Dosłownie. – Następuje chwila ciszy. – Skrzywdził cię?

Kręcę głową, wiedząc dokładnie, o co mu chodzi.

– Zatem jakiekolwiek masz problemy, pozbądź się ich i rusz naprzód. – Uśmiecha się szelmowsko. – Jestem twoim dłużnikiem. Przyprawiłaś mnie o najgorszy przypadek sinych jaj, jaki kiedykolwiek miałem. To powinien być twój sceniczny pseudonim. – Sprośnym spojrzeniem wodzi po mojej klatce piersiowej. – Chociaż muszę przyznać, że było warto. Podarowałaś mi kilka cennych obrazków na czas, kiedy jestem sam.

Kiedy odchodzi, zanosząc się śmiechem, rzucam w niego ścierką.

Gdyby tylko to było takie proste, Ben.

★ ★ ★

O północy Trent nadal tu jest, cały czas popijając swoją wodę, a Storm krąży wokół mnie jak hiena przy padlinie.

– Idź z nim jeszcze raz pogadać.

– Nie.

– Dlaczego tak to utrudniasz, Kacey?

– Ponieważ jestem trudną osobą. – Po czym dodaję, mamrocząc pod nosem: – I tak to nie jest możliwe.

– Dlaczego nie?

Kręcę głową, głęboko marszcząc czoło.

– Po prostu nie mogę. On nie zasługuje na wyrzucenie z kabiny prysznicowej.

– Co? – Słyszę zdziwienie Storm, ale jej już dłużej nie słucham. Nie potrzebuję, by Ben i Storm mnie zachęcali. Moje wewnętrzne impulsy robią to wystarczająco dobrze, walczą z moją silną wolą. Naprawdę chcę iść i porozmawiać z Trentem. Stanąć obok niego. Pocałować go… Wszystkie wypracowane przeze mnie mechanizmy obronne, które miały blokować we mnie wszelkie emocje i ułatwiać mi życie, teraz mnie zawiodły. Nagle zalewa mnie fala pożądania i uczuć, z którymi nie potrafię sobie poradzić. – Jest zbyt… dobry. I zbyt uroczy.

– Ty też jesteś urocza. Przynajmniej kiedy nie próbujesz być wiedźmą. – Sposób, w jaki wypowiada ostatnie zdanie, wskazuje, że nie planowała mówić tego głośno. Dostrzegam, że jej oczy natychmiast rozszerzają się.

– Dobra robota, Storm. – Szczerze wyrażam uznanie.

Pokazuje mi język.

– Siedział całą noc w klubie ze striptizem, czekając na ciebie.

– Och, jakie to straszne – mruczę, wskazując na scenę, gdzie Skyla i Candy ocierają się o siebie.

– O kim rozmawiacie? – pyta grecka bogini z cyckami dorównującymi Storm, kładąc tacę na barze i zamawiając drinki, by ją uzupełnić.

– Stolik trzydzieści dwa – mówi Storm.

Dziewczyna przewraca oczami i rzuca:

– Ten facet jest gejem.

– W takim razie, co robi w *Pałacu Penny*, Pepper? – słodkim głosem pyta Storm.

„Pieprz", pfff, co za głupia ksywka.

Pepper wolno wzrusza ramionami.

– Chinka ciężko nad nim pracowała, by dał się skusić na prywatny taniec, ale nie chciał. Przy tym cały czas łypie okiem na Bena.

Gryzę się w język, by nie wyjaśniać, że i tak nie zgodziłby się, bo nie lubi brudnych dziwek. Nie mam pojęcia, kim jest ta Chinka, ale mam ochotę rozerwać ją na strzępy. Nie za bardzo lubię też Pepper. *Powinnam tam iść i nasikać wokół jego stolika, by zaznaczyć swoje terytorium. Chwila... co? Rany, Kacey.*

– On po prostu czeka na prywatny pokaz od Kacey – rzuca Storm i odwraca się na pięcie. Przyłapuję Pepper, jak mruży oczy, oceniając potencjalną finansową konkurencję. Nie umiem stwierdzić, co dzieje się teraz w jej głowie. Wątpię, by było tego wiele. Obdarzam ją takim samym spojrzeniem.

– Masz. – Storm wkłada mi do ręki pełną szklankę. – Idź i znów z nim pogadaj. I tak potrzebujesz przerwy.

– Dobra – syczę. – Ale kiedy wrócę, musimy omówić mój pseudonim sceniczny. Może „Salt", jak sól, „Lollipop", jak lizaczek albo „Lemon", jak cytrynka.

– Słyszałam, że „Sine Jaja" lepiej by pasowało – rzuca Storm, chytrze mrużąc oczy.

Wzdycham, grożę jej palcem, po czym w tłumie szukam Bena, gotowa wyrwać mu jęzor.

– Nie przejmuj się, chciał się tylko upewnić, że wszystko z tobą w porządku – szepcze po chwili. – Nie oceniam. Twój sekret jest u mnie bezpieczny, lisico. – Kieruję się do wyjścia zza baru, gdy Storm krzyczy do mnie: – Hej, a może „Vixen", jak lisiczka, jako twój pseudonim sceniczny?

Ignoruję ją, wciągam powietrze do płuc i unoszę kawałek lady, który robi za wyjście zza baru. Staram się nie denerwować, ale to na nic. *Do diabła, przyznaj to, Kacey. Trent cię onieśmiela.* Wystarczy, bym popatrzyła, jak siedzi na krześle, opierając się na stoliku, a motyle rozbijają mi się w brzuchu. Gdy staje się oczywiste, że idę prosto do niego, Trent siada prosto, jakby też był nieco zdenerwowany. Odrobinę mnie to pociesza.

Z niewielkim uśmiechem kładę przed nim szklankę z wodą mineralną.

– Czy to przypadek, że nadal tu jesteś?

– Przypadek, w rzeczy samej. – W zamian obdarowuje mnie wymuszonym uśmiechem.

– Facet przeprowadza się do innego miasta i każdą noc spędza w lokalu ze striptizem. Samotnie.

Trent mi przerywa.

– ...gdzie dwie jego sąsiadki pracują za barem.

Zabieram pustą szklankę.

– Storm przekonała mnie, że to będzie odmieniające życie doświadczenie.

Jego spojrzenie spoczywa na scenie i widzę w nim cień dezaprobaty.

– To chyba zależy od tego, co tu robisz.

– Nie – natychmiast prostuję. – Cały czas mam na sobie ubranie. To obowiązkowe. – Przygryzam wargę. *Zbyt chętnie mu wyjaśniasz, Kacey.*

Trent przez chwilę spogląda mi w oczy, po czym kiwa głową.

– To dobrze.

Nic nie mogę na to poradzić, i gdy mówi, spoglądam na jego usta, obserwując, jak się układają, jakie są miękkie.

– Hm... – Kręcę głową, starając się skupić. – Widzę, że nie trzymasz się dzisiaj mocnych trunków.

Obdarowuje szklankę głębokim i refleksyjnym spojrzeniem, a mnie kolejnym słabym uśmiechem.

– Tak, lepiej uważaj. Wariuję, gdy cały czas piję tę wodę.

Chichoczę. *Chichoczę!*

– A co pijesz, jeśli nie masz mineralnego ciągu?

– Mleko, soki. Czasami colę.

Dziwię się.

– Żadnego piwa? Jacka Danielsa? Tequili?

Kręci głową, wkłada słomkę do ust, a na jego twarzy pojawia się cień powagi.

– Już nie tykam tych rzeczy. – Jego spojrzenie krzyżuje się z moim i przez chwilę tam pozostaje. – Lubię być w pełni świadomy tego, co się dzieje.

W pełni świadomy? Poważnie, Trent? Chcesz wiedzieć, że moje stringi stały się w tej chwili wilgotne? Oblizuję wargi, nieświadomie ściągając jego uwagę do swoich ust. Żar rozpala się w moim ciele, pełznie od karku, przez plecy, a kończy u zbiegu ud.

– Ja… hm…

Na szczęście Trent przełamuje niezręczną ciszę.

– A co ciebie sprowadza do Miami?

– Chciałam zmienić krajobraz? – odpowiadam podobną do jego wymówką, modląc się w duchu, żeby nie naciskał osobistymi pytaniami. Chyba teraz śpiewałabym jak kanarek. Wszystko, by tylko ze mną rozmawiał. Litościwie, Trent nie nalega.

– Może zmieniłeś zdanie, kochaniutki? – pyta lubieżny głos zza moich pleców, przerywając nam. Odwracam się i widzę zbliżającą się farbowaną rudą.

Jest tak wysoka, że mogłaby położyć pulchne piersi na wysokim stoliku. Patrzę, jak czerwony szpon prześlizguje się w dół ramienia Trenta. To musi być Chinka.

Część mnie pragnie odwrócić się i wbić jej obcas w łeb. W kick-boxingu nazywamy ten cios „Spinning Back Kick". Tutaj będzie się nazywał „Jak wyleciałam z roboty przez zazdrość". Nie ma mowy, bym za ten cios otrzymała od Caina pochwałę.

Z kolei inna część mnie chce zobaczyć, jak Trent poradzi sobie z tą „zaczepką". Po paradzie pierwszego wieczoru zaczepki się uspokoiły. Myślę, że to dlatego, iż, podobnie jak Pepper, reszta dziewczyn zakłada, że Trent czeka, aż Ben zmieni front.

Ku miłemu zaskoczeniu, Trent opuszcza rękę i przekręca się na krześle tak, by cały był zwrócony w moją stronę.

– Nie zmieniłem, dzięki.

Lekko nadąsana dziewczyna mruczy:

– Jesteś pewien? Możesz tego żałować. Umiem zapewnić całkiem dobrą rozrywkę.

Jego spojrzenie krzyżuje się z moim i wcale nie stara się ukryć w nim iskier.

– Nie tak bardzo, jak pożałowałbym opuszczenia mojego dotychczasowego towarzystwa. Ta dziewczyna potrafiłaby zapewnić mi rozrywkę na całe życie.

Moje serce pomija trzy uderzenia i w płucach więźnie mi oddech. Jeśli kiedykolwiek miałam wątpliwości, co do intencji Trenta, swoim spojrze-niem i słowami właśnie je rozwiał. Nie odnotowuję skrzywienia na twarzy Chinki, ale jestem pewna, że spojrzeniem zdziera mi właśnie skórę z kości. Nie zwracam uwagi na jej odejście. Już nic wokół siebie nie widzę. Nagle Trent i ja jesteśmy jedynymi ludź-mi w lokalu i czuję to samo niekontrolowane pra-gnienie, które odczuwałam w dzień, kiedy uratował mnie przed wężem.

Zaciskam dłonie. Muszę się tu kontrolować. Nie mam wyboru. Nie mogę się na niego rzucić jak ja-kieś napalone hormonami dziwadło, jakim w sumie teraz jestem. Odchrząkuję, starając się brzmieć na luzie.

– Jesteś tego pewien? Ponieważ ode mnie co naj-wyżej możesz dostać wodę mineralną.

– W porządku – słyszę jego szept. – Na razie. – Przygryza dolną wargę, a temperatura w pomiesz-czeniu natychmiast wzrasta o jakieś dwadzieścia stopni. *Pałac Penny* zamienia się w cholerną saunę, a mój umysł zostaje tak rozproszony, że zapominam, jak się stoi.

Jednak udaje mi się utrzymać pionowo i wciąż gapię się na Trenta, kiedy skrzeczący głos oznajmia przez mikrofon:

– Panowie… – Kolejna tancerka schodzi ze sce-ny. Nauczyłam się nie słyszeć tego głosu, więc i tym razem, tym bardziej w obecności Trenta, nie mam problemów, by go wytłumić. Dzieje się tak, póki nie słyszę: – ...specjalnym pokazie dzisiejszego wieczoru... Storm!

– To są chyba jakieś jaja! – Odwracam się i sprawdzam, kto stoi za barem, ale dostrzegam tam tylko Ginger i Penelope. Gdy nad sceną pojawia się mistyczny zielony blask, uwaga wszystkich oczekujących skupia się w tym miejscu, jakby czekali na pokaz odmieniający życie, a nie na taniec kolejnej gołej dziewczyny w klubie ze striptizem. *Mojej nagiej przyjaciółki.* – O rany. To będzie niezręczne. Nawet mnie nie ostrzegła! – Podświadomie stawiam krok w tył, aż trafiam na udo Trenta.

– Wiesz, że nie musisz oglądać, co? – szepcze mi do ucha.

Powolne pulsowanie rytmu muzyki wypełnia klub, a reflektory padają na scenę, by oświetlić skąpo ubrane ciało kobiety siedzącej na srebrnej podwieszonej obręczy. Nie mogłabym oderwać od niej wzroku, nawet gdybym chciała.

To Storm w bikini z cekinami, które niewiele pozostawia wyobraźni, unosi się w powietrzu na metalowej obręczy. Gdy muzyka wzmaga tempo, robi wymyk w tył, a każdy mięsień w jej ramieniu pracuje, gdy dziewczyna wisi na jednej ręce. Bez widocznego wysiłku z powrotem przerzuca nogi przez koło i płynnie wsuwa w nie ciało, po czym przyjmuje kolejną imponującą pozę. Muzyka znów się wzmaga, a Storm zaczyna machać nogami, aż obręcz zaczyna się huśtać tam i z powrotem jak wahadło. Nagle zwisa na rękach, zaczyna szybko wirować, jej włosy powiewają luźno, jej ciało wykrzywia się i odchyla w różnych wdzięcznych pozach. Jakby była artystką z *Cirque du Soleil* – jest piękna, przygotowana i robi rzeczy, które wydają mi się niemożliwe do wykonania przez człowieka.

– Wow. – Zahipnotyzowana słyszę swój własny szept.

Storm jest akrobatką.

Skrawek materiału okrywającego jej piersi nagle ulatuje.

Storm jest akrobatką-striptizerką.

Coś ociera się o moje palce, więc się wzdrygam. Spoglądam w dół i widzę dłoń Trenta spoczywającą na kolanie, jego palce dosłownie milimetry od moich. Tak blisko. Tak bliziutko, a jednak nie odsuwam się. Coś głęboko w moim wnętrzu nakazuje przeć do przodu. Zastanawiam się, czy istnieje jakaś szansa... *Co, jeśli...* Biorę wdech, patrzę mu w twarz i dostrzegam świat spokoju i możliwości. Po raz pierwszy od czterech lat myśl o dłoni spoczywającej na mojej nie przyprawia mnie o atak paniki.

I zdaję sobie sprawę, że chcę, aby Trent mnie dotknął.

Jednak on się nie rusza. Patrzy na mnie, ale nie naciska. Tak jakby wiedział, że to most do wszystkiego, co spaliłam i od czego się odcięłam. Ale skąd miałby wiedzieć? Storm musiała mu powiedzieć. Utrzymując spojrzenie na tych przepięknych i niebieskich oczach, zmuszam się, by przysunąć dłoń. Drżą mi palce, a w głowie krzyczy głos, bym się zatrzymała. Wrzeszczy, że to błąd, że fale tylko czekają, by rozbić się nad moją głową, by mnie utopić.

Spycham ten głos na bok.

Wolniutko i delikatnie mój opuszek muska jego palec wskazujący.

Trent nadal nie porusza ręką. Pozostaje całkowicie nieruchomo, jakby czekając na kolejny mój ruch.

Przełykam głośno ślinę i całą dłoń kładę na jego dłoni. Słyszę ostry wdech, kiedy jego szczęka się zaciska. Patrzy mi w oczy, a jego spojrzenie jest nieczytelne. W końcu przesuwa dłoń i nakrywa moją, delikatnie splatając palce. Bez użycia siły, bez pośpiechu.

W tle rejestruję pomruk aprobaty, ale wszystko, co słyszę, to głównie szum krwi w moich uszach. *Jeden... Dwa... Trzy...* Zaczynam brać dziesięć płytkich oddechów.

Nie potrafię zaakceptować euforii pęczniejącej we mnie.

Dotyk Trenta jest pełen życia.

Jestem pewna, że gdzieś w pobliżu słyszę rozbijające się szkło, ale jestem zbyt oszołomiona, by zarejestrować to zdarzenie.

– W porządku? – pyta szeptem i ściąga brwi.

Nim mam czas zrozumieć pytanie, jego dłoń, zabierając ze sobą ciepło i życie, zostaje wyszarpnięta z mojej, kiedy para gigantycznych łap ląduje na jego ramionach.

– Będzie pan musiał wyjść – grzmi Nate. – Nie wolno dotykać pań.

Kątem oka dostrzegam w dole ruch. Patrzę pod nogi i widzę, jak sprzątacz zamiata pozostałości po pustej szklance Trenta. Chyba wymknęła mi się z wolnej ręki.

– W porządku? – usilnie dopytuje Trent, jakby wiedział, że coś może być nie tak, gdy ktoś dotyka moich dłoni. Jakby taka fobia była powszechnie akceptowalna. Jakbym nie była świrnięta.

Próbuję, jak mogę, ale nie umiem otworzyć ust i wydobyć z siebie głosu. Nagle zamieniam się w posąg.

– Kacey!

Nate szarpie Trenta i prowadzi do drzwi, a ja mogę tylko patrzeć na jego wyjście, kiedy jego błagalne spojrzenie przyklejone jest do mojej twarzy, aż w końcu znika z zasięgu mojego wzroku.

Gdy oszołomiona wracam za bar, wszystko wydaje się być rozchwiane. Ściany, ludzie, tancerki, moje nogi. Mamroczę pod nosem przeprosiny dla Ginger za przerwę dłuższą niż piętnaście minut. Macha ręką, że to nie ma znaczenia i nalewa komuś drinka. Niezgrabnie odwracam się i widzę, że na środku sceny pojawiła się zgrabna Indianka, która w kostiumie z piór przedstawia taniec deszczu. Nigdzie nie ma Storm.

Świat nadal się kręci, nie zważając na znaczące zmiany w moim maleńkim wszechświecie.

ETAP CZWARTY

AKCEPTACJA

ROZDZIAŁ SIÓDMY

– To co myślisz? – Storm przerywa ciszę panującą podczas jazdy samochodem do domu.

Marszczę brwi, nie rozumiejąc pytania. Moje myśli nadal oscylują wokół Trenta, dotyku jego dłoni i mnie, stojącej przed nim jak idiotka, bez słowa. Jestem tak pogrążona w myślach o Trencie i o tym kluczowym momencie, że po raz pierwszy nie jestem speszona, siedząc w jeepie Storm. Trzymał mnie za rękę. Trzymał mnie za rękę i nie utonęłam.

Widzę, że małe pięści Storm zaciśnięte są mocno na kierownicy, a dziewczyna patrzy wszędzie dokoła, tylko nie na mnie. Jest zdenerwowana.

– Co myślę o czym? – pytam powoli.

– O... moim występie?

Ach, prawda!

– Nie rozumiem, jak nie przeważają cię cycki.

Odchyla głowę w tył, śmiejąc się.

– Wierz mi, zaczynam się przyzwyczajać.

– A tak serio, to była najbardziej niesamowita rzecz, jaką w życiu widziałam. Co ty do licha robisz w klubie ze striptizem? Mogłabyś występować w *Cirque du Soleil* czy czymś takim.

Wyłapuję w jej chichocie cień smutku.

– Nie mogłabym prowadzić takiego życia. Całe dnie spędzone w podróży, a całe noce na występach. Nie dałabym rady opiekować się Mią.

– A dlaczego to pierwszy pokaz, jaki widziałam?

– Nie mogę występować co noc. I tak ciężko jest wstawać codziennie i robić chociażby mały trening.

Ha, Storm trenuje. Nie miałam pojęcia.

– Dlaczego mi nie powiedziałaś?

Wzrusza ramionami.

– Wszyscy mamy jakieś tajemnice.

Spoglądam przez okno.

– Cóż, to dobra okazja do wyjawienia tajemnicy.

Storm śmieje się, przytakując, po czym następuje chwila ciszy.

– A jak tam twoja pogawędka z Trentem?

– Och, była punktem zwrotnym. – Jego dotyk nadal czuję na palcach i nie mogę zapomnieć błagania w jego głosie. Zagnieżdża się we mnie wstyd. Powinnam mu była odpowiedzieć. Zamiast tego pozwoliłam Nate'owi wywalić go jak jakiegoś pijaczka.

Bardzo źle się teraz czuję sama ze sobą.

Kolejne kilka minut jedziemy w ciszy, którą Storm przełamuje frontalnym natarciem.

– Kace, co cię spotkało? – Nieprzygotowana, natychmiast zagryzam zęby, ale ona pędzi dalej: –

Wciąż nic o tobie nie wiem, a biorąc pod uwagę fakt, że się przed tobą obnażyłam, i to dosłownie, miałam nadzieję, że mi zaufasz i zrobisz to samo.

– Chcesz, żebym kręciła się na metalowym kółku, ściągając z siebie ciuchy? – żartuję pustym głosem. Wiem, że nie o to jej chodzi.

– Pytałam Livie, ale nie puściła pary z ust. Stwierdziła, że sama musisz to zrobić – przyznaje cicho, jakby doskonale wiedziała, że nie powinna pytać Livie jako pierwszej.

Ściska mi się żołądek.

– Livie dobrze wie, że nikomu nie może zdradzać moich tajemnic.

– Musisz się przed kimś otworzyć, Kacey. To jedyny sposób, by ci się poprawiło.

– Nic mi się nie poprawi, Storm. Koniec, kropka. – *Nie zmartwychwstanę.* Staram się nie brzmieć chłodno, ale mi nie wychodzi. W moim głosie słychać lód.

– Jestem twoją przyjaciółką, Kacey. Czy ci się to podoba czy nie. Być może znam cię zaledwie od kilku tygodni, ale ci zaufałam. Zawierzyłam twojej siostrze, zostawiając jej pod opieką pięciolatkę, zaprosiłam cię do mieszkania i załatwiłam pracę. Nie mówiąc o tym, że składałaś moją bieliznę i widziałaś mnie nagą.

– I wszystko to, nim dałam ci numer telefonu. Chłopaki z siłowni byliby ze mnie dumni.

Wjeżdżamy na parking przed naszym blokiem, dłoń nerwowo opieram na klamce, wygodny jeep Storm zamienia się w przytłaczający blaszany konfesjonał.

– Próbuję ci powiedzieć, że nie jestem idiotką. Nie otwieram się przed wszystkimi. Ale w tobie coś jest. Dostrzegłam to pierwszego dnia. Tak jakbyś walczyła przeciw byciu sobą. Za każdym razem, gdy odrobina prawdziwej ciebie się wymyka, zamykasz ją z powrotem. Ukrywasz ją. – Jej głos jest bardzo miękki, mimo to sprawia, że oblewa mnie zimny pot.

Prawdziwa ja? Kto to jest? Wiem tylko, że od czasu przeprowadzki do Miami moje starannie wykute tarcze ochronne zostały zaatakowane ze wszystkich stron. Nawet Mii z jej szczerbatym uśmiechem udało się wślizgnąć pod mój pancerz. Bez względu na to, jak często sobie powtarzam, że nic mnie nie obchodzi, gdy słyszę ich śmiech, moje serce przyspiesza, a ramiona nieco się unoszą.

– Nie musisz mi mówić wszystkiego, Kace. Nie naraz. Co powiesz na jeden szczegół dziennie?

Pocieram czoło, kombinując, jak z tego wybrnąć. Po tym, jak ostatnio ją olałam, myślałam, że dała sobie spokój. Ale czekała tylko na właściwy moment. Co by się stało, gdybym wyskoczyła teraz z samochodu? Być może to punkt zwrotny naszej przyjaźni. Może Storm mnie skreśli, jeśli ponownie wywinę taki numer. Skurcz żołądka podpowiada mi, że to obciąży moje sumienie. Jest jeszcze Livie. To ją zniszczy, a nie mogę jej tego zrobić. W głowie słyszę jej głos: „Spróbuj". I wiem, że muszę. Dla Livie.

– Cztery lata temu moi rodzice, mój chłopak i moja najlepsza przyjaciółka zginęli w wypadku samochodowym spowodowanym przez pijanego kierowcę.

Następuje długa chwila ciszy. Nie muszę nawet patrzeć, by wiedzieć, że Storm płacze. Ludzie non stop tak reagują i już mnie to nie rusza. Permanentnie wyłączyłam swój mechanizm wytwarzania łez.

– Przykro mi, Kacey, przepraszam.

Odpowiadam skinieniem głowy. Każdy tak mówi i nawet nie wiem dlaczego. To przecież nie ona była jednym z dupków w tamtym samochodzie.

– Pamiętasz coś z tego?

– Nie – kłamię. Storm nie musi słuchać tego, że pamiętam każdy detal bycia uwięzioną w pułapce w zmiażdżonym audi. Nie musi wiedzieć, że słuchałam świszczącego dźwięku ostatniego oddechu mamy, odgłosu, który prześladuje mnie co noc. Ani jak z jednej strony połamane ciało Jenny wprasowało się w pogruchotany samochód, a z drugiej moja dłoń została uwięziona w dłoni mojego chłopaka i czułam, jak ciepło stopniowo opuszcza jego organizm. Jak musiałam siedzieć nieruchomo w samochodzie, przez wiele godzin otoczona ciałami tych, których kochałam, podczas gdy ekipa ratunkowa walczyła, by mnie wyciągnąć. Nie powinnam była przeżyć.

Nie wiem, dzięki komu żyję.

Miękki głos Storm wyciąga mnie z zamyślenia.

– Ty prowadziłaś?

Odwracam się, by na nią spojrzeć.

– Myślisz, że siedziałabym tu, gdybym prowadziła?

Wzdryga się.

– Przepraszam. A co się stało z tamtym pijanym kierowcą?

Wzruszam obojętnie ramionami i znów patrzę prosto przed siebie.

– Zginął. Wiózł w samochodzie dwóch kumpli. Jeden zmarł, drugi się wywinął. Mieszka sobie gdzieś teraz i cieszy się życiem – odpowiadam, a moje słowa ociekają goryczą.

– Spotkałaś go kiedyś?

– Nigdy – szepczę. Prawda jest taka, że stawałam na uszach, by nic o nim nie wiedzieć. O żadnym z nich. Chciałam, żeby nie istnieli. Niestety w papierach z ubezpieczalni, jakie dostałam do podpisu, widziałam nazwiska. To sprawiło, że stali się realni i tak mocno zapadli mi w pamięć, że prawdopodobnie nigdy nie pozbędę się ich z głowy. Byli trojgiem prawdziwych ludzi. Prawdziwych ludzi, którzy zamordowali mi bliskich.

– Boże, Kacey. – Storm pociąga nosem. – Byłaś na terapii?

– Co to ma być, hiszpańska inkwizycja? – wybucham.

– Przepraszam... Nie chciałam. – Ciszę w samochodzie wypełnia ciche łkanie Storm. Przez to, jak gwałtownie wciąga powietrze, mogę stwierdzić, że stara się powstrzymać, być silna.

Mój gniew przekształca się w poczucie winy, więc przygryzam wargę. Mocno. Czuję na języku metaliczny posmak krwi. Storm była dla mnie miła, a ja byłam wiedźmą.

– Przepraszam, Storm. – Zmuszam się, żeby to powiedzieć. Nawet jeśli tak myślę, ciężko uformować wyrazy.

Wyciąga do mnie rękę i kładzie ją na moim przedramieniu.

Ten maleńki gest jest wystarczający, by stopić moją lodową zbroję, więc zaczynam paplać:

– Byłam w szpitalu i na terapii przez niemal rok. Odwiedzali mnie tam lekarze. Potem już jednak nie za często. Najwyraźniej zamulające leki i codzienne sesje filozofii pozytywnego myślenia miały być odpowiedzią na wszystkie moje problemy. Gdy mnie wypuścili, ciotka nalegała, bym porozmawiała z duszpasterzami z jej kościoła. Zasugerowali, że powinna mnie wysłać na poważną terapię, ponieważ jestem pełną wściekłości i nienawiści załamaną, młodą kobietą, która, jeśli straci panowanie nad sobą, może stać się niebezpieczna nie tylko dla siebie, ale i dla innych. – To ostatnie zdanie to niemal cytat z tego, co powiedzieli. Odpowiedzią mojej ciotki było położenie Biblii na mojej szafce nocnej. W jej mniemaniu czytanie Biblii jest rozwiązaniem każdego problemu.

– Gdzie jest teraz twoja ciocia?

– W Michigan, ze swoim obleśnym mężem, który próbował dobierać się do Livie. – Cisza. – To właśnie chciałaś usłyszeć, Storm? To, że walnięta laska jest twoją sąsiadką?

Odwraca się do mnie, ocierając łzy.

– Nie jesteś walnięta, Kacey. Jednak potrzebujesz pomocy. Dziękuję, że mi to wszystko powiedziałaś. To wiele dla mnie znaczy. Z każdym dniem będzie coraz łatwiej. Pewnego dnia ta nienawiść nie będzie cię już ograniczać. Będziesz wolna. Będziesz w stanie przebaczyć.

Praktycznie niezauważalnie kiwam głową. Nie wierzę jej. W ani jedno słowo.

Atmosfera w jeepie spada siedem stopni poniżej stanu „nieprzyjemnie". Wyjawiłam Storm więcej niż komukolwiek wcześniej i czuję się pusta.

– Spójrz na siebie: striptizerka-akrobatka nocą, prowokatorka głębokich zwierzeń nad ranem.

Storm prycha.

– Wolę po prostu „akrobatka". Zdarza się, że niespodziewanie ubrania same ze mnie spadają. – Trąca mnie w ramię. – Chodź. Dość obnażania się, jak na jedną noc. Dla nas obu.

Teraz, gdy przeżyłam rozmowę ze Storm, moje myśli wracają do Trenta. Potrzeba odczuwania ekscytacji życiem wybija się ponad inne pragnienia. Nie odpowiedziałam mu. Powinnam była to zrobić. Muszę mu powiedzieć, że ze mną wszystko dobrze i myślę, że mogę go potrzebować.

Gdy wychodzimy z cienia, do moich uszu docierają przytłumione śmiechy niosące się z patio. Niektórzy z mieszkających w budynku studentów nadal są na nogach i imprezują. Kiedy dochodzimy do naszych mieszkań, zastanawiam się, jak by to było – wychodzić z przyjaciółmi, pić, mieć normalne życie.

Męska sylwetka przesuwa się za zasłonami w 1D.

Potykam się, a moje serce przyspiesza bieg. Następnie automatycznie podchodzę do drzwi i przystaję przed nimi.

– Do jutra – mówi Storm idąc dalej, a w jej głosie da się słyszeć rozbawienie.

Biorę głęboki wdech, zbierając całą odwagę, jaką tylko mam, unoszę dłoń, by zapukać, ale drzwi otwierają się, nim moje palce nawiązują z nimi kontakt. Trent staje w wejściu. Nie ma na sobie koszuli, a na twarzy żadnego wyrazu, więc natychmiast zasycha mi w gardle. Jestem pewna, że każe mi spadać na drzewo. Czekam na to. Boję się to usłyszeć.

Ale on tego nie robi. Nic nie mówi. Zdaję sobie sprawę, że czeka na mój ruch. Istnieje tylko jedno słowo, które muszę mu powiedzieć, a brzmi ono: „tak". Tylko ono może naprawić całą sytuację. *Tak, Trent. Tak, jest w porządku.* Otwieram usta i okazuje się, że nie potrafię tego zrobić. Nie umiem wypowiedzieć pojedynczego słowa, które nakreśli mu powagę sytuacji.

Mechanicznie podchodzę do przodu. On się nie cofa. Po prostu mnie obserwuje, a jego nagi, muskularny tors i spodnie nisko wiszące mu na biodrach drwią ze mnie. Jest tak apetyczny jak tylko mógłby być. Z tym ciałem mogłabym spędzać całe dnie. Mam nadzieję, że chociaż raz mi się to uda.

Ale nie tego teraz potrzebuję.

Ostrożnie wyciągam rękę, żołądek zwija mi się w kłębek, bo nagle wpadam w panikę, że cokolwiek wcześniej czułam, mogło być tymczasowe, że ponownie jestem stracona. Kiedy opuszki moich palców natrafiają na jego, a ciepło rozchodzi się we mnie, strach odparowuje.

Jego ciepło. Jego życie.

Zamykam oczy, wsuwam dłoń głębiej, splatając z nim palce. Ucieka mi niewielkie westchnienie, gdy jego ręka reaguje na moją. Jednak reszta jego ciała pozostaje nieruchoma. Nie próbuje się zbliżyć ani mówić. Stoimy tak w drzwiach ze splecionymi dłońmi przez jakąś wieczność.

– Tak – szepczę w końcu.

– Tak?

Mam mgliste wrażenie, że moja głowa się kiwa. Ten odlot jest tak intensywny, że nic innego się nie liczy. Pozwalam, by delikatnie wciągnął mnie do środka. Słyszę jak drzwi zamykają się za nami. Podczas gdy Trent płynnie prowadzi mnie w głąb ciemnego mieszkania, dłoń opiera mi na plecach. Przechodzimy przez korytarzyk i docieramy do jego łóżka, pościel ma zimną i pachnącą płynem do płukania. Bardziej czuję, niż widzę, jak ciało Trenta wślizguje się za mnie, przywierając do mnie od stóp do barków, nawet na sekundę jego palce nie puszczają mojej dłoni. Nawet na moment. Tulę się do niego, rozkoszując się ciepłem.

I, otulona niebiańskim spokojem, zasypiam.

★ ★ ★

Świszczący dźwięk...

Jasne światła...

Krew...

Brakuje mi tchu.

Budzę się z koszmaru, a powolny, rytmiczny oddech obok mnie pomaga mi uregulować tętno. Z początku zakładam, że to Livie, ale wtedy czuję, że wokół mojej ręki owinięta jest czyjaś duża i ciepła dłoń – zdecydowane nie należy do Livie.

Odwracam głowę i widzę idealną sylwetkę Trenta, wzniesienia i doliny na jego klatce piersiowej, spokój na jego chłopięcej twarzy. Mogłabym tak leżeć i patrzeć na niego przez wieczność. Nie chcę wstawać. Nigdy.

Właśnie dlatego muszę.

Ostrożnie wyjmuję dłoń, wyślizguję się z komfortu łóżka Trenta i cicho zamykam za sobą drzwi, opuszczając jego mieszkanie.

★ ★ ★

Livie czeka na mnie w kuchni, przygotowując sobie śniadanie do szkoły, jej oczy rozszerzone są zmartwieniem.

– Zostałaś u Trenta? – pyta na wpół oskarżycielskim, na wpół zdziwionym głosem.

– Do niczego nie doszło, Livie.

– Do niczego? – Gapi się na mnie. Jedna rzecz doskonale Livie wychodzi. Gapienie się, aż będziesz się skręcać pod wpływem własnego kłamstwa.

– Trzymałam jego dłoń – w końcu przyznaję szeptem. Dla kogoś z zewnątrz musimy brzmieć jak banda dziewięciolatek. Ale dla Livie, która rozumie powagę tego zjawiska, to coś znaczącego.

Na chwilę ją zatyka, po czym gubi się w słowach.

– Czy to... Myślisz, że coś może z tego być? – pyta w końcu.

Obojętnie wzruszam ramionami, ale rumieniec wkrada mi się na policzki, zdradzając moją ekscytację.

– Palisz cegłę! – Łapię chrupki śniadaniowe Cheerios i rzucam w nią. Unika ich zręcznie, śmiejąc się. – Chyba to może być to. Myślę, że w końcu Trent może zwrócić mi Kacey.

Zastanawiam się, czy może mieć rację. Jednak, tak po prostu, wymknęłam się z jego mieszkania, nie zostawiłam liściku czy czegoś takiego. Może mu się to nie spodobać. Kłuje mnie niepokój, ale zagłuszam go. Nie miałam wyboru. Wiem, co robilibyśmy teraz, gdybym została. Potrzebuję czasu, by wszystko przemyśleć i przywyknąć do nowej sytuacji.

Ekscytacja Livie przenika mnie na wskroś. Przez ponad trzy lata młodsza siostrzyczka prosiła, bym dała Billy'emu odejść i abym ruszyła do przodu. Właściwie nie mam problemu z uczuciem do Billy'ego. Oczywiście, zależało mi na nim. Czy myślę, że był „tym jedynym"? Tego się nigdy nie dowiem. Kiedy ma się szesnaście lat, każdy jest „tym jedynym".

Nie, moje problemy wynikają z czegoś innego, a mianowicie z tego, jakie były moje ostatnie chwile z nim. Sam pomysł mojej dłoni splecionej z czyjąś przeszkadza mi, powoduje, że staje mi serce, kurczy mi się żołądek, zamazuje wizja, tężeją mięśnie, a zimny pot ciekne po plecach.

Tak było aż do teraz.

Teraz jest inaczej. Czuję... że to znów dobre.

ROZDZIAŁ ÓSMY

– Wyglądasz cudownie! – krzyczy Mia, naśladując matkę i wywołując u nas wszystkich śmiech. Storm robi cielęcinę z parmezanem, a ja przymierzam nowe ciuchy. Wyczerpałam możliwości szafy Storm i potrzebowałam kilku nowych rzeczy, więc popołudnie spędziłyśmy na zakupach. Pozwoliłam Storm wybierać. Nawet po kilku tygodniach pracy w klubie ze striptizem nie mam zielonego pojęcia, jaki może być odpowiedni strój do tej pracy. W każdym razie to ciężkie doświadczenie dzisiejszego popołudnia zafundowało mi jako takie rozproszenie myśli o Trencie.

– Chyba to dziś założę – obwieszczam, wychodząc w szmaragdowej tunice, która odsłania jedno ramię, i w beżowych szpilkach.

– Dobry wybór! Możesz nakryć do stołu, Kacey? – pyta Storm, pochylając się, by sprawdzić piekarnik.

– Wiesz, że pewnego dnia będziesz musiała pozwolić mi coś ugotować, prawda? – Od tygodni codziennie przychodzimy do Storm na obiad.

– Lubię gotować.

– Może ja też? – rzucam, stawiając talerze na stole i zarabiając szydercze parsknięcie od Livie.

– Pominęłaś jeden talerz – mówi Storm i wskazuje na stół.

Marszczę brwi.

– Jak to? Cztery osoby, cztery nakrycia.

– Potrzebujemy piątego miejsca – odpowiada, nie patrząc mi w oczy.

– Storm?

Rozlega się pukanie do drzwi.

– Storm?

Mia wstaje i biegnie do drzwi, otwierając je z teatralnym ukłonem.

Gdy wchodzi Trent, wciągam głęboko powietrze i nie mogę przestać gapić się na niego. Znów ma na sobie niebieskie jeansy, ale tym razem ma też zapinaną na guziki, wypuszczoną na zewnątrz białą koszulę. Udaje mi się oderwać od niego spojrzenie na wystarczająco długo, by zaskoczoną miną przekazać Storm wiadomość: „Zapłacisz mi za to", zanim na powrót skupiam się na nim, zdenerwowana, podekscytowana i z poczuciem winy jednocześnie. Nie wiem, dlaczego tak się czuję. Trzymaliśmy się z Trentem za ręce, oglądając nagi występ mojej przyjaciółki. Trent uratował mnie po niesławnym ataku węża, po czym dosłownie na niego wskoczyłam. Spędziłam noc w jego łóżku. Jedzenie z nim kolacji – z siostrą i z sąsiadkami –

ledwie kwalifikuje się jako intymne spotkanie i na pewno nie uzasadnia wzbicia się do lotu motyli w moim brzuchu. A mimo to jestem gotowa, by zemdleć.

Mia znów kłania się teatralnie.

– Witaj, miły panie. Księżniczka Mia oczekiwała twojego przybycia.

Nawet Mia wiedziała! Mały diabełek.

Trent wyciąga zza pleców pięć różowych róż. Klęka przed nią na jedno kolano. Słyszę zbiorowe westchnienie wszystkich dorosłych kobiet znajdujących się w pomieszczeniu, wliczając mnie samą.

– Dziękuję za zaproszenie – mówi. Mia łapie kwiaty w malutkie dłonie, po czym patrzy na Trenta szerokimi i błyszczącymi oczami, które o wiele za długo nie mrugają. Ma zarumienione policzki i jestem pewna, że w tym momencie się w nim zakochała. Ten wysoki nieznajomy właśnie stał się jej księciem z bajki.

Ta scena szybko się kończy, a Mia odwraca się i biegnie do Storm.

– Mamusiu! Mamusiu! Patrz, co dał mi ten pan!

Trent, gdy zamyka za sobą drzwi, mruga do nas, po czym podchodzi do mnie.

– Zniknęłaś dziś rano – szepcze mi do ucha.

To takie niezręczne. Dzięki, Storm.

– Wiem... wiem... i... – Mam zamiar przeprosić, ale puszcza mi oko.

– W porządku. Pomyślałem, że to i tak zbyt dużo i zbyt szybko. – Palcem zaczepia o mój palec, sprawiając, że z podniecenia miękną mi kolana.

Chyba zakocham się w tym facecie.

Spojrzenie Trenta dryfuje po moim ubraniu i przyłapuję w nim żar. Prawdopodobnie to ten sam żar, który jest we mnie, gdy na niego patrzę.

– Wyglądasz... ładnie.

Nadal niezręcznie wpatrujemy się w siebie, kiedy Livie odchrząkuje i mówi:

– Kolacja gotowa.

Małe mieszkanie emanuje ciepłem, gdy cała nasza piątka pochłania to, co ugotowała Storm. Temat schodzi jakoś na porażkę z wężem i staję się obiektem żartów. Dołącza nawet Mia, gryząc mnie w ramię jak oślizgły potwór. Z tą różnicą, że ona nie ma zębów z przodu, więc to bardziej jak przyciskanie dziąsełkami. Atmosfera sprawia, że moje spojrzenie ciągle ląduje na twarzy Trenta tylko po to, by móc stwierdzić, że on patrzy na mnie równie często.

Kiedy po kolacji żegnamy się, a ja i Storm zbieramy się do pracy, każda komórka mojego ciała pragnie, abyśmy już nigdy z Trentem nie musieli udawać.

★ ★ ★

– Kim jest Penny? Najwyraźniej kimś szczególnym. – Wskazuję na szyld, gdy parkujemy przed lokalem.

Storm stuka palcami o kierownicę, a jej przyklejony uśmiech słabnie.

– Penny była naprawdę fajną dziewczyną, która spotkała naprawdę złego faceta. – Odwraca się, by spojrzeć na mnie. – Pięć lat temu Cain prowadził klub w centrum. To była speluna w porównaniu z tym miejscem. Penny była jego główną atrakcją. Słyszałam, że ściągała mężczyzn z całego stanu, a nawet z Alabamy. Zaczęła spotykać się z pewnym facetem i związek stał się poważny. Oświadczył się. Wszyscy się cieszyli. Czasami przychodził popatrzeć na jej występy. W nocy lekko ją przytulał i dawał buziaki. Czuwał nad nią. Wiesz, było naprawdę słodko. Oczywiście kiedy się pobrali, kazał jej zrezygnować z pracy. Nie miała nic przeciwko. – Głos Storm staje się posępny. – Pewnej nocy coś się stało. Nikt dokładnie nie wie co. W jednej chwili facet tulił Penny, w drugiej ciągnął ją za szyję na zaplecze. Nate nie zdążył na czas. Znalazł ją na ziemi z pękniętą czaszką.

Odchrząkuję.

– Wiem. Straszne, prawda? Cain zamknął tamten lokal. Odbyło się całe śledztwo w sprawie morderstwa. Cain kupił to miejsce i otworzył je pod nową nazwą, by uczcić Penny. – Wychodzimy z samochodu i kierujemy się do drzwi od zaplecza. – To dlatego ochrona jest tak rygorystyczna, jeśli chodzi o klientów dotykających personel. Nieważne, czy koleś jest twoim mężem. Jeśli dotyka, wylatuje. Robi to więcej niż raz, dostaje dożywotni zakaz wstępu.

– Aha... – Moje myśli odpływają w kierunku wczorajszej nocy, gdy Nate wykopał Trenta za to, że trzymał mnie za rękę. Myślałam, że ochroniarz jest dupkiem. Teraz mam ochotę go przytulić. A przynajmniej jakąś jego część, bo musiałabym mieć drabinę i rozsuwane ramiona, by objąć jego mamucią sylwetkę.

Podążam w kierunku drzwi za odzianą w czerń Storm. Tuż przed tym, jak ma zapukać, odwraca się i uśmiecha do mnie, jakby czytała mi w myślach.

– To są naprawdę dobrzy goście, Kacey. Wiem, że trudno w to uwierzyć, ale to prawda. Cain jest dla mnie niesamowity. Pozwala mi stać za barem, raz na jakiś czas aranżuje scenę, montuje wszystkie przyrządy potrzebne do mojego *show* i to tyle. Nie każe mi się zmieniać z dziewczynami, nie nakazuje mi tańca erotycznego na kolanach klientów, nie wysyła do pokojów VIP-ów. Ochroniarze zbierają napiwki, jakie dostaję podczas pokazu, żebym nie musiała sama czołgać się po podłodze. O ciebie też zadbają. Zobaczysz.

★ ★ ★

Trent pojawia się po jedenastej i siada przy barze, powodując natychmiastowe rozproszenie moich myśli. Fakt, że poprzedniej nocy spałam z nim, a dzisiaj razem jedliśmy kolację, nie pomaga mi się wyluzować. Właściwie to chyba jeszcze bardziej się przez to denerwuję. *Jeden... Dwa... Trzy... Uch!* Jak zwykle sposób mamy nie działa.

Chodzę za barem, starając się uspokoić bicie serca, które przyspiesza, gdy patrzę w piękną twarz Trenta. On naprawdę jest przystojny. Mógłby być na okładce jakiegoś magazynu. I te usta... Przygryzam wargę, starając się nie okazać podniecenia.

– Potrójna szkocka z lodem? – Marszczę czoło.

W policzkach ukazują mu się dołeczki.

– Podaruj sobie szkocką, za to do lodu wlej wodę mineralną, i dobijemy targu.

Uśmiecham się, gdy przygotowuję napój i przesuwam w jego stronę. Nasze palce spotykają się na ułamek sekundy. Nerwowo zerkam na Nate'a, ale jest skupiony na kimś innym, więc oddycham z ulgą.

– Bez obaw, znam reguły tego miejsca.

– Często tu bywasz? – pytam sucho.

Z krzywym uśmiechem kręci głową.

– Standardowe zasady. Niektóre miejsca są bardziej restrykcyjne niż inne, ale wszystkie są mniej więcej takie same. Nie chcę stąd ponownie wylecieć. Raz wystarczy.

Czuję się winna, bo wiem, że się do tego przyczyniłam. Trent puszcza mi oko i natychmiast mi przechodzi. Chcę z nim porozmawiać, ale mam przy barze kolejkę klientów. Zawiedziona, odchodzę. Kilka następnych godzin spędzam na nalewaniu drinków, jednak niepodzielna uwaga Trenta sprawia, że się denerwuję.

– Szkoda, że masz tyle roboty – mówi, gdy wracam do miejsca, w którym siedzi.

– No cóż, niektórzy z nas muszą pracować, aby móc przeżyć – rzucam i orientuję się, że nie mam pojęcia, czym on się zajmuje. Nic o nim nie wiem.

– Kiedy masz najbliższy wolny dzień? – pyta mimochodem, bawiąc się podkładką.

– W poniedziałek.

Trent wstaje i rzuca dwudziestkę na bar.

– Zatem w poniedziałek po południu, powiedzmy koło siedemnastej, jesteś wolna, tak?

– Być może.

Jego uśmiech się rozszerza.

– Świetnie. – Mruga okiem i się odwraca. Patrzę przygnębiona, jak odchodzi.

Storm pochyla się ku mnie.

– O co chodziło?

Wzruszam ramionami, nadal czując jego spojrzenie przyklejone do mojego ciała.

– Nie jestem pewna. Chyba zaprosił mnie na randkę. – Wlewa się we mnie fala adrenaliny. Lepiej, żeby to właśnie zrobił, inaczej jutro wyjdę z siebie i stanę obok.

Storm pocieszająco ściska moje ramię, a ja nawet się nie wzdrygam. Uśmiecham się do niej. Uśmiecham się też do gościa po drugiej stronie baru, czekającego na drinka. Do diabła, nawet Nate'a obdarowuję głupkowatym uśmieszkiem. Nie jestem pewna, ale chyba przyłapuję kąciki jego ust na nieznacznym uniesieniu się.

★ ★ ★

W poniedziałkowy poranek budzę się z uczuciem, jakby walnął we mnie piorun. Nie dlatego, że miałam kolejny koszmar.

Dlatego, że go nie miałam.

To się nigdy nie zdarza. W ciągu czterech ostatnich lat coś takiego nigdy nie miało miejsca. Nie wiem, jak to się stało, ale czuję się... wolna.

I wtedy przypominam sobie, że mam dziś randkę z Trentem. Natychmiast zapominam o wszystkim innym.

★ ★ ★

– Fajne paznokcie – zauważa Livie w dwie sekundy po przekroczeniu progu. Rzuca plecak na kanapę i wydaje się zaskoczona jedynie przez chwilkę.

Wyciągam przed siebie rozcapierzone palce, podziwiając czarny lakier.

– Gdzie je zrobiłaś? – Jej głos jest tylko nieznacznie wyższy niż normalnie i mogę powiedzieć, że bardzo się stara nie robić z tego wielkiego wydarzenia.

Ale to jest wielkie wydarzenie.

Dzisiaj pozwoliłam, by kompletnie obca osoba dotykała moich dłoni i ani drgnęłam. Tak, jakby Trent złamał moją klątwę.

– W SPA na końcu ulicy. Mają w czwartki ofertę specjalną na dwa manicure w cenie jednego. Następnym razem musisz iść ze mną.

– Aha, a z jakiej to okazji? – Livie podchodzi do szafki, by wyjąć szklankę, naśladując kroki druhny idącej w kościele do ołtarza.

Chce mi się śmiać. Siostra mocno stara się utrzymać powagę.

– Och, to nic takiego. – Czekam, aż zacznie nalewać sobie wody z filtra. – Wychodzę dzisiaj z Trentem.

Natychmiast podrywa głowę w górę, by na mnie spojrzeć, przez co nie trafia do szklanki i na podłodze tworzy się kałuża.

– Tak... jak na randkę?

Zakładam włosy za ucho.

– Chyba. Myślę, że można by...

Twarz Livie jaśnieje z zachwytu.

– Gdzie się wybieracie?

Wzruszam ramionami.

– Pewnie na plażę. Czy to nie tam ludzie lądują na pierwszej randce?

Nie wiem nic w tym temacie. Minęło tyle czasu, odkąd ostatnio robiłam coś randkopodobnego.

Następuje długa chwila ciszy, Livie odpływa gdzieś myślami, prawdopodobnie próbuje przetworzyć tę nową Kacey, która wybiera się na randkę, najpierw pozwalając zrobić sobie manicure. I która się stara.

– Wiesz co, prawie nic nie wiemy o tym Trencie, prawda? – Przechyla głowę na bok, okazując zaciekawienie. – Jak on zarabia na życie?

Znów wzruszam ramionami.

– Nie mam pojęcia.

Mrok zakrada się na śliczną buzię Livie. Cierpliwie czekam, aby przygryzła wargę, ale po dwóch sekundach wypala:

– A co, jeśli jest psychopatą, który wciska kocięta do bankomatów?

– Apetycznym psychopatą – poprawiam, a siostra rzuca mi groźne spojrzenie. – Daj spokój, Livie. Najwyraźniej niewystarczająco szybko zabrałam cię od Darli.

– Może powinnaś była dowiedzieć się czegoś więcej na jego temat, zanim zgodziłaś się z nim wyjść.

– Nie zgodziłam się na wyjście.

– Co? – Następuje chwila przerwy. – W takim razie...

Przerywam jej.

– Nic o sobie nawzajem nie wiemy. Co ważniejsze, on nic nie wie o mnie. Właśnie tak jak lubię.

Livie zaciska zęby.

– Och, Livie, przestań się zachowywać, jakbyś to ty była dorosła.

– Ktoś musi. – Pochyla się, by wytrzeć rozlaną wodę. – Idę do Storm na obiad. Możesz później przynajmniej do niej zadzwonić, by dać nam znać, że nie wcisnął cię do bankomatu? I jeśli masz zamiar chodzić na randki z obcymi facetami, potrzebujemy telefonów.

Chichoczę i kiwam głową.

Livie prostuje się i z niewielkim uśmiechem znów mi się przygląda.

– Fajnie widzieć cię taką... ponownie. O której planujesz wrócić?

Puszczam jej oczko.

– Och, Kacey – mamrocze pod nosem, wrzucając ścierkę do zlewu.

★ ★ ★

Nim na zegarku wybija siedemnasta, miotam się po salonie jak niedźwiedź w klatce, w kółko licząc pod nosem do dziesięciu. Wewnątrz wciąż czuję powracające fale ekscytacji, zdenerwowania i strachu, aż w którymś momencie jestem pewna, że opróżnię żołądek z lunchu na mój ohydny dywan.

Jak na zawołanie ktoś cicho puka do drzwi. Otwieram i widzę Trenta, ubranego w niebieskie jeansy, koszulę w biało-niebieską kratę i przeciwsłoneczne okulary, opierającego się o futrynę. Na całym ciele czuję cieniutką warstwę potu.

– Ładne drzwi – mówi, zsuwając okulary. Zanim wydobywam z siebie jakikolwiek dźwięk, przyłapuję się na odrobinę zbyt długim gapieniu się w te przepiękne, niebieskie tęczówki.

Trent jest w dobrym humorze. Lubię dobry humor.

– Dzięki. Są nowe. Musiałyśmy je wymienić, bo jakiś szaleniec połamał poprzednie. – Szeroko się uśmiecham, dumna z siebie, ponieważ udało mi się wypowiedzieć pełne zdanie pomimo obecności Trenta.

Śmieje się, gdy wyciąga rękę i zahacza swój palec wskazujący o mój. Ten niewielki kontakt sprawia, że przez moje kończyny przepływa prąd. Przyciąga mnie do swojej klatki piersiowej tak, że góruje nade mną i muszę odchylić głowę, by móc spojrzeć mu w oczy.

– Słyszałem o tym. Okropna sytuacja. Udało im się złapać tego szaleńca? – pyta, uśmiechając się zawadiacko.

Milczę, wdychając jego zapach. Pachnie jak ocean i las. I czyste pożądanie.

– Z tego, co słyszałam, ostatnio czaił się w pobliżu rozrywkowego lokalu dla mężczyzn. Najwyraźniej ma głęboko zakorzenione problemy. – Dodaję na jednym wydechu: – Myślę, że są blisko. Powinni go dzisiaj złapać.

Trent odchyla głowę w tył i śmieje się.

– Może złapią. – Oplata mnie ramieniem, prowadząc w stronę parkingu. – Ten kolor wygląda na tobie niesamowicie – mówi, patrząc na moją szmaragdową koszulę. – Pasuje do twoich włosów.

– Dzięki. – Uśmiecham się, w duchu chwaląc swój dzisiejszy zakup. Wiedziałam, że będzie pasował do moich ciemnoczerwonych włosów i mlecznej karnacji. Ludzie myślą, że farbuję włosy, by miały tak głęboki i bogaty odcień, ale tego nie robię. Po prostu mam w tym względzie szczęście.

Trent prowadzi mnie do pomarańczowo-czerwonego harleya.

– Dosiadałaś kiedykolwiek czegoś takiego? – Wyciąga kask. *Zatem Trent jest fanem motocykli.* Nie wiem, co o tym myśleć. Dochodzę do wniosku, że tą maszyną podskoczył o kilka oczek w rankingu seksownych łobuzów.

Kręcę głową i z wahaniem patrzę na motocykl.

– Niewiele chroni człowieka, gdy z naprzeciwka nadjeżdżają trzy tony metalu – mówię. *Kogo ja oszukuję?* Nie byłam bezpieczna zamknięta w trzech tonach metalu i przekonałam się o tym na własnej skórze.

Trent unosi palcem moją brodę i spoglądam w jego szczere oczy.

– Ze mną będziesz bezpieczna, Kacey. Tylko się mnie trzymaj. Mocno.

Pozwalam, żeby założył mi na głowę kask, pod brodą zapiął pasek, a jego palce ocierają się o moją skórę w sposób, który wysyła dreszcz przez całe moje ciało. Na jego ustach pojawia się cień uśmiechu. – A może za bardzo się boisz?

Podpuszcza mnie teraz. Jakby z góry wiedział, jak zareaguję. I nie potrafię zareagować inaczej. Jestem jak jeden z tych idiotów na filmach, który dociska gaz do dechy i wyciska dwieście na liczniku na zwykłej drodze tylko dlatego, że go ktoś podpuścił. Tata godzinami miał ze mnie ubaw z tego samego powodu.

– Niczego się nie boję – kłamię gładko.

Wskakuję za Trenta i chwieję się, póki nie przyciskam ud do jego bioder. W moim podbrzuszu wybucha żar, ale robię, co mogę, by go zignorować, zaplatając ramiona na piersi Trenta.

– Nic a nic? Nawet lekkiego zdenerwowania? – Unosi w górę brew ze zdziwienia, zerkając na mnie przez ramię. – W porządku, nie musisz ściemniać. Większość dziewczyn stresuje się jazdą na motocyklu.

Na myśl o nim z inną dziewczyną rodzi się we mnie zazdrość, którą szybko tłumię.

– Wyglądam jak większość dziewczyn? – Przesuwam dłońmi wzdłuż jego klatki piersiowej, konturów jego ciała, palce wślizgują się między guziki koszuli, by pogładzić aksamitnie grzbiety mięśni znajdujących się pod spodem. Dla wzmocnienia efektu pochylam się i opieram podbródek na jego ramieniu.

Klatka piersiowa Trenta unosi się w szybkim oddechu, gdy wyciąga moje dłonie i kładzie je na zewnątrz koszuli.

– Dobra, wygrałaś. Ale nie rób tego podczas jazdy, inaczej skończymy w rowie. – Znów zerka na mnie przez ramię, dodając miękkim głosem: – Mówię poważnie, Kacey. Nie utrzymam motocykla.

Kolejna fala żaru rozpala moje uda, ale biorę sobie jego przestrogę do serca i przywierając do niego całym ciałem, przesuwam palce na jego pas.

– Gdzie jedziemy?

Niski pomruk motocykla jest jedyną odpowiedzią, którą dostaję, po czym ruszamy.

Gdy przeciskamy się przez korek, instynktownie mocno przywieram do Trenta. Okazuje się, że jest ostrożnym kierowcą, przestrzegającym przepisów, omijającym szerokim łukiem inne pojazdy. Podoba mi się to. Czuję się z nim bezpiecznie. I to mnie cholernie przeraża. Sprawia, że chcę zeskoczyć z jadącego motocykla i pognać do domu, by skryć się pod kołdrą, bo on jest tak diabelnie doskonały. Zamiast tego ściskam go jeszcze mocniej.

I tak jest, póki Trent nie wjeżdża na międzystanową i nie jedzie na południe, a ja zdaję sobie sprawę, że nie kierujemy się na plażę. Zabiera mnie gdzieś bardzo daleko.

Myślę, że na wiele różnych sposobów już to zrobił.

★ ★ ★

– Wiesz co, moja siostra myśli, że wciskasz kocięta do bankomatów – mówię, gdy Trent wyłącza silnik na parkingu Parku Narodowego Everglades.

– No wiesz, jak w *American Psycho*.

Marszczy czoło w zdziwieniu.

– Naprawdę? Myślałem, że mnie lubi.

– Och, oczywiście, że cię lubi. – Zsuwam się z motocykla i ściągam kask. Upewniając się, że mój głos brzmi zwyczajnie, dodaję: – Ale to wcale nie znaczy, że nie możesz być szurnięty.

– Aha. – Trent przerzuca nogę przez siedzenie. – Ile ona ma lat?

– Piętnaście.

– Jest bystra jak na swój wiek. – Przyłapuję go na przebiegłym uśmieszku, gdy ze schowka na motocyklu wyjmuje torbę termiczną. – Chodź. Pozwól, że zaprowadzę cię w mroczną i bezludną część dziczy. – Wskazuje głową na znaki dla turystów, jego oczy błyszczą, a w policzkach pojawiają się dołeczki. Znaki ostrzegają przed niebezpieczną przyrodą. Zastanawiam się, czy nie powinny też przestrzegać przed idiotkami, które dają się zaciągnąć nieznajomym facetom na bagna.

Słońce chyli się za horyzont, gdy idziemy utwardzaną ścieżką. Szlak wygląda na uczęszczany, ale jest cicho. Gdy wchodzimy coraz dalej, gęstwina zamyka się wokół nas, powietrze staje się przesycone przygodą i nieznanym, a ja podświadomie zastanawiam się nad planem Trenta.

– Właściwie dlaczego przyjechaliśmy na Everglades?

Wzrusza ramionami, zerkając przez ramię.

– Nigdy tu nie byłem. A ty?

Kręcę głową.

– Cóż, mieszkamy w Miami, pomyślałem, że powinniśmy tu przyjechać.

– To chyba dobry powód – mówię, gdy podążamy krawędzią szlaku, gdzie zaczynają się wysokie trawy, skąpane w cieniu zachodzącego słońca. Idealne miejsce, aby pozbyć się ciała.

– To będzie rekonstrukcja jednego z odcinków *CSI: Miami*? – rzucam. *Dzięki za nastraszenie, Livie.*

Trent przystaje i odwraca się, przyglądając mi się ze zmarszczonym czołem i uśmiechem rozbawienia.

– Serio się martwisz?

Wzruszam ramionami.

– Wydaje mi się, że widziałam ten odcinek. Gość zabiera laskę do chatki na uboczach Everglades, przez kilka dni ją wykorzystuje, po czym rzuca ciało aligatorom, żeby nie było dowodu zbrodni.

Otwiera usta, by mi odpowiedzieć, ale wstrzymuje się, jakby jeszcze o tym myślał.

– Cóż, muszą mi wystarczyć tylko dwadzieścia cztery godziny. Jutro mam ostateczny termin oddania projektu.

Przechylam głowę na bok, rozważając jego słowa.

– Daj spokój, Kacey! – Wybucha zdumionym śmiechem. – Nigdy nie wciskałem i nigdy nie będę wciskał kociąt do bankomatu! I jestem z tych, którzy wolą psy.

Krzyżując ramiona na piersiach, unoszę brwi.

– Wiesz, że całkiem dobrze umiem sobie radzić, prawda?

Trent się śmieje, a jego niebieskie spojrzenie przesuwa się po moim ciele, wywołując dreszcze.

– Och, uwierz, doskonale o tym wiem. Zapewne w pięć sekund rzuciłabyś mnie na łopatki. – *Chciałabym.* – Chodźmy. – Łapie mnie i ciągnie za łokieć, idziemy więc obok siebie. Wiedziona impulsem, zabieram łokieć, chwytam jego rękę, po czym unoszę jego dłoń do ust i całuję w knykcie.

Przyjemne zaskoczenie błyszczy w jego oczach. Z półuśmiechem zamienia dłonie, zarzucając rękę na moje ramiona i przyciągając do siebie. Podnosi moją dłoń i przyciska do klatki piersiowej. Idziemy w milczeniu, a pod palcami czuję rytm bicia jego serca. Jest szybki, mocny i tak cholernie żywy.

– To co chciałabyś wiedzieć?

– Co? – Zaskakuje mnie.

– Mówiłaś, że Livie twierdzi, że powinnaś mnie lepiej poznać, więc co chcesz wiedzieć? – Ma miękki głos, poważną twarz i patrzy przed siebie, więc wyczuwam zmianę. Napięcie, jakbyśmy wkraczali na grunt, na którym on też nie czuje się komfortowo.

– Hm... – Im mniej mówimy o własnym życiu, tym lepiej. Ale szczerze muszę przyznać, że chcę wiedzieć o nim wszystko. Łącznie z tym, jakiego żelu pod prysznic używa. – Cóż, wiesz, jak zarabiam na życie, a ty, czym się zajmujesz?

Jego ramiona nieco opadają, jakby poczuł ulgę z powodu tego pytania.

– Jestem grafikiem.

– Naprawdę? Mózgiem komputerowym? Nigdy bym nie zgadła. – Poważnie, patrząc na jego idealne ciało, nigdy bym go o to nie podejrzewała. Uśmiecha się z powodu mojego przytyku. – Dla kogo pracujesz?

– Dla siebie. To świetne. Nie muszę nigdzie jeździć i spowiadać się przed nikim oprócz moich klientów. Jeśli chcę, mogę się spakować i przeprowadzić, co właśnie zrobiłem. Mogę tworzyć cały dzień, siedząc nago w salonie i nikt nie będzie o tym wiedział.

– To... hm... – Kiedy się potykam o własne nogi, Trent przytula mnie do siebie, bym się nie wywróciła. Pasma światła i mroku zasnuwają mi wizję, gdy w głowie maluje mi się zmysłowy obraz Trenta. *Szlag!* Wnioskując po jego zuchwałym uśmieszku, doskonale wie, jak działa na mnie mówienie tego typu rzeczy. Postanawiam, że z aligatorem czy bez niedługo wyłamię jego drzwi. Decyduję się również zmienić temat, inaczej padnę na ziemię i będę się miotać jak ryba wyciągnięta z wody.

– Gdzie uczyłeś się, jak walić w worek?

Znów się śmieje.

– Uprawiałem dużo sportu, szczególnie w liceum i na studiach. Skutecznie pomaga walczyć ze stresem, to wszystko. – Gdy tak idziemy, kciukiem pociera moje ramię, a moje serce rośnie.

– Rodzice mieszkają w Rochester? – pytam, szokując nawet samą siebie. Teraz, gdy zaczęłam wypytywać, nie potrafię przestać. Co gorsza, zadaję pytania, na które sama nie potrafiłabym odpowiedzieć.

– Przepraszam. – Kręcę głową. – Ja... To nie moja...

Miękki śmiech Trenta powstrzymuje moją panikę.

– Tata mieszka na Manhattanie, mama w Rochester. Oczywiście są rozwiedzeni. – Dzieli się tą informacją, ale nie mogę nie zauważyć, że ramiona napinają mu się, jakby nie czuł się swobodnie, rozmawiając na ten temat.

Gryzę się w język i dalszą drogę przemierzamy w milczeniu.

– Co jeszcze chciałabyś wiedzieć, Kace? – Patrzy na mnie. – Pytaj, o co tylko chcesz.

– A co chciałbyś mi powiedzieć?

– Wszystko.

Kręcę głową.

– Jestem pewna, że są rzeczy, które chcesz zatrzymać dla siebie.

– Tak, o niektórych sprawach ciężko mi mówić, ale powiem ci o nich. – Ściska moją dłoń. – Chcę, żebyś mnie poznała.

– Dobrze. – Brzmię miękko i słabo i czuję, że muszę wyłożyć karty na stół. – Ale wiesz co, ja nie za bardzo lubię rozmawiać o pewnych rzeczach.

Słyszę miękkie westchnienie.

– Zauważyłem. Możesz przynajmniej zdradzić, jakie są twoje granice?

– Moja przeszłość. Rodzina.

Trent zaciska zęby, ale po chwili kiwa głową.

– To ogromna część ciebie, Kacey. Ale w porządku, nie będziemy o tym rozmawiali, póki nie będziesz gotowa.

Spoglądam w górę, dostrzegam niebieskie oczy Trenta patrzące na mnie ze szczerością i przepełnia mnie smutek. Nigdy nie będę gotowa rozmawiać o tych sprawach. Nigdy. Jednak nie mówię mu tego. Tylko przytakuję skinieniem głowy i rzucam:

– Dziękuję.

Przyciąga mnie bliżej, ustami dotykając mojego czoła w delikatnym pocałunku.

★ ★ ★

Skręcamy na długi pomost rozciągający się ponad wodą i wpadamy na grupkę strażników patrolujących teren. Na murku znajdujemy miejsce do siedzenia. Trent rozpina termiczną torebkę i podaje mi butelkę chłodnej wody. Dopiero teraz orientuję się, jak bardzo jestem spragniona. Do tej pory podczas spaceru byłam rozproszona obserwowaniem zrelaksowanego Trenta.

– Pomyślałem, że będzie tu gorąco. Po prostu bardzo chciałem zobaczyć aligatora. Potem będziemy mogli coś przekąsić – obiecuje.

– Jest idealnie, Trent. Naprawdę. – I tak jest. Absolutnie perfekcyjnie. Siedzimy, patrząc na bagna, podczas gdy słońce nurza się w wodzie, barwiąc niebo różami i fioletami. Po szum niewielkich fal i dziwne, ptasie odgłosy unoszą się w powietrzu. To najspokojniejsze miejsce, w jakim kiedykolwiek byłam. Oczywiście z Trentem wszędzie byłoby idealnie.

– Tak? – Kładzie mi rękę na karku, bawi się kołnierzem mojej koszuli, prześlizgując się palcami po skrawku nagiej skóry pod spodem. W odpowiedzi drżę leciutko.

– Zmarznięta? – drażni się ze mną.

Uśmiecham się lekko.

– Nie. Rozkojarzona. Zadławię się wodą przez ciebie.

Pochyla głowę, przytakując, i zabiera rękę, wywołując u mnie cień rozczarowania, który szybko zostaje zastąpiony niepokojem.

– Patrz! Widziałaś? – Głos Trenta podnosi się o oktawę, a ręka wraca na moje ramię, gdy cały się pochyla. Wyciąga drugą rękę, by pokazać mi długi i wąski łeb, wystający ponad powierzchnię wody nie dalej niż pięć metrów od nas.

Natychmiast przestaję być głodna.

– O rany. On nas obserwuje?

– Może. Trudno stwierdzić.

– Czy one nie biegają szybko? – Wielokrotnie przełykam ślinę, bardziej niż spanikowana. Aligatory na wybiegu w zoo to jedno. Ale tu od niego nie oddzielają nas żadne barierki.

– Nie przejmuj się. Zanim tu przyjechaliśmy, sprawdziłem kilka rzeczy. Ten szlak jest bardzo popularny. Wiele osób przychodzi tu, by z bliska obserwować aligatory. W razie czego strażnicy są tuż obok.

– Skoro tak mówisz – mamroczę, zauważając, jak blisko mnie znajdują się usta Trenta. Są tak blisko, że mogłabym się pochylić i...

Moje wargi ocierają się o kącik jego ust, gdy się tego nie spodziewa. Obraca się twarzą do mnie, w jego oczach błyszczy chwilowe zaskoczenie. Ale tylko przez sekundę, po czym pochyla się i nakrywa moje usta swoimi. Całuje mnie czule, dłonią odnajdując drogę do mojego podbródka, by odchylić mi głowę. Kciukiem gładzi mój policzek przy szczęce, podczas gdy drugą ręką przyciąga do siebie moje kolana. Wstrzymuję oddech, kiedy jego język śledzi krzywiznę moich warg tuż przed tym, jak tonie w moich ustach, wysyłając impuls elektryczny przez całe moje ciało. Mimowolnie wyciągam rękę, opierając dłoń na jego torsie.

Gdy się odsuwa, słyszę jego cichy pomruk. Napina bicepsy, wciągając mnie na kolana, przytula twarz do mojej szyi i ssie płatek ucha, przygryzając go delikatnie. Palcami gładzę jego szyję, rozkoszując się jej fakturą i mięśniami. Gdy kciukiem natrafiam na jabłko Adama, a jego usta obsypują pocałunkami moją szyję, zamykam oczy i opieram twarz o jego policzek, czując, jakbym pod jego wpływem dryfowała w stanie nieważkości.

Pod wpływem jego dotyku.

– Kace – szepcze.

W odpowiedzi ucieka mi pół bulgot, pół jęk.

– Boisz się?

Czy się boję? Uchylając jedno oko, sprawdzam bagno i dostrzegam, że nasz obserwator jest dokładnie w tym samym miejscu.

– Jeszcze się nie ruszył, ale mogę ci powiedzieć, że wątpię, iż dam radę wrócić z tobą na motorze, jeśli stracisz dzisiaj nogę.

Trent wybucha śmiechem. Jestem tak blisko niego, że na sutkach czuję wibracje.

– Nic mi się dzisiaj nie stanie. Nadal mam w planach cię wykorzystać. Chatka jest tam. – Ruchem brody wskazuje kierunek.

– Mam nadzieję, że przynajmniej zmieniłeś pościel.

Znów chichocząc, Trent opiera podbródek na moim ramieniu i siedzimy w niespokojnej ciszy, obserwując, jak aligator odpływa, by dołączyć do swoich małych koleżków. Zastanawiam się, czy potrafił wyczuć, że Trent tak mocno zakorzenił się w moim życiu.

Przy niewielkim wysiłku, w ciągu zaledwie kilku tygodni, Trent przedarł się przez moje tarcze ochronne i strach, szybko stając się dla mnie ważną osobą. I wtedy oświeca mnie, o co pytał Trent. *Boję się właśnie tego.*

– Jestem przerażona – szepczę. Z początku wydaje mi się, że mnie nie dosłyszał. Jednak kiedy odwraca się, by przyjrzeć się konturom mojej twarzy, jego brwi łączą się w jedną linię i wiem, że usłyszał.

– Ja... hm... ja... Minęło sporo czasu, odkąd to robiłam – mówię, ale chciałabym powiedzieć: *Nigdy tego nie robiłam. Nigdy. Nic nawet zbliżonego do tego.* – I to... – Unoszę nasze splecione ręce. – Już sam ten fakt jest dla mnie czymś wielkim.

Unosi nasze ręce i całuje mnie w knykcie po czym odchrząkuje.

– Posłuchaj, Kacey. To, co zdarzyło się wtedy w twojej sypialni...

Unoszę brwi, zastanawiając się. *Moja sypialnia?*

– Wąż pod prysznicem?

Ach tak. Na samo wspomnienie czuję w sercu strzał tysiąca watów energii.

– Staram się... hm... – Wyciąga do przodu swoje długie nogi, ale trzyma mnie stabilnie na kolanach. – Mocno staram się, by to się nie powtórzyło. Przynajmniej na razie.

Musi być w stanie odczytać rozczarowanie, które we mnie wybucha, ponieważ ze szczerym spojrzeniem szybko zaczyna wyjaśniać:

– To nie tak, że nie pragnę tego czy ciebie. – Jabłko Adama skacze mu i opada, gdy przełyka. – Uwierz mi, bardzo tego pragnę. Jestem pewien, że to wiesz.

Uśmiecham się, wiercąc się na jego kolanach.

Śmieje się, bo moje zachowanie rozbija jego powagę, która jednak szybko powraca.

– Jest mi ciężko, naprawdę ciężko, kontrolować się, gdy jesteś blisko, Kacey. Jesteś niesamowicie atrakcyjna, a ja jestem facetem. Nie potrzebowałabyś wiele wysiłku, by złamać moją silną wolę. Ale wydaje mi się, że musimy postępować powoli. Dać sobie czas. – Obdarowuje mnie znaczącym spojrzeniem, które mówi, że rozumie więcej, niż mu powiedziałam. – Myślę, że to ważne dla nas obojga.

Otwieram usta, by coś rzec, ale nie wiem, jak mu na to odpowiedzieć. Ma rację. Powolne tempo jest dobre. Jest bezpieczne. Jednak teraz, gdy jego palce wróciły na mój kołnierzyk, gdy czuję jego podniecenie przywierające do mnie, nie chcę powolnego tempa. Chcę tempa pełnego gorącej pasji bałaganu.

Biorę głęboki wdech, próbując opanować rozszalałe serce.

– Kto powiedział, że ja chcę czegoś z tobą? Wiele zakładasz.

– Być może. – Uśmiechając się ironicznie, Trent przesuwa rękę, wkłada mi ją pod koszulę na plecach i wolno sunie palcami wzdłuż kręgosłupa, wywołując u mnie cichutkie westchnienie.

– Jasne, to powolne tempo jest w porządku – drażnię się.

– W tej chwili zakładam zbyt wiele?

Lekko kręcę głową, dając mu znać, że niczego nie zakłada. W tej chwili z wielką ochotą przyjmę od Trenta cokolwiek zechce mi dać. Bez względu na tempo.

Rozkłada palce, gładząc moją nagą skórę i przesuwa je w kierunku mojej klatki piersiowej, by zwiedzić wzniesienia i doliny. Kciukiem przeciąga tam i z powrotem.

– Nie można nie zauważyć, że masz kilka takich.

Jestem przyzwyczajona, że ludzie pytają o moje blizny. Nauczyłam się bagatelizować problem.

– Ach tak? A gdzie je widziałeś?

Obdarowuje mnie wymuszonym uśmiechem.

– Zboczeniec. – Staram się ukryć zakłopotanie, ale i tak czuję, że policzki mi pąsowieją.

Na jego twarzy znów maluje się powaga.

– Czy to część przeszłości, o której nie chcesz rozmawiać?

– Atak pożerającego ludzi węża pod prysznicem. To dla mnie powracający problem.

Śmieje się cicho, ale wesołość nie sięga jego oczu. Wyciąga rękę spod mojej koszuli, podwija mi rękaw, by odsłonić białą linię na moim przedramieniu. Pochyla się, przesuwa po niej dolną wargą.

– Czasami wygadanie się pomaga, Kace.

– Czy możemy pozostać tu i teraz? – proszę cichutko, zdezorientowana konfliktem buzującym w moim ciele. Jestem spięta, a jednocześnie rozpływam się pod wpływem jego uwagi. – Nie chcę tego psuć.

– Pewnie, na razie. – Unosi głowę, by ponownie na mnie spojrzeć i zakłada mi kosmyk włosów za ucho. – Zbyt mało się uśmiechasz.

– Uśmiecham się na tony. Od dwudziestej do pierwszej w nocy, od wtorku do niedzieli. Nie widziałeś? To podwaja moje napiwki.

W pełni ukazują się jego dołeczki.

– Chcę, żebyś się śmiała. Tak prawdziwie. Cały czas. Będziemy chodzić na kolacje, oglądać filmy, spacerować po plaży. Pójdziemy polatać na lotni czy skoczyć na bungee albo cokolwiek będziesz chciała. Będziemy robić wszystko, co cię uszczęśliwi i sprawi, że będziesz się częściej uśmiechać. – Palcami przesuwa po mojej dolnej wardze. – Pozwól mi się rozweselać.

★ ★ ★

Wieczorem Trent mnie nie wykorzystuje. Właściwie traktuje mnie jak porcelanową lalkę, która jest dwie sekundy od rozbicia się. Zamiast tego mówi. Gada, gada i gada. Przeważnie go słucham. Opowiada o bagnach Everglades, o tym, jak ludzie potrafią gołymi rękami przytrzymać zamkniętą paszczę aligatora, więc pytam, czy jest jednym z tych kochających niebezpieczeństwo maniaków. Opowiada też o tym, że Tanner nie jest wcale taki zły i że nasz blok ma klimat jak w *Melrose Place*, więc chichoczę. Nie przypominam sobie, by w *Melrose Place* był grill i wyschnięte chwasty. Uśmiecha się, gdy wspomina Mię i to, jak jest słodka.

On mówi, a ja słucham niskiego, uwodzicielskiego tembru jego głosu i chociaż moje hormony planują zmasowany atak na mój umysł i całkowite przejęcie ośrodka racjonalnego myślenia, nic nie mogę na to poradzić, ale rozprasza mnie strzępek życia znów płynący w mojej duszy.

★ ★ ★

Przez całą drogę do domu cieszę się możliwością obejmowania dużego, ciepłego i silnego ciała Trenta, nie czując potrzeby rozmowy, żałując, że noc nie trwa wiecznie. Gdy odprowadza mnie do drzwi mieszkania, zaskakuje mnie wewnętrzne tornado emocji – szczęście i rozczarowanie, ekscytacja i strach. Wszystkie są zbieżne, gotowe zwalić z nóg. Wyczuwam także, że wzrasta między nami skrępowanie. Być może dlatego, iż w duchu liczę, że zaprosi mnie do siebie, a jednocześnie jestem przygnębiona, bo wiem, że tego nie zrobi.

– Dzięki, że pokazałeś mi mojego pierwszego aligatora i za to, że mnie nie wykorzystałeś. – Skupiam się na znalezieniu kluczy w torebce. – Cieszę się, że nadal masz wszystkie kończyny i... – Miękkie usta Trenta przerywają moje paplanie. Otacza mnie ramionami, jedną rękę opiera na moich plecach, podczas gdy drugą łapie za kark. Przyciąga mnie bliżej i ustami pieści powoli, z kontrolą, jakby powstrzymywał się od tego, co naprawdę chciałby zrobić. Fale żaru rozchodzą się po moim ciele. Moje ręce tracą wszelkie siły i luźno zwisają po bokach, a wraz z tym ruchem na ziemię opadają klucze i torebka.

Trent odsuwa się i kuca, by pozbierać moje rzeczy. Gdy się prostuje, z wyzywającym uśmieszkiem podaje mi wszystko.

– Nic ci nie jest?

To wkurzające, że potrafi rozłożyć mnie całkowicie i jeszcze z tego żartuje. *Drań*. Ale uwielbiam wyzwania. Podchodzę i przytulam się do niego, nos przyciskam do klatki piersiowej, zaplatam mu rękę za plecy, by nie mógł mi uciec, aż jestem wystarczająco blisko, by czuć go przez jeansy. Nie jest obojętny. Zadzieram głowę, patrzę w doskonałą twarz i uśmiecham się słodziutko.

– Nic, czego nie mógłby naprawić długi, gorący prysznic.

Dokonałam tego. Czuję, że staje się twardszy.

Trent szeroko się uśmiecha, bez wątpienia świadom, do czego zmierzam. Co bym oddała, by wiedzieć, o czym teraz myśli.

– Masz telefon? – pyta nagle.

Marszczę brwi, zdziwiona nagłą zmianą tematu.

– Nie. Dlaczego pytasz?

Odsuwa się i stawia pięć długich kroków, by znaleźć się pod drzwiami swojego mieszkania. Wsuwa klucz w zamek.

– Bo czasami przy tobie nie ufam sobie dłużej niż minutę. – Gdy odwraca się, by na mnie spojrzeć, dostrzegam żar tlący się w jego oczach. – Pisanie SMS-ów jest dobre. Bezpieczne.

– W takim razie niedługo sprawię sobie komórkę – mruczę, dodając z udawaną niewinnością: – Już idziesz? Wszystko z tobą dobrze?

– Będzie – rzuca przez ramię, gdy znika w mieszkaniu, pozostawiając mnie z wyschniętymi ustami i z rozpalonym ciałem.

ETAP PIĄTY

ZALEŻNOŚĆ

ROZDZIAŁ DZIEWIĄTY

We wtorek o dziewiątej rano kupuję w centrum handlowym dwa telefony komórkowe. Dla Livie i dla siebie. Nic wymyślnego, wystarczy, że z łatwością będę mogła pisać SMS-y, bo po całej nocy gapienia się w sufit i rozmyślania o Trencie tylko do tego jest mi potrzebna komórka.

W południe, gdy wychodzę z mieszkania z zamiarem pójścia na siłownię, wpadam na Trenta. Uśmiechając się, stwierdzam, że uwielbiam mieszkać obok niego. Naprawdę.

– Jak się spało? – pyta, podchodząc blisko i zakłócając moją przestrzeń osobistą. Zauważam, że wcale mi to nie przeszkadza. Tak naprawdę liczę na to, że Trent Emerson znajdzie się dosłownie w mojej osobistej przestrzeni.

– Jakby ktoś dosypał mi środek nasenny do drinka – kłamię, obdarowując go pełnym uśmiechem. – Idę na siłownię. Zainteresowany?

Niebieskie oczy bezwstydnie taksują mój czarny podkoszulek.

– Mógłbym spalić trochę energii.

Moje serce gubi trzy uderzenia.

– To idź po rzeczy – rzucam i gryzę się w język, nim zaproponuję mu lepszy sposób pozbycia się nadmiaru energii.

Z uśmiechem pochyla się, by pocałować mnie w policzek.

– Daj mi dwie minutki.

Trent wraca do mieszkania, a ja czekam na patio z niewątpliwym uśmiechem na buzi. Kiedy wraca, ma na sobie długie spodnie dresowe i dopasowaną białą koszulkę, która może i zasłania tatuaż, ale doskonale uwydatnia każdy mięsień jego klatki piersiowej i płaskiego brzucha. *Jak do diabła uda mi się przetrwać cały trening z takim widokiem przed oczami?*

– Ja prowadzę? – pyta z uśmiechem, jakby czytał mi w myślach.

Skinienie głowy to jedyne, co potrafię z siebie wykrzesać.

★ ★ ★

– Potrzebujesz pomocy z workiem? – pyta Trent.

– Tędy, Jeevesie[1]. – Podchodzę do wolnego miejsca i rzucam rzeczy pod ścianę. Zaczynam rozgrzewkę, po kolei napinając i zwalniając mięśnie. Za

---

[1] **Jeeves** – fikcyjna postać z serii opowiadań angielskiego pisarza P.G. Wodehouse'a. Kamerdyner arystokraty Bertiego Woostera. Stał się archetypem idealnego służącego, a jego nazwisko stało się w języku angielskim wręcz synonimem pomocnika zdolnego zaradzić każdemu problemowi (przyp. tłum).

każdym razem, gdy trenuję, zachwycam się tym, jak daleko zaszłam. Po wypadku sporo czasu zajęło mi, by chociaż ruszyć stopą. Miałam praktycznie zanik mięśni i byłam przekonana, że już nigdy nie będę chodzić. Wtedy jednak mi na tym nie zależało.

Trent naśladuje moją rozgrzewkę, wyciąga ramiona nad głowę, jedną rękę mając zgiętą za plecami, a drugą dociska, rozciągając triceps. Jego koszulka lekko unosi się, odsłaniając kontury mięśni brzucha i ciemną ścieżkę włosów poniżej pępka.

– Ja pierdzielę – mruczę pod nosem, odwracając się, by dokończyć rozgrzewkę i nie widzieć stojącego za mną boga.

– Dobra. Gotowa? – woła Trent. Kołysze ramionami w przód i w tył, klaszcząc przed sobą. – Pokażmy, na co nas stać!

– Potrafisz trzymać worek?

– Oczywiście. – Opiera się o niego, obejmując całymi rękami.

Nie sądzę, aby kiedykolwiek trzymał komuś worek.

– Mówiłam „trzymać", nie „obejmować". Chcesz, żebym ci połamała żebra?

Puszcza worek, po czym odsuwa się i wskazuje na niego.

– Dobra, mądralo. Naucz mnie.

Uśmiecham się, wiążę włosy w kucyk, świadoma tego, że mamy niewielką widownię. Wśród niej jest też uśmiechnięty od ucha do ucha Ben. Nadal mam ochotę zetrzeć mu z twarzy ten uśmieszek, chociaż ostatecznie okazał się być w porządku.

– Dobra, musisz... – Podchodzę do Trenta i łapię go za ręce. Zaczynam wyjaśniać, jak musi się ustawić, gdzie położyć dłonie, i cały czas jestem świadoma, że ten dotyk mi nie przeszkadza. Właściwie z chęcią trzymałabym te dłonie podczas długiego spaceru po plaży i wszelakich innych czynności, z którymi wiąże się trzymanie za ręce. Dotykanie w ogóle. Do końca życia chcę dotykać Trenta. – Postaw nogę tutaj... – Palce przesuwam na jego udo, by pokazać mu, gdzie ma ustawić nogę i czuję napięcie mięśni, kiedy ją przesuwa. To mocna, seksowna noga – ... i obróć się w tę stronę. – Teraz dłonie układam na jego pasie, obejmując go delikatnie podczas ustawiania. Orientuję się, że przyspiesza mi oddech. *Do diabła, jak mam ćwiczyć, gdy on tu stoi?* – Najważniejsza jest twoja równowaga. Łapiesz?

Kiwa głową, więc niechętnie zdejmuję ręce i odsuwam się, przygotowując do wykopu.

– Poważnie? Nigdy wcześniej nie robiłeś tego dla jakiegoś kumpla?

Trent wzrusza ramionami. Przez trzy sekundy udaje mu się zachować kamienną twarz, nim w końcu zdradza go uśmieszek.

– Jasne, setki razy, ale podobała mi się twoja lekcja.

Wybucha chór szeptów i śmiechów. Wszyscy wiedzieli, że się ze mną bawi. Jak się połapali, skoro ja niczego nie zauważyłam? *Pewnie dlatego, że byłam zbyt zajęta ślinieniem się na widok jego ciała i nie dostrzegłam wyćwiczonych ruchów.* Nagle czuję się jak idiotka, więc lekko kopię w worek. Dobra, może wcale nie tak lekko. Pod wpływem mojego wykopu worek odchyla się w tył i uderza w Trenta, wyciskając z niego niskie chrząknięcie, gdy pochylony odsuwa się w tył, łapiąc równowagę i trzymając się za krocze.

– Myślałam, że wiesz, jak trzymać worek – mamroczę, podchodząc do niego. Nie uzyskuję odpowiedzi. Z niewielkim wahaniem opieram rękę na jego plecach i przygryzam wargę. – W porządku?

– Kace! Naprawdę masz coś do jaj, co? – krzyczy Ben przez złożone w trąbkę dłonie, aby wszyscy mogli słyszeć.

Rumienię się, spojrzeniem ciskając sztyletami w Bena i jednocześnie przepraszając Trenta.

– Cholera, przepraszam. Myślałam, że dostaniesz w ramię.

Wyciąga szyję, by na mnie spojrzeć, mimo to nadal jest skulony.

– Jeśli mnie nie chcesz, wystarczyło powiedzieć. Nie musisz mnie psuć dla innych kobiet.

– Wolę działać, niż gadać. – Cieszę się, że żartuje, ale nadal się krzywi. Kucam przed nim i pytam cicho: – Nic ci nie jest? Pytam poważnie.

– Nic, przeżyję. A mówiąc „przeżyję" mam na myśli to, że zwinę się w kulkę na kanapie z workiem lodu między nogami i tak spędzę dzisiejszy wieczór.

– Mogę potrzymać lód – oferuję szeptem.

Gdy odwraca głowę, dostrzegam ogień w jego oczach i mimowolnie uśmiecham się z powodu jego frustracji, która jest tak podobna do mojej. Uśmiech szybko zastępuje mu grymas.

– Daj mi chwilę. Zaraz wrócę do zdrowia.

Trent opiera się o ścianę, chroniąc swoje uszkodzone klejnoty i patrząc, jak wykonuję serię wykopów i ciosów niepełnej mocy. Gdy kończę, wyczuwam, że zbliża się do mnie. Piszczę z zaskoczenia, gdy kładzie ręce na moich biodrach, pociągając mnie w tył i przyciągając do siebie.

– Kiedy proponowałaś trzymanie lodu...

– Myślałam, że jesteś na skraju śmierci – odpowiadam bez tchu. – Nie wyglądasz, jakbyś umierał.

– Umierałem, ale wyzdrowiałem dzięki temu, że jesteś naprawdę gorącą laską, kiedy walisz w worek.

– Przyciąga mnie jeszcze mocniej do siebie, więc jęczę. Nie z bólu. Zdecydowanie nie z bólu.

– Czy to nie ty chciałeś powolnego tempa? – przypominam mu.

Chichocze ponuro.

– Jasne, i mówiłem też, że ciężko mi się kontrolować, gdy jesteś blisko. – Pochyla się i szepcze mi do ucha: – Więc co ty na to? Jestem gotowy na kilka rundek z tobą.

Ucieka mi jedynie stłumione westchnienie. Nie wiem, skąd się to bierze u niego. To musi być efekt testosteronu w powietrzu. Może to właśnie jest prawdziwy Trent, ale do tej pory był świetny w powstrzymywaniu się. A może to jego sposób, by oznaczyć terytorium, gdy grupka facetów, włączając w to Bena, gapi się na mnie intensywnie. Cokolwiek to jest, z przyjemnością oddałabym Trentowi ciało w posiadanie, by zrobił z nim, co zechce.

Przełykam ślinę, starając się skupić na worku z piaskiem, który szydzi ze mnie, gdy cały gniew walki gdzieś znika, a zastępuje go nowe uczucie. Pożądanie. Czyste, nieskrępowane pragnienie. Jestem dwie sekundy od zaciągnięcia Trenta do damskiej szatni i zdarcia z niego koszulki. Do diabła, jestem gotowa rzucić się na niego tu, na macie, i niech szlag trafi wszystkich widzów.

Odsuwa ode mnie ręce, ale najpierw ściska mi pośladek, po czym przechodzi, by zająć pozycję po drugiej stronie worka. Jego spojrzenie sprawia, że jestem podenerwowana.

– Dobra, tym razem jestem gotowy.

★ ★ ★

Gdy w pełnym słońcu znów stoimy przed moimi drzwiami, Trent oddaje mi komórkę z wpisanym swoim numerem. Żar, który wypełniał powietrze na siłowni, w drodze do domu wyparował gdzieś wraz z tajemniczym telefonem. Zabawnego i energicznego Trenta już nie ma. Ten Trent wygląda na rozkojarzonego i wzburzonego. Wkrótce dowiaduję się dlaczego.

– Muszę dzisiaj wyjechać, Kace. Praca i sprawy związane z mamą. Nie mam wyboru. Jeśli się nie pojawię, domyśli się, że nie ma mnie w Nowym Jorku... – Milknie, po czym widzę, że jego oczy rozszerzają się, jakby był zdziwiony. *Ma to jakieś znaczenie?* Kontynuuje: – Nie będzie mnie aż do piątku, ale się zdzwonimy, dobrze?

Przytakuję, w duchu licząc na kolejny z palących pocałunków. Albo że przerzuci mnie przez ramię jak jakiś jaskiniowiec i zaniesie do swojego łóżka. Każda opcja byłaby dobra. Jednak zamiast tego dostaję całusa w czoło. Z byle jakim pożegnaniem i zmarszczonymi brwiami odwraca się na pięcie i znika w swoim mieszkaniu.

ROZDZIAŁ DZIESIĄTY

Serwuj drinki.

Uśmiechaj się.

Kasuj i wydawaj.

Całą noc powtarzam tę mantrę w *Pałacu Penny*. Lokal jest przepełniony jak nigdy, a jednak bez Trenta wydaje się pusty i nudny.

O trzeciej w nocy, kiedy już jestem w domu, w kieszeni czuję wibracje wprawiające w drżenie całe moje ciało. Są tylko dwie osoby, które mogłyby wysłać do mnie wiadomość, a jedna z nich śpi w sypialni obok.

Trent: *Jestem w Nowym Jorku. Otoczony drapaczami chmur. Tęsknię. Jak noc?*

Moje serce podskakuje z radości, gdy odpisuję:

Ja: *Pełna nagich ciał i obscenicznych propozycji.*

Nie mogę się zmusić, by wpisać kolejne zdanie. Że tęsknię za nim jak wariatka. Że nie wierzę, iż zmarnowałam tygodnie, trzymając go na dystans.

Całą minutę późnej przychodzi wiadomość:

Trent: *Wśród tych nagich ciał było Twoje?*

Ja: *Jeszcze nie.*

Wskakuję do łóżka i kładę telefon na piersi, czekając na odpowiedź. Mija dłuższa chwila, zanim ją dostaję.

Trent: *Zimny prysznic wzywa. Słodkich snów. Dobranoc.*

Śmiejąc się głośno, zakrywam usta, aby nie obudzić Livie czy Mii, która została u nas na noc. Odkładam telefon na szafkę nocną i po bardzo długiej chwili zasypiam.

★ ★ ★

Trzy dni bez Trenta są nadspodziewanie trudne. Późnymi wieczorami wymieniamy po kilka wiadomości. Czymkolwiek jest zajęty, musi mu to zabierać dużo czasu, ponieważ SMS-y zaczynają przychodzić nie wcześniej niż po północy. A kiedy już przychodzą, gdy wyczuwam w kieszeni wibracje, czuję się, jakby przyszło Boże Narodzenie.

SMS-y są całkiem niewinne, typu: „Cześć, co tam u ciebie?", „Tęsknię", „Skopałaś jakichś facetów na siłowni?". Kilka razy wpisałam coś bardziej prowokacyjnego w odpowiedzi, ale skasowałam, zanim nacisnęłam „wyślij". Coś mi mówi, że za wcześnie na świństwa, zwłaszcza że nie wyszliśmy poza etap całowania.

Boziu, nie mogę się doczekać, aż przejdziemy dalej.

★ ★ ★

Dzisiaj wraca Trent. To pierwsza myśl, z jaką się budzę w piątkowy poranek. Nie ma masakry, krwi ani nędznych resztek mojego życia. Po raz pierwszy zaczynam dzień od myśli na temat przyszłości i tego, co może przynieść.

Dzień zapewne skończy się do dupy, skoro ma tak idealny początek.

Nie mam pojęcia, o której Trent zawita do Miami. Wysłałam mu kilka wiadomości, by się tego dowiedzieć, ale nie doczekałam się odpowiedzi. Przez to jestem niespokojna. Okropne wizje katastrof lotniczych przez cały dzień nawiedzają mój umysł, podobnie jest przez całą zmianę w *Penny*.

Kiedy więc Nate wyciąga mnie zza baru i prowadzi do biura, gdzie Cain podaje mi telefon, kurczy mi się żołądek.

– To pilne – mówi ze ściągniętymi brwiami. Stoję i gapię się na Caina, przez chwilę mając w głowie czarną dziurę i nie mogąc zdobyć się, by się z tym zmierzyć. Trwam tak, póki nie słyszę płaczu dziecka dobiegającego ze słuchawki, więc odrywam od niego oszołomione spojrzenie i łapię za telefon.

– Halo? – mówię drżącym głosem.

– Kacey! Dzwoniłam na komórkę, ale nie odbierasz! – Ledwie rozumiem, co mówi Livie przez jej ikanie i płacz Mii. – Błagam, wróć do domu. Jakiś walnięty facet próbuje wyważyć drzwi! Woła Mię! Myślę, że jest naćpany! Zadzwoniłam po policję!

Tylko tyle słyszę. Tylko tyle mi trzeba.

– Zamknijcie się w łazience. Już jadę, Livie. Zostańcie tam! – Rozłączam się. Mówię krótkimi, urywanymi komunikatami, jakbym nie była sobą. Do Caina mówię:

– Nagły wypadek. Chodzi o Mię, córkę Storm. I moją siostrę.

Cain już ma w ręce kluczyki od samochodu i kurtkę.

– Nate, ściągnij Storm ze sceny. Natychmiast. I powiedz Georgii i Lily, by obsadziły bar. – Otacza mnie ramieniem i ciągnie delikatnie. – Zejdziemy na dół, dobrze, Kacey?

Czuję się, jakby ktoś kopnął mnie w brzuch. Bezmyślnie kiwam głową, gdy jednocześnie wewnętrzny potok krzyków i płaczu atakuje moje zmysły. Pół minuty później siedzimy ze Storm w lincolnie navigatorze Caina i jedziemy autostradą. Wielkie cielsko Nate'a wypełnia przednie siedzenie pasażera. Storm, ubrana jedynie w srebrne bikini z występu, w kółko tymi samymi pytaniami wierci mi dziurę w brzuchu, a ja tylko kręcę głową. *Oddychaj* – słyszę w głowie głos mamy. *Dziesięć płytkich oddechów.* Ciągle to słyszę, ale nie pomaga. To nigdy nie pomaga, kurwa! Cała się trzęsę, coraz głębiej zapadając się w mroczną otchłań, w której ląduję, gdy moi bliscy umierają. Nie udaje mi się wydostać. Tonę pod jej ciężarem.

Nie jestem w stanie znieść utraty Livie. Ani Mii.

W końcu Storm przestaje zadawać pytania. Zamiast tego łapie mnie za rękę i przyciska sobie do piersi. Pozwalam jej na to, znajdując ukojenie w jej przyspieszonym biciu serca. Przypomina mi, że nie jestem sama.

Docieramy pod blok, gdzie wita nas dyskoteka świateł z radiowozu i z karetki. Cała nasza czwórka wbiega przez otwartą bramę, mijamy zaniepokojonego Tannera, który rozmawia z policjantem, przeciskamy się przez kłócących się i ciekawskich sąsiadów, a gdy docieramy do mieszkania Storm, zastajemy drzwi wiszące na jednym zawiasie, przełamane w połowie przez czyjąś pięść, głowę albo jedno i drugie. Trzech funkcjonariuszy trzyma skutego, zgarbionego faceta. Nie mogę dostrzec jego twarzy. Widzę jedynie tatuaże i skute ręce.

– Mieszkam tu – ogłasza Storm, gdy przeciska się obok nich i przedziera przez drzwi, nawet nie rzucając okiem na faceta. Biegnę za nią i widzę Livie z podpuchniętymi oczami, która siedzi na kanapie, trzymając na kolanach zwinięte w kulkę dziecko, ssące kciuk, by tłumić płacz, jaki pozostał po histerycznym zawodzeniu. Stoi nad nimi policjant i przegląda notatki. Lampa, która zazwyczaj stoi obok drzwi, jest w kawałkach, a gigantyczna metalowa patelnia Storm leży na podłodze u stóp Livie.

Storm natychmiast klęka przed Mią.

– Och, córeczko!

– Mamusia! – Dwie chude rączki wyciągają się i łapią Storm za szyję. Matka porywa córkę w ramiona i zaczyna kołysać. Łzy płyną jej po policzkach, gdy nuci jakąś piosenkę.

– Nic jej się nie stało – zapewnia policjant. Jego słowa sprawiają, że wypuszczam powietrze, które cały czas trzymałam w płucach. Biegnę do Livie i oplatam ją ramionami.

– Przepraszam. Nie chciałam cię wystraszyć, ale tak się bałam! – Płacze.

Ledwo rejestruję jej słowa. Jestem zbyt zajęta badaniem jej kończyn i oglądaniem twarzy w poszukiwaniu obrażeń.

Livie śmieje się, łapie moje dłonie i trzyma w swoich.

– Wszystko dobrze. Załatwiłam go.

– Co...? Co masz na myśli, mówiąc: „Załatwiłam go"? – Kręcę głową z niedowierzaniem.

Livie wzrusza ramionami.

– Wetknął głowę przez drzwi, więc walnęłam go patelnią Storm. To go spowolniło.

Co?! Patrzę na patelnię leżącą na podłodze. Patrzę na moją filigranową piętnastoletnią siostrzyczkę. Znów spoglądam na patelnię. Następnie z ulgi, ze strachu czy ze złości – prawdopodobnie ze wszystkiego jednocześnie – wybucham śmiechem. Nagle obie pochylamy się, obejmujemy i śmiejemy, prychając histerycznie. Brzuch mnie boli, bo jego mięśnie działają w sposób, w jaki nie pracowały od lat.

– Kim jest ten świr w kajdankach? – pytam między falami śmiechu.

Livie szybko przestaje się śmiać, jej oczy rozszerzają się wymownie.

– To ojciec Mii.

Wzdycham, gdy spoglądam na rozwalone drzwi, na Storm i Mię, po czym moja wyobraźnia zaczyna pracować na najwyższych obrotach. Chciał się dostać do córki.

– Co on tu robi? – Nie mogę ukryć przerażenia w głosie, cała poprzednia wesołość natychmiast wyparowuje. Lęk falami przepływa przeze mnie niczym wstrząsy wtórne, permanentnie odrywając niestabilne płaszczyzny, na których od lat balansuję. Sama myśl o tym, że cokolwiek mogło stać się Mii albo Storm sprawia, że mi słabo.

Dzieje się tak, ponieważ je kocham.

Mia to nie jest tylko szczerbaty dzieciak, którym opiekuje się Livie. Storm to nie tylko sąsiadka striptizerka, która załatwiła mi pracę. Choć tak bardzo starałam się trzymać wszystkich na dystans, również Trenta, te dwie i tak znalazły sposób, by się zbliżyć. Dziwny sposób, nieuchronnie prowadzący do miejsca w moim sercu, o którym myślałam, że od dawna jest zamarznięte i niezdolne, by czuć.

Livie krzyżuje ramiona, patrząc ze strachem na Storm i Mię.

– Tak się cieszę, że Trent przybył na czas.

Znów wzdycham.

– Trent? – Wstaję i kręcę się, a serce podchodzi mi do gardła, gdy rozglądam się po mieszkaniu. – Gdzie... gdzie on jest?

– Tutaj.

Odwracam się i widzę, jak wchodzi. Natychmiast rzucam się na niego. W tym samym momencie obejmuje mnie ramionami, chroniąc ich siłą. Pochyla się i przytula, zakopując twarz w moich włosach. Stoimy tak dłuższą chwilę, aż w końcu unosi głowę i opiera czoło o moje. Przesuwam dłonie po jego bokach na plecy, po czym wbijam mu palce w łopatki, by przyciągnąć go jeszcze bliżej. Czuję, jak jego mięśnie napinają się. Całe nerwy, przerażenie i strach dzisiejszego dnia przeobrażają się w jakąś zwierzęcą potrzebę. *Muszę go tulić. Potrzebuję go.* Stoimy tak dłuższą chwilę, gdy przyciskam nos do jego klatki piersiowej, wdychając wspaniałe połączenie zapachu lasu i oceanu.

– Tęskniłam za tobą – zaskakuje mnie własny szept. Kacey Cleary nie przyznaje głośno, że za kimś tęskni. Ale Trenta odbieram, jakby był czymś cennym, zgubionym i odnalezionym. Zalewa mnie więc fala ulgi.

Trent nachyla się i całuje mnie w policzek na linii żuchwy.

– Też za tobą tęskniłem, kochanie – szepcze mi do ucha, powodując we mnie drżenie.

– Przepraszam, ale jest pan pewien, że nie chce pan wnieść oskarżenia? – pyta jakiś głos.

– Jestem pewien. To tylko opuchlizna – odpowiada Trent, nie wypuszczając mnie z objęć, jakby potrzebował mnie tak samo, jak ja jego.

– Jaka opuchlizna? – Odsuwam się i patrzę w górę na jego spuchniętą wargę. Unoszę dłoń, by jej dotknąć, ale Trent ją łapie i odsuwa.

– Nic mi nie jest. Naprawdę. To nic takiego. Było warto.

– Będę musiał tej młodej damie zadać kilka pytań. Jest pani opiekunem? – Słyszę pytanie zadane przez policjanta i zakładam, że funkcjonariusz pyta Storm, więc nadal gapię się na twarz Trenta, niezdolna odwrócić spojrzenia.

On również intensywnie wpatruje się we mnie.

– Proszę pani?

– Tak, ona jest moim opiekunem. – Głos Livie wyrywa mnie z własnego świata. On mówi do mnie.

– Tak, jestem...

Odwracam się i widzę wpatrzonego we mnie funkcjonariusza. Mój wyraz twarzy mówi mu, że go poznaję.

Wzrusza ramionami.

– Ostatnio zapewniają nam panie sporo roboty. – Spogląda na Storm, jego wzrok szybko prześlizguje się po jej ciele, aż ląduje na podłodze. Policjant przeczesuje blond włosy. Wygląda przyzwoicie niczym Ken. I najwyraźniej Storm mu się podoba. To oczywiste. Ale czy jest ktoś, komu się nie podoba?

– Nikt nie może nazywać nas nudnymi. – Uśmiecham się. – Jestem Kacey, a to Storm, wygląda na to, że pamięta ją pan, funkcjonariuszu... – Patrzę zafascynowana, jak krew odpływa mu z twarzy.

Odchrząkuje.

– Funkcjonariusz Ryder. Dan.

Storm nie reaguje, z półprzymkniętymi powiekami nadal kołysze córeczkę w ramionach.

Słyszymy kolejne chrząknięcie. Odwracamy się i widzimy następnego policjanta zaglądającego do mieszkania.

– Jeśli to wszystko, powinniśmy zabrać tego człowieka na posterunek. – Jego uwaga koncentruje się na Storm.

– To zapakuj go do radiowozu. Teraz!

Policjant wycofuje się, obdarzony zabójczym spojrzeniem i warknięciem funkcjonariusza Dana. Do Storm funkcjonariusz Dan zwraca się miękkim głosem:

– Znajdę wam nocleg do czasu, aż drzwi nie zostaną naprawione. Za kilka godzin kończę zmianę. Jeśli pani chce, mogę wrócić i przypilnować tego miejsca do rana.

Storm, niczym uwolniona spod działania zaklęcia, odwraca się do funkcjonariusza Dana i błyszczącymi oczyma patrzy na niego, jakby go dopiero zauważyła.

– Och, dziękuję. Nie mam tu wiele, ale czułabym się bezpieczniej z ochroną.

Funkcjonariusz Dan rumieni się po raz trzeci i muszę przyznać, że jestem pod wrażeniem, ponieważ cały czas patrzy na jej twarz. Nawet Gandhiemu byłoby ciężko nie spoglądać na jej ledwie odziane ciało.

– Przypilnuję tego miejsca, dopóki pan nie wróci – oferuje Trent.

Funkcjonariusz Dan mierzy spojrzeniem Trenta, spogląda na mnie w jego ramionach i od razu decyduje, że Trent nie jest dla niego konkurencją. Dziękuje skinieniem głowy.

– Byłbym wdzięczny.

– Masz gdzie zatrzymać się na noc, aniołku? – pyta Cain, wchodząc. Nate drepcze za nim.

– Może zostać z nami – rzucam, zanim Storm ma szansę cokolwiek powiedzieć. W milczeniu przytakuje, nadal głaszcząc Mię, której opadają powieki.

– To dobrze. Muszę wracać i zamknąć klub. Twoją kasę włożę do sejfu, będziesz ją mogła później odebrać – mówi Cain z uśmiechem, po czym dodaje: – Jutro masz wolne.

– Dzięki, Cain – mówię. Storm ma rację. To naprawdę dobrzy faceci. – Dzięki, Nate.

Mruczy w odpowiedzi, po czym stawia trzy gigantyczne kroki w kierunku Storm. Obserwuję, jak dotyka główki Mii, co wygląda mniej więcej tak, jakby łapa niedźwiedzia wylądowała na czaszce noworodka. Jednak głaszcze ją delikatnie i miękko poklepuje.

– Słodkich snów, Mia – huczy jego głos. Zaspane niebieskie oczka otwierają się i patrzą na niego. Jestem pewna, że mała zaraz zacznie wrzeszczeć. Ja z pewnością bym się darła. Widzę jednak, jak unosi rączkę, by ścisnąć jego palec. Ten gest podrażnia struny mojego serca. Następnie Cain i Nate wychodzą.

– Chodźmy, połóżmy Mię spać. – Livie kładzie rękę na plecach Storm i delikatnie popycha ją w stronę drzwi. Wychodzą, mijając się z wchodzącym właśnie Tannerem.

– Nie teraz – mówi cicho Livie, prowadząc Storm do naszego mieszkania.

Tanner jak zwykle drapie się po głowie, ale przytakuje, odsuwając się. Ponownie przyciskam twarz do klatki piersiowej Trenta, tym razem, by powstrzymać śmiech. Dopiero teraz widzę, że Tanner ma na sobie piżamę z Batmanem. Przeciąga ręką w górę i w dół po drzwiach i wiem, co myśli.

– To nie była wina Storm, Tanner – mówię szybko, spodziewając się, że zaraz wyskoczy z tą swoją regułą. Z pewnością zostanie to sklasyfikowane jako zakłócanie spokoju.

Jednak zbywa mnie machnięciem ręki, mamrocząc:

– Nigdy nie spotkałem ludzi z takim pechem do drzwi.

Trent odkleja się ode mnie i odchodząc kilka kroków, wyciąga portfel, a z niego kolejny zwitek banknotów.

– To powinno pokryć straty. Możesz załatwić ekipę z samego rana?

– Nie musisz tego robić, Trent – mówię, gdy Tanner owija pulchne paluchy wokół kasy.

Trent ponownie mnie obejmuje i lekceważąco kręci głową.

– Rano będziemy się martwić.

Tanner macha ręką w podziękowaniu i wychodzi.

Funkcjonariusz Dan zatrzymuje go.

– Sugeruję, by niezwłocznie porozmawiał pan z właścicielem budynku odnośnie lepszego systemu zabezpieczenia bramy wejściowej na posesję, biorąc pod uwagę, jak łatwo ją otworzyć, co widzieliśmy dzisiejszej nocy.

Tanner przenikliwym spojrzeniem ocenia policjanta.

– Zgadzam się, panie władzo, ale właściciel jest skąpcem, którego portfel jest cieńszy niż... – Patrzy na mnie i pochyla głowę. – Jest dusigroszem, to wszystko.

– Pomogłoby, gdyby otrzymał oficjalny nakaz z policji albo z rady miasta mówiący, że będzie adresatem opiewającego na wiele milionów pozwu, jeśli nie zapewni odpowiedniego poziomu bezpieczeństwa swoim lokatorom?

Brwi Tannera unoszą się ze zdumienia.

– Może pan to załatwić? To znaczy... – Odchrząka, a wymuszony uśmiech maluje się na jego twarzy. – Jestem pewien, że coś takiego go zmotywuje, panie władzo.

Dan przytakuje, lekki uśmieszek pojawia się na jego ustach.

– Świetnie. Coś wymyślę i to będzie pierwsza rzecz z rana, z którą do pana przyjdę. – Odwracając się do Trenta, mówi: – Mogę wcześniej skończyć zmianę, może pan przypilnować mieszkania do czwartej?

– Jasne.

Pochylając się lekko w drzwiach, Dan wychodzi. Tanner w piżamie z Batmanem idzie za nim, pozostawiając nas z Trentem samych.

Patrzę na sylwetkę Trenta i na jego przystojną twarz.

– Czuję się, jakbym cię nie widziała przez kilka miesięcy – mruczę, stając na palcach, by pocałować niezranioną część jego ust.

Unosi dłoń i głaszcze mnie po policzku, uśmiechając się.

– Musisz być zmęczona. Może pójdziesz spać, a ja posiedzę tutaj i popilnuję?

Walczę, by ukryć rozczarowanie malujące mi się na twarzy. Bycie blisko niego jest tak dobre, tak kojące. W mojej krwi krążą adrenalina i pożądanie. Zmęczenie jest ostatnią rzeczą, którą teraz czuję. Nie chcę jednak zdradzić, jak bardzo potrzebuję Trenta. Obdarowuję go moim najlepszym podejrzliwym spojrzeniem.

– A kto będzie pilnował ciebie, żebyś niczego nie ukradł?

– Mnie? Faceta, który kupuje nieznajomym laskom drzwi wejściowe?

– Nieznajomym laskom? – Obruszam się i z udawaną zgrozą przyciskam dłonie do piersi. – Foch! Poza tym skąd mam wiedzieć, czy nie jesteś jakimś świrniętym kleptomanem lubiącym zakładać szpilki, który ukradnie majtki Storm i wyje jej całą musztardę?

Trent przewraca oczami.

– Po pierwsze, to był ketchup i zrobiłem tak tylko raz. Po drugie, nie kręci mnie to, przysięgam.

Chichoczę, a Trent opiera ręce na moich ramionach. Nim wraca spojrzeniem do mojej twarzy, mierzy mnie z góry na dół.

– Lubię damską bieliznę, tyle że nie na sobie.

Staram się przełknąć ślinę, serce podchodzi mi do gardła, a krew pulsuje w uszach, gdy iskra elektryczna przeskakuje pomiędzy nami, porywając każdy nerw w moim ciele. Wtedy on się odsuwa, stawiając trzy duże kroki w tył i wzdychając głęboko. Uśmiecham się w duchu. Nie jestem osamotniona w swoich uczuciach.

– Musimy zrobić coś z drzwiami. Taśma policyjna nie powstrzyma wścibskich spojrzeń.

Kolejna fala żaru przetacza się przeze mnie. *Co by mogły zobaczyć te wścibskie spojrzenia?* Trent przekopuje się przez szafę, aż znajduje stary koc.

– Mam nadzieję, że nie będzie miała nic przeciwko.

Przy pomocy taśmy klejącej, pinezek i innych rzeczy, które znajduję w kuchennych szufladach, pomagam Trentowi zamocować koc na futrynie. Kiedy kończymy, jest pierwsza w nocy, moja adrenalina zdążyła wyparować, a na jej miejscu pojawia się zmęczenie. Opadam ciężko na kanapę.

– Nie siedziałam dzisiaj dłużej niż dziesięć minut.

Trent zajmuje miejsce na końcu kanapy. Delikatnie, łapiąc za pięty, unosi mi nogi i kładzie je sobie na kolanach.

– Och – jęczę. – Możesz zostać. – Uśmiecha się, nic nie mówi, a jego zręczne dłonie okrężnymi ruchami masują mi stopy. W koło, powoli, delikatnie. Wzdycham i opieram głowę o kanapę, rozkoszując się jego dotykiem i uwagą, jaką mi poświęca. – Dobra, zasłużyłeś na jakąś sprośną bieliznę. Idź – wskazuję na sypialnię Storm – i wybierz sobie coś. Storm ma całkiem nieźle wyglądającą kolekcję.

Trent chichocze.

– Zależy na kim.

Otwieram jedno oko i w utkwionym we jasno-niebieskim spojrzeniu mnie odkrywam żar. Zauważam, że ponownie przeskoczył od bycia odpowiedzialnym i ostrożnym Trentem do tego chętnego, by rozłożyć mnie na plecach. Nie jestem pewna, co o tym myśleć, ale zdecydowanie wolę teraz tę drugą wersję. Zaczyna poruszać szybciej ręką, z troszkę większym zapałem, a jego oddech przyspiesza. Po czym przesuwa ją wyżej, na łydkę, i zacieśniając uchwyt, przyciąga mnie do siebie. Sukienka podwija mi się i odsłania nieco większy kawałek nóg. Na szczęście kiedy mój tyłek styka się z jego ciałem, zatrzymuje się na wysokości ud. Teraz moje nagie nogi są ułożone na jego kolanach. Jedna z jego dłoni pozostaje po wewnętrznej stronie mojego uda, rozsyłając impulsy elektryczne po całym organizmie. Natomiast palec wskazujący drugiej ręki podąża wzdłuż zewnętrznej krawędzi tego samego uda... Coraz wyżej i wyżej...

Trent zatrzymuje dłoń na tatuażu, na krawędzi blizny, i przeciąga palcem wzdłuż jej grzbietu.

– Zrobiłaś tatuaż, by zakryć bliznę?

– Gdyby tak było, miałabym cały prawy bok w rysunkach – kłamię.

– Dlaczego pięć kruków? – pyta, śledząc placem kontur ich ogonów.

– A dlaczego nie? – Modlę się, by porzucił ten temat.

Jednak tego nie robi.

– Co oznaczają? – Kiedy nie odpowiadam, mówi: – Proszę, rozmawiaj ze mną, Kacey.

– Mówiłeś, że nie muszę. – W moim głosie słychać odrobinę goryczy. Trent skutecznie oblał mnie wiadrem lodowatej wody i ugasił poprzedni żar.

Zabiera dłoń z mojej nogi i pociera czoło.

– Wiem. Wiem, co powiedziałem. Przepraszam. Chciałbym tylko, żebyś mi zaufała, Kacey.

– To nie ma związku z zaufaniem.

– W takim razie z czym?

Gapię się w sufit.

– Z przeszłością. To sprawy, o których nie chcę gadać. Sprawy, o których obiecałeś, że nie będziemy rozmawiać.

Ponownie kładzie rękę na moim udzie, koncentrując na nim spojrzenie, po czym delikatnie je ściska.

– Wiem, że tak mówiłem, ale muszę wiedzieć, że wszystko z tobą w porządku, Kacey.

W jego głosie wychwytuję jakąś nutę, której nie potrafię zidentyfikować. Zmartwienie? Strach? Co to może być?

– A co, boisz się, że obudzisz się przywiązany do łóżka?

– Nie. – W jego głosie słyszę gniew. Pierwszy raz. Znika on jednak w miękkości następnych słów. – Boję się, że cię skrzywdzę.

Atmosfera w pomieszczeniu staje się ponura, gdy nasze spojrzenia krzyżują się i widzę, że oczy Trenta są pełne smutku. Pochyla się, by sięgnąć do mojego policzka i pogładzić go kciukiem.

Jego słowa – a może coś więcej, ton głosu i ból w oczach – popychają mnie, bym ukoiła cokolwiek go trapi.

Chcę, by był szczęśliwy.

I orientuję się, że chcę, by mnie poznał. Całą.

Przełykam ślinę, gdyż nagle zasycha mi w ustach.

– Kilka lat temu uczestniczyłam w okropnym wypadku samochodowym. Pijany kierowca wjechał w auto taty. Cała moja prawa strona została zmiażdżona. Mam w ciele dziesiątki stalowych szpilek i śrub, które trzymają mnie w kupie. – *Fizycznie. Resztę trzyma tylko dziesięć płytkich oddechów.*

Trent wciąga głośno powietrze, ponownie opadając na kanapę.

– Czy ktoś zginął?

– Tak – udaje mi się wydusić. Nagły atak paniki paraliżuje mi język i uniemożliwia mówienie. Dłonie zaczynają mi się trząść niekontrolowanie. *Zbyt dużo, zbyt wcześnie* – mówi moja psychika.

– Och, Kacey. To... to... – Jego ręka wraca, by gładzić moją nogę, jednak już nie czuję intymnej atmosfery. Teraz to tylko pocieszenie. Nie chcę pocieszania. Nic na świecie nie jest w stanie mnie pocieszyć.

– Pocałuj mnie – żądam, patrząc mu w oczy.

Niedowierzanie migocze w jego spojrzeniu.

– Co?

– Dałam ci, czego chciałeś, teraz ty musisz się zrewanżować.

Nie rusza się. Siedzi i patrzy, jakbym dokonała samozapłonu. Obejmuję jego biceps i ściskam mocno, używając go jako dźwigni, by przysunąć się do niego. Przerzucam nogę i siadam mu okrakiem na kolanach.

– Pocałuj mnie. Teraz – mówię.

Trent zaciska zęby, widzę, że mój upór go drażni. Chwilę później, kiedy zamyka oczy, staje się to jeszcze bardziej oczywiste.

– Trent...

Przechyla się w przód, opiera brodę na moim ramieniu.

– Wiesz, że potrzebuję każdego grama siły, jaką mam, by mieć to pod kontrolą, prawda?

– To przestań. Zapomnij o kontroli. Nie potrzebujesz jej – szepczę mu do ucha.

Z jękiem opada w tył.

– Twardo stawiasz sprawę, Kacey – mruczy, z bólem patrząc mi w oczy.

Trzymając ręce na szerokich ramionach Trenta, kołyszę się, przesuwając się na jego biodra przez co czuję, że jego potrzeba też jest paląca. Pochylam się i wargami muskam jego szyję.

– Co dokładnie stawiam twardo, Trent? – Celowo szepczę zmysłowo, by go zachęcić.

I to działa.

Oplata mnie ramionami i przyciąga do siebie, aż nasze ciała zderzają się, po czym wygłodniale całuje moje wargi. Zmusza, bym otworzyła usta, wtedy wsuwa język, który natychmiast tańczy z moim. Jedną rękę opiera mi z tyłu głowy, przyciągając moje usta jeszcze bliżej.

Z taką samą energią łapię za jego koszulę, niezdarnie walcząc z guzikami przy rozpinaniu, by odsłonić jego gładką, twardą pierś, do której chcę przywrzeć. Jego dłonie odnajdują drogę pod sukienką do mojego biodra. Wzdycham lekko, gdy palcami wodzi po moich udach i wystającej kostce miednicy, wsuwając je pod elastyczny materiał stringów i przesuwając je w górę i w dół.

Jestem pewna, że jego plan, który zakłada powolne tempo, skutecznie chyli się ku upadkowi, ale wtedy Trent palcami natrafia na kolejną bliznę i ręka zastyga mu w miejscu. Odsuwa się i znów odpycha mnie na skraj kolan.

– Nie mogę tego zrobić.

– Już to robisz – szepczę, ponownie opierając na nim ręce, by zająć poprzednią pozycję na jego biodrach. Łapie moje nogi, podnosi i przesuwa na bezpieczną odległość. Przez dłuższą chwilę siedzimy w milczeniu, Trent opiera czoło na moim ramieniu.

– Gdybym mógł, wszystko bym dla ciebie naprawił. Wiesz o tym, prawda? – szepcze. Zastanawiam się, czy mówi o bliznach czy o ostatnich czterech latach mojego życia.

– Tak – odpowiadam. Wiem o tym.

ROZDZIAŁ JEDENASTY

Budzę się i widzę, że przez srebrne zasłony przesącza się światło wczesnego poranka. Leżę na łóżku
Storm, nadal mając na sobie sukienkę. Przewracam się
na bok i widzę Trenta leżącego na plecach w samych
bokserkach, pogrążonego w głębokim śnie. Jedną rękę
ma założoną nad głową, a drugą na piersi. Najwyraźniej zasnęłam na kanapie, więc mnie tu przeniósł.

Jest na tyle jasno, że mogę swobodnie studiować
ciało Trenta, by dowiedzieć się, czy jest tak boskie,
jak sobie wyobrażałam. Jest smukłe i bez zarzutu
umięśnione, wątła ścieżka włosów ciągnie się w dole
wyrzeźbionego brzucha.

Moje spojrzenie przykuwa cieniutka srebrna linia,
która biegnie wzdłuż jego obojczyka. Jest tak wąska
i delikatna, że wcześniej jej nie zauważyłam. Przysuwam się i szukam śladu po szyciu oraz blizny po-
operacyjnej, ale nie znajduję żadnej.

– Coś ci się tam spodobało? – Niski głos Trenta zaskakuje mnie, więc się wzdrygam. Spoglądam
w górę, uśmiechając się, i zauważam seksowny pół-
uśmieszek. Trent znów jest w nastroju do żartów.

– Nie bardzo – mruczę, zdradzają mnie jednak zaczerwienione policzki.

Obejmuje moją twarz dłońmi.

– Często się rumienisz. Nie sądziłem, że jesteś wstydliwa – powiedział i po chwili dodał. – Oglądaj, jeśli chcesz, nie mam nic do ukrycia.

Unoszę brwi.

– Mogę?

Zaplata ramiona pod głową.

– Jak już mówiłem...

Domyślam się, że Trent nie ma na myśli zwolnienia tempa, ale nie zamierzam się kłócić.

– OK. – Podoba mi się ten pomysł. Właściwie to ciekawość. – Obróć się.

Mruży oczy, ale poddaje się i przekręca płynnie, abym mogła popodziwiać mięśnie jego pleców, szerokie ramiona i napis, który rozciąga się od łopatki do łopatki.

Powoli przeciągam palcem po wyrazie, wywołując na skórze Trenta gęsią skórkę.

– Co oznacza?

Otwiera usta, by mi odpowiedzieć, ale natychmiast je zamyka, jakby się zawahał. To sprawia, że jeszcze bardziej chcę się dowiedzieć. Czekam cierpliwie na wyjaśnienie, palcem śledząc kontury tatuażu.

– *Ignoscentia*, to po łacinie – szepcze w końcu.

– Co to znaczy?

– Dlaczego masz pięć kruków na udzie? – odbija piłeczkę. Jego głos barwi rzadka nuta irytacji.

Niech to szlag. Oczywiście, że o to pyta. Na jego miejscu zrobiłabym to samo. Przygryzam dolną wargę, zastanawiając się. *Znów go zbyć, czy uchylić rąbka tajemnicy?* Moje zainteresowanie Trentem góruje nad potrzebą trzymania wszystkiego dla siebie.

– Są dla wszystkich bliskich mi osób, które straciłam – szepczę w końcu, modląc się w duchu, by nie zapytał o imiona. Nie chcę mu mówić, że piąty kruk oznacza mnie.

Słyszę gwałtowny wdech.

– Przebaczenie.

– Co? – To słowo uderza mnie niczym cios w klatkę piersiową. Sam jego dźwięk, tak niemożliwy, sprawia, że zaczynam mieć mdłości. Ileż to razy psycholodzy nakłaniali mnie, bym przebaczyła facetom, którzy zabili mi rodzinę?

– To właśnie oznacza mój tatuaż.

– Och. – Oddycham powoli, zaciskając pięści, by powstrzymać dłonie od drżenia. – Dlaczego masz go na plecach?

Trent obraca się, przez dłuższą chwilę patrzy na mnie z ponurą miną i pełnymi smutku oczami. Odpowiada ochrypłym głosem:

– Ponieważ przebaczenie ma moc uzdrawiania.

Gdyby tylko to była prawda, Trent. Walczę z chęcią zmarszczenia czoła. Jak odmienna musi być nasza przeszłość, skoro on ma tatuaż nawołujący do przebaczenia, podczas gdy ja noszę symbol powodu, dla którego przebaczyć nie mogę.

Następuje kolejna chwila milczenia, po czym chytry uśmieszek Trenta powraca, ręce znów splata za głową.

– Zegar tyka...

Odsuwam od siebie poważny nastrój. Klękam, by mieć lepszy widok, omiatam spojrzeniem jego usta, szczękę, jabłko Adama. Powoli przesuwając wzrokiem, przypatruję się jego klatce piersiowej, co skłania mnie do pochylenia się i zbliżenia warg w okolice jego sutka. Pewna, że czuje mój oddech na skórze, słyszę, jak wciąga powietrze. Podnoszę się i kontynuuję inspekcję, tylko raz sprawdzając, czy na mnie patrzy. Z pewnością mi się przygląda.

Zdenerwowanie kłuje mnie w żołądek, na sekundę skupiam się na tym odczuciu i uświadamiam sobie, że mi się podoba. Dzięki niemu czuję, że żyję. Stwierdzam, że chcę czegoś więcej, wysyłam więc zdenerwowanie na orbitę, wciskając palec wskazujący pod gumkę bokserek. Nietrudno dostrzec, że Trent jest podniecony. Poruszam palcem pod elastycznym materiałem...

W ułamku sekundy leżę na plecach, obie ręce mam nad głową, przyszpilone przez mocny uścisk jednej dłoni Trenta. Uśmiecha się i unosi nade mną, całym ciężarem opierając się na wolnej ręce.

– Moja kolej.

– Jeszcze nie skończyłam. – Udaję, że się dąsam.

Trent uśmiecha się szeroko.

– Wiesz co, zrobimy tak: jeśli powstrzymasz się na pięć minut, jeśli w ogóle nie będziesz się ruszać, pozwolę ci dokończyć.

Cmokam, ale wewnątrz aż krzyczę.

– Pięć minut, drobnostka.

Trent przechyla głowę, jego uniesione brwi sugerują, że mnie przejrzał i nie da się oszukać.

– Myślisz, że dasz radę?

– A ty? – pytam, krzywiąc usta, by nie zdradził mnie głupkowaty uśmieszek.

Gdy tylko to rozpalone niebieskie spojrzenie ląduje na mojej twarzy, wiem, co się stanie.

– A co, jeśli nie dam rady? – Myślę, że i tak mogę na tym wygrać.

Smutek migocze mu w oczach i wyczuwam, że atmosfera się zmienia.

– Jeśli przegrasz, zgodzisz się porozmawiać z kimś o wypadku.

Szantaż seksualny. To właśnie as trzymany w rękawie. Łamie swoją regułę powolnego tempa, licząc na to, że będę gadać. W odpowiedzi zgrzytam zębami. Do diabła, nie ma mowy, żebym się na to zgodziła.

– Masz talent do psucia nastroju – marudzę, wijąc się pod nim.

Trzyma mnie jednak mocno. Pochyla się, jego usta znajdują się milimetry od moich, gdy mówi:

– Proszę, Kacey.

Zamykam oczy, by ta piękna twarz mnie nie oczarowała. Za późno.

– Ale tylko, gdy przegram, tak?

– Tak – szepcze.

Moja lubiąca wyzwania strona odpowiada, nim mam szansę pomyśleć.

– Brzmi sprawiedliwie. – *Nie mogę przegrać!*

Na boskiej twarzy Trenta widzę wielki, szeroki uśmiech, który sprawia, że cała się spinam.

– Będziesz grał fair, prawda?

– Tak. Fair na sto procent. – Jego spojrzenie błyszczy zadziornie i dochodzę do wniosku, że wpadłam jak śliwka w kompot. Obserwuję, jak na powrót siada na piętach, górując nade mną na łóżku, a niebieskie spojrzenie odrywa się od mojej twarzy i niespiesznie prześlizguje po moim ciele.

– To jeszcze nie jest fair – mruczy. Pochyla się, opiera dłonie na sukience na moich ramionach. I zsuwa ją.

Wzdycham, gdy sukienka – tunika właściwie – zsuwa się, z niewielką pomocą Trenta, gdy wyciąga ją spode mnie. Jego ręce przesuwają się w dół mojego ciała, a kciuk gładzi bliznę na moim ramieniu. Leżę teraz jedynie w biustonoszu bez ramiączek i w stringach. Wstrzymuję oddech, gdy Trent po-

chłania każdy centymetr kwadratowy mojego ciała –
każdą krągłość, każdy szczegół.

Pochyla się jeszcze bardziej, przesuwa dłońmi po
moich plecach.

– Nadal nie do końca fair. – Czuję, jak palcami
rozpracowuje zapięcie biustonosza, więc wciągam
powietrze przez zęby. Nie odważy się. Napięcie
wzrasta, a jemu udaje się rozpiąć zamek bielizny.
Gdy odsuwa ręce, biustonosz unosi się, odsłaniając
mi piersi.

– No i proszę. Teraz jest fair.

Nie mogę przegrać!

Jestem zdeterminowana, by się nie ruszać, nawet
jeśli leżę naga, a Trent szczerzy się nade mną i gapi
jak sroka w gnat. Uparcie wierzę, że mi się uda. Jednak Trent pochyla się, jego usta znajdują się centymetr od moich piersi, tak jak ja wcześniej zrobiłam,
więc walczę z ochotą, by się wykręcić. Łapię powietrze, gdy jego oddech owiewa mi skórę i natychmiast twardnieją mi sutki. Gdy wraca spojrzeniem
do mojej twarzy, muszę przymknąć powieki. Nie
mogę znieść patrzenia mu w oczy. W jego spojrzeniu jest żar, pragnienie i determinacja. Cicho chichocze, gdy jego wzrok przesuwa się niżej. Chłodne
powietrze owiewa mi brzuch.

– Masz niesamowite ciało, Kacey. Zadziwiające.

Wydaję z siebie niezbyt zrozumiały dźwięk po-
twierdzenia.

– To znaczy mógłbym na nie patrzeć godzinami. I dotykać go. Całymi dniami. – Nie wiem, o co chodzi Trentowi w tym momencie, w tym zmysłowym głosie, poczynaniach i bliskości z moim ciałem, ale pożądanie rozdziera moją silną wolę i zbiera się w moim podbrzuszu, planując przejęcie władzy.

A on nawet mnie nie dotknął.

Zerkam na niego i widzę napinające się mięśnie ramion, gdy przesuwa się w dół, zatrzymując poniżej pępka. Walczę, by rzucić spojrzeniem na zegarek. Przede mną trzy minuty. *Wytrzymam trzy minuty. Wytrzymam... Wytrzymam...* Trent przeciąga palcem z przodu moich majteczek, dokładnie tak jak ja zrobiłam to jemu wcześniej, więc, nim mogę się powstrzymać, ucieka mi miękki jęk. Patrzę w dół i widzę, że mi się przygląda, przygryzając dolną wargę.

Patrzy mi w oczy, palcami zataczając kółeczka i przesuwając je coraz niżej.

Intensywna fala rozbija się we mnie i kompletnie nieprzygotowana, dochodzę. Zawirowania światła i mgły zasnuwają mi wizję, płynę na siedmiu warstwach chmur, mam spięte mięśnie, jednak mocno trzymam się tego haju.

Chwilę później ledwie zauważam, że Trent jest nade mną. Gorące usta dotykają mojego obojczyka.

– Przegrałaś – chichocząc, szepcze mi do ucha. Po czym schodzi z łóżka i zakłada spodnie. – Tanner czeka na patio.

– Nie przegrałam – mamroczę bez tchu po namyśle. Jak on, do diabła, może nazywać coś takiego przegraną?

★ ★ ★

– Nie boisz się zostać tu sama? – szepcze Trent, gdy piję sok pomarańczowy, a spocony facet montuje nowe drzwi. Gdy unoszę brew, Trent chichocze. – Oczywiście, że nie. Zapomniałem, że skopałaś mi tyłek.

– Worek piasku skopał ci tyłek, nie pamiętasz? Gdzie się wybierasz?

Delikatnie dotyka moich pleców, przysuwając mnie do siebie, i szepcze mi do ucha:

– Pod zimny prysznic.

Pot zrasza mi plecy, jestem gotowa rzucić się na niego i na powrót zaciągnąć do sypialni Storm, ale wymyka się z mieszkania, zanim udaje mi się wbić w niego szpony.

– Przypomnij mi, kto przegrał? – wołam za nim, uśmiechając się.

W ciszy obserwuję pracę Spoconego od Drzwi, jednocześnie czytając gazetę i wciąż promieniejąc przez poranek z Trentem. Nawet wystający zza luźnych, wyblakłych jeansów owłosiony tyłek montera mi nie przeszkadza. Chociaż Livie nie spodobał się ten widok, gdy na wpół śpiąco szła do szkoły. Kiedy zasugerowałam jej dzień wolny, popatrzyła na mnie, jakbym kazała jej wyjść za Spoconego od Drzwi. Livie nie opuści szkoły za nic na świecie.

Czytam artykuł pod tytułem *Dziesięć sposobów, jak przeprosić bez używania słowa przepraszam*, gdy słyszę miękki głos Storm.

– Przepraszam, mogę przejść?

Spocony od Drzwi dźwiga głowę, dostrzega Storm i upuszcza młotek, robiąc w wejściu miejsce dla jej krągłości. Storm wchodzi, uśmiechając się i trzymając dwa kubki ze Starbucksa.

– Muszę zmieniać pościel? – Mruga do mnie.

– O rany, Storm! – Na moje policzki wstępuje ogień, gdy widzę, jak oczy Spoconego od Drzwi się rozszerzają. Mimo wszystko Storm potrafi być niegrzeczna. Szybko zmieniam temat. – Jak Mia?

Wspomnienie poprzedniej nocy niszczy jej dobry humor, więc żałuję, że zapytałam.

– W porządku. Mam nadzieję, że nie będzie tego pamiętała. Nie musi pamiętać ojca w takim stanie.

– A co z nim będzie?

– Cóż, najwyraźniej złamał warunki zwolnienia warunkowego. Dodając do tego włamanie, powinien spędzić w więzieniu co najmniej pięć lat. Przynajmniej tak uważa Dan. Mam nadzieję, że do tego czasu odzwyczai się od narkotyków. – Bierze duży łyk kawy i zauważam, że ręka jej drży. Nadal jest zdenerwowana tym wszystkim. Rozumiem to. Gdybym wyciągnęła głowę z rozpraszającej seksem chmury, w której utknęłam przez Trenta, ostatnia noc też zaszłaby mi za skórę. – Naprawdę nie byłam pewna, czy w którymś momencie Nate nie wyrzuci stąd policjantów i nie oderwie mu łba – dodaje Storm, a ja tylko przytakuję.

Następuje długa chwila ciszy.

– Jak tam... Dan?

Storm się rumieni.

– Wstałam wcześnie. Nie mogłam spać, więc przyniosłam mu kawę. Musiałam mu podziękować. Jest miły.

– Kawę? Tylko? – Unoszę brwi.

– Oczywiście, że tylko. A co według ciebie miałam zrobić? Lodzika pod drzwiami mieszkania?

Za sobą słyszymy atak kaszlu. Spocony od Drzwi zaczyna się dusić. Tym razem Storm się rumieni, a ja uśmiecham się z satysfakcją. Najwyraźniej zapomniała, że mamy publiczność.

– I ty mówisz, że on cię nie pociąga.

– Nie, tego nie powiedziałam, ale... – Bawi się pokrywką.

– Ale co?

– Przepraszam. – Przerywa nam głos Dana i obie się wzdrygamy.

– O wilku mowa – mamroczę pod nosem, zakrywając uśmiech kubkiem. Kolor twarzy Storm zmienia się na fioletowy. Wiem, co sobie myśli. Zastanawia się, jak dużo słyszał.

Dan przechodzi przez wejście z fragmentami poprzednich drzwi.

– Przepraszam, że ponowne przeszkadzam.

– Żaden problem – szczebioczę, uśmiechając się.

Kiwa mi głową i jestem pewna, że na jego policzkach maluje się niewielki rumieniec.

– Chciałem tylko powiedzieć, że przyniosłem nakaz dla właściciela budynku. Wkrótce brama powinna być naprawiona.

Storm wytrzeszcza oczy.

– Już?

Dan uśmiecha się.

– Znam kogoś, kto zna kogoś.

– Bardzo dziękuję, funkcjonariuszu Danie – mówi Storm, a ja mam wizję sceny seksu, gdzie ona zwraca się do niego dokładnie w ten sam sposób. Potrząsam głową. *Zbyt wiele czasu spędzam w klubie.*

Patrzą na siebie przez długą chwilę, aż Dan zaczyna się drapać po karku, a jego policzki stają się jeszcze bardziej czerwone.

– Hm..., to jeśli nie jestem już potrzebny, pójdę się zdrzemnąć.

– Och, dobrze. – Storm kiwa głową.

Przewracam oczami. *Są jak dzieci we mgle.*

– Oczywiście. – W duchu obmyślam szybko szatański plan. – Pracuje pan dzisiaj?

Dan przeskakuje spojrzeniem ze mnie na Storm.

– Nie.

Z boku rejestruję ciskające we mnie sztyletami spojrzenie Storm, które mówi: „Co ty do cholery robisz?", ignoruję je jednak.

– To dobrze. Storm właśnie miała powiedzieć, że z przyjemnością pójdzie z panem na kolację. – Twarz Dana rozjaśnia się. Wyjście ze Storm to dokładnie to, co chciałby zrobić. – Może koło dziewiętnastej? – sugeruję. – To ci pasuje, prawda Storm?

Kiwa głową, milcząc. Wygląda, jakby połknęła własny język.

Dan przygląda jej się z ostrożnością.

– Jesteś pewna, Storm?

Zajmuje jej chwilę, nim odzyskuje sprawność w języku.

– Oczywiście. – Nawet udaje jej się wykrzesać niewielki uśmiech.

– Dobrze, w takim razie do zobaczenia. – Wychodzi, przyspiesza, ale woła: – Nie mogę się doczekać!

Odwracam się i widzę, że Storm się we mnie wpatruje.

– Kręci cię możliwość torturowania tego biedaka, prawda?

– Och, czymże jest niewielka tortura, kiedy jej rezultatem jest randka z tobą?

– Ale muszę iść dzisiaj do pracy.

– Niezła próba. Cain dał ci dzień wolnego. No weź, dlaczego nie?

Storm wzrusza ramionami.

– To nie jest dobry pomysł, Kacey.

– Dlaczego?

– Dlaczego? Cóż... – Storm zamyśla się, starając się znaleźć dobry pretekst. – Zobacz, co zrobił ostatni mój facet. – Wskazuje na drzwi.

– Storm, nie sądzę, byś mogła porównywać funkcjonariusza Dana z tym popaprańcem, twoim byłym mężem. Oni są po dwóch przeciwległych stronach barykady. Nie wiem nawet, czy ten facet, który tu był w nocy, był człowiekiem. – Marszczę czoło. – Kręcą tu *Wyszłam za kosmitę* z twoim udziałem?

Przewraca oczami.

– Och, dajże spokój, Kacey. Nie bądź naiwna. Jest facetem. Wie, jak zarabiam na życie. Jest tylko jedna rzecz, która może go interesować i to nie są moje zdolności kulinarne.

Wzruszam ramionami.

– No nie wiem. Mogłabym cię przelecieć za tę cielęcinę z parmezanem.

Spocony od Drzwi znów zanosi się kaszlem, tym razem tak mocnym, że zastanawiam się, czy nie wypluje płuc. Storm zakrywa usta, starając się nie śmiać. Rzuca we mnie poduszką, ale uchylam się, po czym obie wybuchamy śmiechem, gdy biegnę do jej sypialni i zamykam za sobą drzwi.

– To co masz zamiar założyć na wieczór? – wołam piskliwym dziewczęcym głosikiem.

Storm wzdycha.

– Nie wiem, Kacey. A co jeśli on chce tylko... tego? – Dłońmi wskazuje na ciało.

– Wtedy okazałby się największym idiotą na świecie, bo jesteś czymś więcej niż parą gigantycznych cycków i ładną buźką.

Niewielki uśmiech rozprasza jej zmartwienie.

– Mam nadzieję, że się nie mylisz, Kacey.

– Masz też zabójczy tyłek.

Rzuca we mnie kolejną poduszką.

– Dobra, żarty na bok. Widziałam, jak on na ciebie patrzy, Storm. Możesz mi zaufać, że nie o to mu chodzi.

Przygryza dolną wargę, jakby chciała mi wierzyć, ale nie może.

– A jeśli tylko tego szuka, to podpalimy mu jaja.

– Co? – Na twarzy Storm pojawia się mieszanina zszokowania i rozbawienia.

Wzruszam ramionami.

– Cóż, lubię ostrą jazdę.

Storm odchyla głowę w tył i zanosi się śmiechem.

– Jesteś stuknięta, ale kocham cię, Kacey Cleary! – krzyczy, rzucając mi się na szyję. Mogę tylko zgadywać, co musi teraz myśleć Spocony od Drzwi.

★ ★ ★

Ubrany w skórzaną kurtkę Trent staje w południe w moich drzwiach.

– Gotowa?

– Na co? – pytam, w głowie nadal mając żywe obrazy poranka i tego, czego może dokonać Trent za pomocą delikatnego dotyku. Częściowo zastanawiam się, czy jest tutaj, by postawić na swoim. Ta część mnie jest bardzo podekscytowana.

Uśmiecha się, podając mi kask.

– Niezła próba. – Podchodzi, łapie mnie za rękę i podrywa z krzesła. – Mieliśmy umowę i przegrałaś. – Uczucie tonięcia zagnieżdża mi się w żołądku, gdy Trent prowadzi mnie do drzwi. – Niedaleko jest grupa wsparcia. Pomyślałem, że cię tam zabiorę.

Grupa wsparcia. Na te słowa zamieram. Trent odwraca się i uważnie studiuje mój wyraz twarzy. Cała w środku się skręcam, więc minę muszę mieć nietęgą.

– Obiecałaś, Kacey – mówi cicho, podchodząc i łapiąc mnie za łokcie. – Nie będziesz musiała mówić. Tylko słuchać. Proszę, to ci dobrze zrobi.

– To teraz jesteś nie tylko specjalistą od grafiki, ale i psychiatrą? – Gryzę się w język, nie planowałam być aż tak ostra. Zaciskam zęby i zamykam oczy, bo mam ochotę krzyczeć. *Jeden... Dwa... Trzy... Cztery...* Nadal nie wiem, dlaczego stosuję głupią radę mamy. Nigdy nie przyniosła mi ulgi. To chyba bardziej przyzwyczajenie, które przeniosłam ze starego życia w nowe.

Bezużyteczne, ale pocieszające.

Trent czeka cierpliwie, nie puszczając moich łokci.

– Dobra – syczę, wykręcając się od niego. Z kanapy zabieram torebkę i kieruję się do drzwi. – Ale jeśli zbiorą się w pieprzone kółeczko i zaczną śpiewać, wychodzę.

★ ★ ★

Spotkanie grupy wsparcia odbywa się w kościelnej piwnicy z brzydkimi żółtymi ścianami i ciemnoszarą wykładziną. W powietrzu unosi się aromat palonej kawy. Z tyłu znajduje się stoliczek, a na nim kawa i herbatniki. Nie jestem nimi zainteresowana. Nie jestem zainteresowana grupą siedzącą na środku, w kręgu, uczestniczącą w rozmowie, ani nie jestem zainteresowana szczupłym, siwiejącym mężczyzną w średnim wieku, który stoi w środku.

Trzymając mi rękę na plecach, Trent delikatnie popycha moje spięte ciało w przód i czuję, że powietrze gęstnieje, gdy się zbliżamy. Zatyka mi płuca, aż muszę walczyć, by je z nich wypchnąć.

Gdy stojący w środku mężczyzna spogląda na mnie i uśmiecha się, powietrze staje się jeszcze bardziej gęste. Jego uśmiech jest serdeczny, ale nie rewanżuję się takim samym. Nie mogę. Nie chcę. Nie wiem jak.

– Witamy – mówi, gestem oferując dwa miejsca po naszej prawej.

– Dzięki – mruczy za mną Trent, ściskając rękę faceta, podczas gdy mnie jakoś udaje się wymigać. Cofam się nieznacznie w tył i gapię prosto przed siebie, dystansując od kręgu. Tak, abym nie była jego częścią. Właśnie tak jak lubię. I unikam kontaktu wzrokowego. Kiedy nawiązujesz taki kontakt, ludzie myślą, że chcesz rozmawiać i że mogą pytać, kto ci umarł.

Obok kręgu znajduje się znak z napisem: „Zespół Stresu Pourazowego – sesja terapeutyczna". Wzdycham. Dobry stary ZSP. To nie pierwszy raz, gdy o nim słyszę. Lekarze ze szpitala ostrzegali przed nim ciotkę i wujka, sugerując, że na niego cierpię. Sugerując, że aby zniknął, potrzeba mi czasu i wsparcia. Nie rozumiem, jak mogli uważać, że ta noc kiedykolwiek zniknie z moich myśli, z moich wspomnień, z koszmarów.

Mężczyzna w środku klaszcze w dłonie.

– Zaczynajmy. Dla tych, którzy mnie jeszcze nie znają: mam na imię Mark. Zdradzam wam imię, ale wy nie musicie rewanżować się tym samym. Imiona nie są najważniejsze. Ważne natomiast jest to, żebyście wiedzieli, iż nie jesteście sami ze swoim gniewem i kiedy będziecie gotowi, możecie o nim porozmawiać, co pomoże wam wyzdrowieć.

Wyzdrowieć. Kolejne słowo, jakiego nie rozumiałam, a które było powiązane z wypadkiem.

Mimowolnie rozglądam się po grupie, ostrożnie, żeby nie wyglądać na zainteresowaną, gdy przyglądam się twarzom. Na szczęście spojrzenia wszystkich są zwrócone na Marka, patrzą na niego z fascynacją, jakby był bogiem z mocą uzdrawiania. Jest tu mieszanina ludzi – są starzy, młodzi, kobiety, mężczyźni, zadbani i niechlujni. Jeśli miałabym wyciągnąć z tego jakieś wnioski, powiedziałabym, że cierpienie nie wybiera.

– Podzielę się z wami moją historią – mówi Mark, gdy przysuwa sobie krzesło i siada. – Dziesięć lat temu wracałem z pracy z dziewczyną. Lało jak z cebra i na skrzyżowaniu w bok naszego auta wjechał samochód. Beth zmarła mi na rękach, nim dotarła karetka.

Płuca kurczą mi się, jakby pod wpływem zasysania. Widzę, choć tego nie czuję, że Trent kładzie rękę na moim kolanie i ściska delikatnie. Nie czuję nic.

Mark ciągnie dalej, walczę, by skupić się na jego słowach, ale moje tętno przyspiesza, jakbym właśnie wspinała się na Mount Everest. Tłumię chęć, by wstać i wybiec, by zostawić tu Trenta. By mógł słuchać tego horroru. By mógł dostrzec ból, jakiego doświadczyli ci ludzie. Ja mam pod dostatkiem własnego.

Może on się tym w jakiś chory sposób fascynuje.

Ledwo słyszę słowa „depresja" i „samobójstwo", gdy Mark opowiada o narkotykach i odwyku. Jest spokojny i opanowany, gdy wymienia skutki wypadku. Jak? Jakim cudem jest tak spokojny? Jak może dzielić się osobistą tragedią z tymi wszystkimi ludźmi, jakby mówił o pogodzie?

– ...razem z Tony obchodziliśmy niedawno drugą rocznicę ślubu, ale nadal każdego dnia myślę o Beth. Nadal nawiedzają mnie momenty smutku. Jednak nauczyłem się cieszyć ze szczęśliwych wspomnień. Nauczyłem się, jak ruszyć z miejsca. Beth chciałaby, bym żył normalnie.

Jeden po drugim, ludzie z kręgu wyciągają na światło dzienne swoje brudy, jakby mówienie o tym nie sprawiało im trudności. Przy drugiej historii wciągam krótkie i płytkie oddechy – to opowieść mężczyzny o śmierci jego czteroletniego synka w dziwacznym wypadku rolniczym. Przy czwartej opowieści żołądek nie może już skurczyć mi się bardziej. Przy piątej, wszystkie te emocje, które Trentowi udało się wydobyć z ukrycia w ciągu kilku ostatnich tygodni, wracają na miejsce, gdy uderza we mnie tragedia za tragedią. Wszystko, co teraz mogę zrobić w tej kościelnej piwnicy, by nie przeżywać ponownie bólu tamtej nocy sprzed czterech lat, to zamknąć w sobie wszelakie człowieczeństwo.

Wewnątrz jestem martwa.

Nie wszyscy słuchają historii, ale większość się angażuje. Nikt nie naciska na mnie, bym opowiedziała swoją. Nie zabieram głosu, nawet kiedy Mark pyta, czy jeszcze ktoś chciałby się czymś podzielić, a Trent ściska moje kolano. Nie wydaję z siebie dźwięku. Niczym znieczulona patrzę przed siebie.

Słyszę szmer pożegnań, więc wstaję. Automatycznie wspinam się po schodach i wychodzę na ulicę.

– Hej! – woła za mną Trent. Nie odpowiadam. Nie zatrzymuję się. Idę ulicą, kierując się do mieszkania. – Hej! Czekaj! – Trent wskakuje przede mnie, zmuszając mnie do przystanięcia. – Spójrz na mnie, Kacey!

Wykonuję jego polecenie i patrzę na niego.

– Przerażasz mnie, Kace. Porozmawiaj ze mną.

– Ja cię przerażam? – Ochronny płaszcz paraliżu, który przywdziałam na czas sesji, opada i natychmiast wzbiera we mnie wściekłość. – Dlaczego mi to zrobiłeś, Trent? Dlaczego? Dlaczego kazałeś mi siedzieć i słuchać przerażających historii dziesięciu osób? Jak mi to miało pomóc?

Trent przeczesuje włosy.

– Uspokój się, Kace. Myślałem, że…

– Co? Co myślałeś? Nie masz zielonego pojęcia, przez co przeszłam i co… Myślisz, że możesz wskoczyć do mojego życia, dać mi orgazm, a następnie zaciągnąć mnie do kółka pieprzonych cyborgów, którzy opowiadają o swoich tak zwanych bliskich, jakby nic się nie stało?! – wrzeszczę na środku ulicy, ale mam to gdzieś.

Trent opiera ręce na moich ramionach i ucisza mnie, rozglądając się wokół.

– Myślisz, że było im łatwo, Kace? Nie widziałaś na ich twarzach cierpienia, gdy na nowo przeżywali swoje historie?

Już go nie słucham. Odtrącam od siebie jego ręce i odsuwam się.

– Myślisz, że możesz mnie poskładać do kupy? Kim ja dla ciebie jestem, jakimś zwierzątkiem doświadczalnym?

Wzdryga się, jakbym uderzyła go w twarz, więc zaciskam zęby. Nie ma prawa czuć się skrzywdzony. To on kazał mi tam siedzieć i słuchać. To on skrzywdził mnie.

– Odwal się ode mnie. – Odwracam się na pięcie i odchodzę.

Nie oglądam się za siebie.

Trent nie biegnie za mną.

ROZDZIAŁ DWUNASTY

Wybija dziewiętnasta, ręce Storm drżą przy za-
kładaniu bransoletki z perełek. To dziwne, że jest
tak zdenerwowana, biorąc pod uwagę fakt, że potrafi fruwać nad sceną topless, kiedy gapi się na nią
tłum obcych facetów. Ale nie wypominam jej tego.
Za to pomagam wybrać elegancką żółtą sukienkę,
która podkreśla jej cerę, ale nie za bardzo uwydatnia
krągłości. Pomagam zapiąć naszyjnik i spiąć włosy
z jednej strony. Mocno staram się uśmiechać, chociaż chciałabym zwinąć się w kulkę i zakopać głęboko pod kołdrą.

– Dziesięć płytkich oddechów – mamroczę.

Storm marszczy brwi do lustra.

– Co?

– Weź dziesięć płytkich oddechów. Przyjmij je.
Poczuj je. Pokochaj je. – Głos mamy dźwięczy mi
w uszach, gdy powtarzam jej słowa, muszę więc walczyć, by się nie zadławić. Ta dzisiejsza głupia sesja
osłabiła mnie, moje tarcze ochronne nie działają
prawidłowo, moja zdolność ukrywania bólu szwan-
kuje.

Skrzywiona mina Storm jeszcze bardziej się pogłębia.

Wzruszam ramionami.

– Też nie rozumiem. Tak mawiała moja mama. Jeśli wymyślisz, o co w tym chodzi, daj znać, OK?

Powoli kiwa głową, po czym obserwuję, jak w skupieniu wdycha i wydycha powietrze, wyobrażam sobie, że liczy po cichu. To przyprawia mnie o uśmiech. Jakbym przekazała Storm odrobinę mamy.

Od strony nowych drzwi dobiega dźwięk pukania, po czym rączki Mii łapią za klamkę. Następuje chwila ciszy i z korytarza dochodzi dźwięk bosych stópek klapiących szybko o podłogę, a następnie krzyk:

– Mamusiu! Przyszedł pan policjant, żeby cię zabrać!

Prycham i prowadzę Storm w kierunku drzwi.

– Przestań się trząść. Wyglądasz świetnie.

Funkcjonariusz Dan jest w salonie, wkłada ręce w kieszenie jeansów i wyciąga je, po czym znów wkłada i wyciąga. Mimowolnie uśmiecham się, gdy na niego patrzę. Jest tak samo zdenerwowany jak Storm. Chociaż gdy ją widzi, jego twarz się rozjaśnia.

– Cześć, Nora.

Nora? Jego blond czupryna wystylizowana jest na artystyczny nieład. Ma na sobie czarny golf, który podkreśla jego umięśnione ciało. Czuję słaby zapach wody po goleniu. Nie za wiele. W sam raz. W sumie funkcjonariusz Dan prezentuje się całkiem dobrze.

Storm uśmiecha się grzecznie.

– Dzień dobry, oficerze Danie.

Odchrząkuje.

– Po prostu Dan.

– Dobrze, „Po prostu Danie" – powtarza Storm, po czym pokój wypełnia niezręczne milczenie.

– Mamusiu, policjant przyniósł ci kwiatki! Tygrysy! – Mia biegnie do kuchni, gdzie Livie układa przepiękny bukiet głęboko czerwonych lilii tygrysich w dzbanku na mleko. Mia łapie za jeden kwiatek i upycha go w dzbanku. Woda i pozostałe kwiatki wypadają na stół.

– Cholera! – woła.

– Mia! – Storm i Livie karcą ją jednogłośnie, tak samo wzdychając.

Oczy Mii robią się wielkie i okrągłe, gdy skacze spojrzeniem między mamą a Livie, uświadamiając sobie, co zrobiła.

– Czasem może mi się wyrwać, prawda Kacey?

Dłońmi zakrywam usta, by stłumić śmiech, gdy spojrzenie Livie ciska w moją stronę sztylety.

– Są piękne, Dan. – Storm podbiega, by je pozbierać.

Wykorzystuję to jako swoją szansę zwrócenia mu uwagi.

– Jest bardzo zdenerwowana – przekazuję mu bezgłośnie, samym ruchem warg.

Zaskoczenie pojawia się w jego oczach. Wie, jak zarabia na życie. Z pewnością popełnił ten sam błąd co ja – założył, że Storm jest ze stali. Chociaż nie jest też delikatna. Daleko jej do tego.

Kiwa mi głową i puszcza oko. Odchrząkuje i mówi:

– Zrobiłem rezerwację na dziewiętnastą trzydzieści. – Podchodzi i podaje Storm ramię. – Powinniśmy już iść, Noro. Lokal jest przy plaży, zejdzie nam chwila, nim przebijemy się przez korki.

Storm patrzy na niego, uśmiecha się i kompletnie przestaje interesować się kwiatami.

Dobrze. Przejmij inicjatywę. Mądrze, Dan. Dwa punkty.

– Bawcie się dobrze. Nie będziemy czekać! – Nim zamykają się drzwi, widzę, że policzki Storm oblewa szkarłat. Po czym, gdy zaskakuje zamek, wraca mój ponury nastrój.

★ ★ ★

Dzisiaj pracuję za Storm. Potrzebuję rozproszenia. Gdy kończę zmianę, a Trent się nie pojawia ani nie pisze, ogarnia mnie rozczarowanie. *Ale dlaczego miałby przyjść?* – pytam siebie w duchu, przypominając sobie, co zaszło. Wrzeszczałam na niego na chodniku jak nienormalna i kazałam mu się odwalić.

Następnej nocy nie przychodzi do *Penny*. Kolejnej też nie. Trzeciej nocy z rzędu myślę, że oszaleję.

Jakakolwiek złość płynęła w moich żyłach po tamtej sesji radzenia sobie ze smutkiem, teraz przyćmiewa ją pustka. Pustka po Trencie. Niczym głęboki ból tętni w każdej komórce mojego ciała. Pragnę jego obecności, jego ciała, głosu, dotyku, śmiechu, wszystkiego.

Potrzebuję go.

Potrzebuję Trenta.

★ ★ ★

W czwartkowe południe siedzę w aneksie kuchennym w spodenkach i bokserce, pakując sobie płatki śniadaniowe do ust i gapiąc się na telefon, próbując wymusić na nim przyjście wiadomości. W końcu wciągam spory haust powietrza i zmuszam kciuk do napisania SMS-a.

Ja: *Masz ochotę na coś ciekawego o poranku?*

Nadal siedzę przy stole i gapię się w ten głupi przedmiot, zastanawiając się, czy Trent skasował już moją wiadomość, czy w ogóle pokwapił się, żeby ją przeczytać. Rozważam przyciśnięcie ucha do ściany dzielącej nasze mieszkania, by się przekonać, czy usłyszę jakiś komentarz typu: „Walnięta suka". Ale to nie byłoby w stylu Trenta, nawet jeśli byłoby to prawdą. W sumie jest prawdą.

Całe pięć minut później, po zatopieniu każdego kółeczka Cheerios w mleku, telefon brzęczy. Rzucam łyżkę i chwytam go.

Trent: *Co masz na myśli?*

W klatce piersiowej czuję trzepotanie. Cholerne trzepotanie! Nie sądziłam, że tak zareaguję. Nie mam pojęcia, o co chodzi. Postanawiam zagrać beztrosko.

Ja: *Zależy. Lubisz nagość?*

Tym razem Trent natychmiast odpowiada.

Trent: *Zdefiniuj nagość.*

Dobra, super. Chce ze mną pograć.

Ja: *Cóż... najpierw zdejmuję podkoszulek.*

Skubię skórkę przy paznokciu, czekając, co odpowie. Jednak nie dostaję SMS-a. Być może posunęłam się za daleko zbyt wcześnie. Może nadal jest na mnie wkurzony. Może...

Słyszę trzask drzwi. Cień przesuwa się przed okienkiem i zaraz rozlega się pukanie.

To musi być Trent.

Biegnę do drzwi i otwieram je, starając się ukryć mój entuzjazm. Stoi w wejściu ubrany w jeansy i luźną koszulkę, ma lekko zmierzwione włosy, a jego jasnoniebieskie spojrzenie taksuje moje ciało, pozostając na dłuższą chwilę na mojej klatce piersiowej. Nie mam na sobie biustonosza i bez wątpienia dostrzegł reakcję moich sutków. Kiedy jego spojrzenie wraca na moją twarz jest w nim mieszanka gniewu, frustracji i tlącego się żaru, który sprawia, że aż przygryzam dolną wargę. I to wszystko, czego trzeba, by pchnąć go na krawędź.

– Boże, Kacey – mruczy i stawia dwa duże kroki, po czym zderza się ze mną, natychmiast obejmując dłońmi moje ramiona i ustami najeżdżając wargi. Odchylam głowę, a jego język zaczyna tańczyć z moim, wzniecając we mnie pragnienie, jakiego nigdy wcześniej nie doświadczyłam. Zdaję sobie sprawę, że to prawdziwy Trent.

Nieskrępowany.

Walczę, by zachować przytomność umysłu, podczas gdy moje ciało mięknie w jego obecności. Prowadzi mnie tyłem i przyszpila do kanapy, gdzie szybko staję się świadoma, jak jest pobudzony.

Nagle tracę grunt pod nogami i siedzę na oparciu, biodra Trenta wciskają mi się między uda. Otaczają mnie jego ramiona. Jedna ręka zatacza koła na moim karku, kiedy druga odgarnia włosy, eksponując szyję z jednej strony. Jego usta prześlizgują się po moim gardle, nim trafiają na linię szczęki, po czym wspinają się do ucha.

– Kręci cię torturowanie mnie tymi SMS-ami, co, Kacey? – mruczy, co porusza każdy nerw w moim ciele po czym jego usta powracają do moich z jeszcze większym głodem i natarczywością i wszystko, co mogę zrobić, to w nie oddychać. Naciska na mnie jeszcze mocniej, wsuwając mi dłoń pod koszulkę i obejmując pierś, kciukiem drażni sutek, wysyłając prąd przez całe ciało.

Nagły atak Trenta wytrąca mnie z własnej gry – wszystkie moje zmysły zostają porażone. W końcu odzyskuję na tyle czucia, by dłonie przycisnąć mu do piersi i przeciągnąć palcami po jego brzuchu, by odnaleźć sprzączkę paska. Przyciągam go mocno do siebie, aż czuję jego erekcję.

– Czy teraz jest wystarczająco jasne? – mówię. – Ja wcale nie chcę powolnego tempa.

Trent wyrywa mi się, patrząc na mnie mrocznym spojrzeniem, jakby był w szoku. Popycha mnie na kanapę, po czym odwraca się na pięcie i wypada z mieszkania, krzycząc:

– Nie wysyłaj więcej takich świńskich SMS-ów!

Ledwo stoję, wstrząśnięta, oniemiała i napalona jak diabli. *Jest wściekły? Jest wściekły! Jest cholernie wściekły!* Podchodzę do stołu i chwytam za telefon.

Ja: *Co to do cholery było?!*

Zajmuje to dwie minuty, ale w końcu komórka obwieszcza nadejście wiadomości.

Trent: *Uwielbiasz testować moją silną wolę. Przestań mnie torturować.*

Co? Że niby ja go torturuję? To on wmawia sobie te głupoty z powolnym tempem!

Ja: *Jedną krótką wiadomość trudno uznać za tortury.*

Trent: *To nie tylko jedna mała wiadomość.*

Ja: *No to wracaj tutaj.*

Trent: *Nie, mówiłem: zwolnijmy tempo.*

Ja: *Już poprzednio statek z twoją ideą zatonął. Według Biblii jesteśmy już starym małżeństwem.*

Uśmiecham się półgębkiem z powodu biblijnego komentarza. Ciotka Darla dostałaby zawału, gdyby wiedziała, w jakim celu ją wykorzystuję. Uśmiech szybko zostaje starty z mojej twarzy, gdy ponownie brzęczy komórka.

Trent: *Potrzebujesz pomocy.*

Przez dłuższą chwilę gapię się na te dwa wyrazy, zagryzam zęby. Nie dziwią mnie jego słowa. Już wcześniej to mówił. Jednak w jakiś sposób te osiemnaście liter wygląda inaczej. Poważniej.

Nie odpowiadam.

Chwilę później dostaję kolejną wiadomość...

Trent: *Przeszłaś przez piekło i zamknęłaś wszystko w sobie. Kiedyś wybuchniesz.*

No to lecimy. Sfrustrowana pocieram czoło. Uparty głupek.

Ja: *Co? Chcesz krwawych szczegółów, jak to w ciągu jednej nocy straciłam rodziców, przyjaciółkę ORAZ chłopaka? Tego właśnie chcesz?*

W moim wnętrzu wybucha ogień gniewu, ten sam co trzy dni temu, gdy Trent zmusił mnie do udziału w terapii. Odkładam telefon i oddycham głęboko, starając się ugasić płomień nim przejmie kontrolę.

Nie jestem w stanie powstrzymać się przed przeczytaniem kolejnej wiadomości.

Trent: *Chcę, abyś zaufała mi na tyle, by mi o tym opowiedzieć. Lub przynajmniej komuś innemu.*

Ja: *Tu nie chodzi o zaufanie! Już ci to mówiłam! Moja przeszłość jest tylko moja i muszę pogrzebać ją tam, gdzie jej miejsce – w przeszłości.*

Trent: *Jesteś bezbronna. Wykorzystałbym cię, gdybym pozwolił, by sprawy zaszły za daleko.*

Jęczę z powodu irytacji.

Ja: *Proszę, wykorzystaj mnie! Zgadzam się na to!*

Trent nie odpowiada. Wzdycham, decydując się z powagą potraktować jego obawy.

Ja: *Nic mi nie jest, Trent. Możesz mi wierzyć. Jest lepiej niż kiedykolwiek.*

Trent: *Nie. Tylko tak myślisz. Uważam, że cierpisz na silny ZSP.*

Wściekła rzucam telefonem o rozgraniczającą nasze mieszkania ścianę. Metal i plastik rozsypują się po podłodze, gdy komórka rozpada się na kawałki.

Każdy chce być pieprzonym psychiatrą.

Jestem zdumiona, że tej nocy Trent pojawia się w *Penny*. Co gorsza, nie mogę powstrzymać zaskoczenia, gdy siada przy barze, jak ma w zwyczaju, zachowując się, jakbyśmy dopiero co nie przeżyli kłótni o mocy bomby atomowej. Unoszę dumnie podbródek. Nie będę przepraszać. Nie ma, cholera, takiej możliwości.

Pudełko z czerwonym wieczkiem w magiczny sposób pojawia się przede mną. Trent przesuwa je w moją stronę, jego dołeczki wymuszają u mnie uśmiech, bez względu na to, czy mi się to podoba, czy nie. *Szlag!* Oczywiście po nie sięgam i je otwieram.

Kto nie lubi dostawać prezentów?

W środku jest nowiutki iPhone.

– Ciężko było się nie domyślić, czym był huk za ścianą, gdy przestałaś odpisywać na wiadomości – mruczy Trent z uśmieszkiem rozbawienia na twarzy.

– Naprawdę? – Przeciągam językiem po zębach, zachowując spokój. Ale w środku nie jestem spokojna. Wcale nie jestem odporna na Trenta. – Co było w tych wiadomościach?

Wzrusza ramionami, dobrze symulując obojętność. Wiem, że też udaje. Zdradza go błysk w oku.

– Najwyraźniej nigdy się nie dowiesz. – Wzdycha głęboko i patrzy mi w oczy. Jakby popołudniowe napięcie w ogóle nie miało miejsca. Zupełnie nie rozumiem, jak to możliwe, ponieważ ja nadal je czuję. On coś knuje. Chociaż nie wiem, co.

– Tylko pomyśl, nasze popołudnie mogło się skończyć zupełnie inaczej, gdybyś nie rozbiła telefonu na kawałki – mówi, wkładając do ust słomkę. Jego spojrzenie zdradza jednoznaczny podtekst.

W duchu robię, co mogę, by nie przeskoczyć przez bar i nie wpakować mu się na kolana. Natomiast na zewnątrz jestem spokojna jak pokój pełen medytujących mnichów.

– Cóż mogę rzec, mam problemy z radzeniem sobie z gniewem.

Wykrzywia usta, jakby o tym myślał.

– Musisz znaleźć sposób, by poradzić sobie z tymi problemami.

– Znalazłam. Nazywa się „walenie w worek z piaskiem".

Unosi brwi rozbawiony.

– Najwyraźniej niezbyt dobrze działa.

Pochylam się, opierając łokcie na barze.

– A co byś sugerował w zamian?

– Rany! Jeszcze nie odpuściliście? – woła Storm z udawaną złością, trzymając w ręku shaker do martini.

Nie zdawałam sobie sprawy, jak głośno rozmawiamy. Zerkam w drugą stronę i dostrzegam, że Nate się szeroko uśmiecha, więc natychmiast się rumienię. Nie wiem dlaczego, ale jestem czerwona jak burak. Ostatnio zbyt często pąsowieją mi policzki.

Trent nie odpowiada ani Storm, ani mnie, zamiast tego bierze duży łyk wody mineralnej, a ja łudzę się, że może dał sobie w końcu spokój z naciskaniem, bym radziła sobie z dawno pogrzebanymi uczuciami. Być może to zadziała.

★ ★ ★

Przez kilka następnych tygodni Trent dotrzymuje słowa odnośnie rozśmieszania mnie. Niestety dotrzymuje też słowa dotyczącego zwolnienia tempa. Tylko że tym razem faktycznie się tego trzyma. Po tych kilku poślizgach prawdziwy Trent jest skuty łańcuchami, a ten, który wypełnia mi czas, nie daje mi niczego ponad zdawkowe pocałunki i trzymanie się za rączki.

To wystarcza, by doprowadzić mnie do szału.

Każdego dnia wskakuję na motocykl Trenta, owijam ręce wokół jego torsu i pozwalam mu się porywać. Zawsze zaczynamy od siłowni, bo, jak twierdzi, nie chce mnie oglądać podczas rozbijania telefonu o ścianę. Odkrywam, że aby nie mieć w sobie tyle pożądania, muszę się skupić na tyle, by móc przejść przez trening, gdy on jest w pobliżu. Do tego potrzebuję uwagi i determinacji, a także, nie oszukujmy się, pogrzebania w sobie wściekłości. Kończymy, wygłupiając się i markując walkę, aż mamy dość i wychodzimy. Chociaż do tego czasu najczęściej jestem tak nakręcona przez Trenta, że wskakuję prosto pod prysznic. Zawsze liczę na to, że się przełamie i do mnie dołączy. Ale on nigdy tego nie robi.

Przez resztę dnia przeważnie jesteśmy zajęci. Gramy w paintball i frisbee, jeździmy na rowerach po bulwarach Miami, chodzimy na mecze Delfinów[2], odwiedzamy restauracje, kawiarnie i lodziarnie. Zupełnie jakby Trent miał plan pod tytułem „Rozweselić Kacey" i go realizował. Do tego stopnia, że gdy każdego wieczora docieram do pracy, twarz boli mnie od śmiechu.

– Czy ty nigdy nie pracujesz? – pytam go pewnego dnia, gdy idziemy obok siebie chodnikiem.

---

[2] **Miami Dolphins** – zawodowy zespół futbolu amerykańskiego z siedzibą w Miami, w stanie Floryda, rozgrywający swoje mecze na stadionie Sun Life Stadium w Miami Gardens. Drużyna jest członkiem Dywizji Wschodniej konferencji AFC ligi NFL (przyp. tłum.).

Wzrusza ramionami i ściska moją dłoń.

– Mam przerwę między projektami.

– Aha. Cóż, a nie martwi cię konieczność płacenia rachunków? Przepuszczasz na mnie całą kasę.

– Nie.

– To musi być fajne – mamroczę sucho, ale nie drążę tematu. Po prostu idę obok Trenta, trzymając go za rękę, ciesząc się słońcem.

I uśmiecham się.

– Dlaczego nie zostajesz do zamknięcia? – pytam cicho.

Trent przykłada dłoń do ust, jakby rozważając odpowiedź.

– Ponieważ musiałbym cię wtedy odprowadzić do domu.

Marszczę czoło, nieco zaskoczona.

– Jasne, wyobrażam sobie, to musiałoby być straszne.

– Nie, nie łapiesz. – Jego spojrzenie prześlizguje się po moich wargach, nim powraca do moich oczu. – Myślisz, że co by się stało, gdybym cię odprowadził do drzwi?

Wzruszam ramionami, orientując się, o co mu chodzi, ale udaję głupią, żeby zobaczyć, co odpowie.

Trent wstaje, pochyla się i sięga po oliwkę po czym znów na mnie patrzy, a w jego oczach rozpala się żar, jakiego nie potrafi całkowicie przede mną ukryć, ten, który sprawia, że miękną mi kolana.

– W domu nie mamy rozdzielającej nas Godzilli. – Ruchem głowy wskazuje na Nate'a, który jest czujny, jeśli chodzi o dzielącą mnie od Trenta odległość.

Obdarowuję go najlepszym zdezorientowanym spojrzeniem.

– Cóż, nikogo nie ma, gdy odprowadzasz mnie pod drzwi w ciągu dnia.

Trent śmieje się miękko. No i proszę, ujawniają się dołeczki, które chciałabym zbadać językiem.

– Wiesz, że jesteś beznadziejna w graniu idiotki?

Zaciskam zęby, by się nie roześmiać.

Trent pochyla się jeszcze bardziej, jest na tyle blisko, bym tylko ja mogła go słyszeć.

– I tak przez cały dzień ciężko mi trzymać ręce przy sobie. Nie przepuściłbym szansy, wiedząc, że zaraz się rozbierzesz i wskoczysz do łóżka.

Również opieram się na barze, patrzę, jak wsuwa oliwkę do ust i obraca ją językiem.

Zatem chce być niegrzeczny...

Przez kolejny tydzień korzystam z zawartości szafy Storm, wybierając najkrótsze i najbardziej obcisłe ubrania, jakie tylko mogę znaleźć. Jednego wieczoru niemal nie zakładam jej scenicznego stroju. Nocą wielokrotnie pochylam się przed Trentem, kręcąc biodrami w takt muzyki. Kiedy Ben rzuca komentarz, że jestem gotowa na swój pierwszy występ na scenie, przechodząc uderzam go w splot słoneczny, co wywołuje gromki śmiech Nate'a.

Nie udaje mi się jednak złamać determinacji Trenta. Tylko patrzy, opierając się przede mną na łokciach. Obserwuje, jak się ruszam. Przygląda się, jak z nim flirtuję. Gapi się, jak przez niego staję się napalona.

W końcu którejś nocy nie wytrzymuję.

– Cholera, Trent! – warczę, z impetem stawiając przed nim szklankę z wodą. Patrzy na mnie zaskoczony. – Co do diabła muszę zrobić, by zwrócić twoją uwagę? Muszę się tam znaleźć? – Wskazuję na scenę.

Jego oczy rozszerzają się jedynie na sekundę. Sięga, by chwycić mnie za rękę, ale w porę uświadamia sobie, by tego nie robić, więc zamiast tego krzyżuje ramiona na piersi.

– Możesz mi wierzyć, że moja uwaga jest skupiona wyłącznie na tobie. – Obdarowuje mnie rozpalonym spojrzeniem, od którego natychmiast zasycha mi w gardle. – Zawsze jest na tobie skupiona. Potrzebuję całej swojej silnej woli, by nie pokazać ci, jak wielka jest ta uwaga. – Tak szybko, jak rzucił mi to spojrzenie, tak szybko się wycofuje. – Chcę, abyś uzyskała pomoc, Kace – mówi miękko. – Każdego dnia jestem tu dla ciebie. Zawsze. Cały czas jestem przy tobie, ale naprawdę potrzebujesz pomocy. Żaden człowiek nie jest w stanie w nieskończoność ukrywać swojej przeszłości. Kwestią czasu jest, kiedy pękniesz.

– To seksualny szantaż – syczę. Najpierw próbował zmusić mnie do gadania, ofiarując mi kosmiczny orgazm, ale to nie wypaliło. Teraz wstrzymuje się, aby to na mnie wymusić. Drań. Odchodzę i przez resztę nocy nawet na niego nie zerkam.

Następna noc w *Penny* pokazuje, że Trent ma rację.

ROZDZIAŁ TRZYNASTY

Obserwuję Storm wykonującą akrobacje na scenie, kątem oka zerkam na nowy telefon, czekając na wiadomość od Trenta. Nic. Jego też tu nie ma. To od dłuższego czasu pierwsza noc, gdy nie jest obecny, a ja odczuwam to, jakby mi brakowało jakiejś kończyny. Być może w końcu się poddał. Może zdał sobie sprawę, że jestem stracona i że nie zazna seksu w tym stuleciu, jeśli będzie czekał, aż się złamię i pójdę na terapię.

Storm schodzi na scenę i obchodzi ją dokoła, zbierając brawa. Pochyla się, by podnieść top, zakrywa piersi jak tylko może. Do tej pory widziałam Storm topless tyle razy, że już nie robi to na mnie wrażenia. Właściwie to przywykłam do otaczających mnie nagich kobiet.

Zaczynam czuć się jak dziwadło w płaszczu na plaży nudystów. Storm jest niesamowita, chyba po raz setny wszyscy klaszczą i wiwatują. Wszyscy oprócz chudego faceta stojącego w kącie. Widzę, jak krzyczy do niej i macha garścią pełną kasy. Odmawia podania pieniędzy ochroniarzowi, który je dla niej zbiera. Mam wrażenie, że Nate zaraz wyrzuci jego chudy tyłek.

Potem, nie wiem jak, facet mija ochroniarzy i wskakuje na scenę, krzycząc: „Zdzira!". Pojawia się nóż. Przerażona obserwuję, jak facet łapie Storm za włosy i ciągnie ją w tył. Nawet stąd widzę jego ciemne, rozszerzone źrenice. Gość chyba jest naćpany.

Otwieram usta, by krzyknąć, ale żaden ton nie opuszcza mojego gardła. Ani jeden dźwięk. Machnięciem ręki strącam szklanki z baru, przeskakuję przez niego i śpieszę, przepychając się przez ludzi, kopiąc i uderzając łokciami, by oczyścić sobie drogę. Krew buzuje mi w głowie, więc biegnę, z każdym uderzeniem serca dotykając podłogi, a jedyna moja myśl jest taka, że ją stracę. Umrze kolejna moja przyjaciółka.

Mia będzie dorastać bez matki.

To się nie może powtórzyć.

Docieram do sceny, przy której tłoczy się wielu mężczyzn w czarnych i obcisłych koszulkach. Nie mogę dostrzec Storm. Niczego nie mogę zobaczyć. Przepycham się i drapię, ale nie mogę przedrzeć się przez żywy mur. Zakrywam usta dłońmi, spodziewając się za ścianą ciał zastać najgorsze.

I modlę się.

Modlę się do tego, ktokolwiek postanowił zachować mnie przy życiu, by okazał tę samą łaskę Storm, która o wiele bardziej na nią zasługuje, niż ja zasługiwałam kiedykolwiek.

Gigant wyrasta ponad tłum ochroniarzy.

Nate.

I trzyma faceta.

Przechodzi obok mnie z groźną miną, trzymając dłoń zaciśniętą na karku faceta. Mam nadzieję, że ściśnie zbyt mocno i zmiażdży mu krtań. Jednak ta nadzieja nie uspokaja mnie ani trochę, ponieważ gdzieś tam jest Storm, a ja nadal nie wiem, czy żyje.

– Storm! – krzyczę.

Wreszcie morze ochroniarzy rozstępuje się. Ben, z dłonią opartą na moich plecach, przeprowadza mnie, i dostrzegamy Storm skuloną na podłodze, z ramionami pod sobą. Odzywa się we mnie strach. Wygląda podobnie jak Jenny w samochodzie.

Natychmiast kucam przy niej.

– Och, Kacey! – Płacze i rzuca mi się w ramiona. – Mogłam myśleć tylko o Mii.

Drżę.

– Żyjesz. Żyjesz. Dzięki Bogu żyjesz – mamroczę w kółko, gdy na ślepo dotykam jej rąk, szyi, ramion. Nie ma na nich krwi. Nie ma ran.

– Nic mi nie jest, Kacey. Nic mi nie jest. – Ma czerwone, zalane łzami policzki i rozmazany makijaż, jednak się uśmiecha.

– Tak – potwierdzam, z trudem przełykając ślinę. – Nie umrzesz. Nic ci nie jest. Nie straciłam cię. – Jestem ze Storm za blisko. Zbyt blisko, by być znów zranioną, jak to miało miejsce w przypadku Jenny.

Lawina wspomnień miażdży tę odrobinę ulgi, którą powinnam czuć. Nagle zostaję uwięziona w przeszłości z przyjaciółką, którą znałam, odkąd miałyśmy dwa latka, z którą dzieliłam dni i noce wypełnione śmiechem i łzami, gniewem i radością. Ostry ból wybucha mi w piersi, gdy uświadamiam sobie, że to wspomnienia, które chciałam też stworzyć ze Storm.

Wszystkie, z jakich przed chwilą chciał mnie okraść ten facet.

Storm z lekką obawą bierze mnie za rękę. Nie oddychałam, odkąd wyskoczyłam zza baru. Teraz uwalniam z płuc całe powietrze. I coś się we mnie łamie. Nie wiem, jak to opisać inaczej, niż mówiąc, że maleńka igiełka mojego kompasu moralnego pęka wpół.

Jakby wybuchła we mnie bomba nienawiści.

Chciał mi wykraść drugą szansę. Musi za to zapłacić.

Fluorescencyjne lampy oświetlają opustoszały lokal, rzucając nieprzyjemny blask na rozlane drinki, puste butelki i śmieci, bo ochrona wyprosiła wszystkich klientów. Widzę szerokie ramiona Nate'a, gdy kieruje się do tylnego wyjścia, nadal trzymając chudego faceta. Zaciskam zęby.

Ledwo dociera do mnie, że Trent stoi w wejściu. Wskazuje na scenę i kłóci się z ochroniarzami, by go wpuścili. Przez ułamek sekundy patrzę na niego, ale tak naprawdę go nie widzę, bo moja uwaga koncentruje się na drugim końcu sali, gdzie do wyjścia zbliża się padalec, który próbował okraść mnie z nowego życia.

Wstaję i zaczynam biec.

Przepycham się między ochroniarzami i śpieszę korytarzem za Nate'em. Docieram do załomu i widzę jego wielką postać wychodzącą przez drzwi. Przyspieszam, by go dogonić, serce bije mi jak oszalałe, krew szumi w uszach, czuję, jak łapię butelkę stojącą na stoliku.

Bez wyraźnej myśli lub rozkazu skierowanego do mojego ciała, rozbijam ją o ścianę. Poszarpane odłamki szkła latają w powietrzu.

Mocno ściskam szyjkę butelki, wyobrażając sobie, jak ostre muszą być rozbite krawędzie.

Jak skuteczne będą.

Gdy wypadam przez tylne drzwi, dostrzegam faceta stojącego na parkingu, który napadł na Storm.

Jest sam.

Idealnie.

Bezgłośnie ruszam do przodu, rękę trzymam za plecami, gdy namierzam cel. Gnojek odwraca się i mnie dostrzega, oczy lekko mu się rozszerzają. *Sześć metrów, pięć metrów, cztery...* Moja ręka jest już gotowa, by wbić szkło w jego pierś, by fizycznie poczuł natężenie bólu, który bym czuła, gdyby jego atak się powiódł, a wtedy dwa wielkie łapska zaciskają się na moich ramionach i unoszą mnie z ziemi, klinując moje ręce przy sobie.

– Nie! – wrzeszczę. Kopię i krzyczę z całej siły. Zaciskam zęby na ręce Nate'a, natychmiast czuję metaliczny posmak krwi. Nate coś mruczy, ale nie zatrzymuje się, niosąc mnie z powrotem do drzwi. Stawia mnie na podłodze, patrzy w oczy, lecz nadal nie puszcza moich ramion.

– Kacey, niech policja się nim zajmie! – Wibruje we mnie jego dudniący głos.

– Policja? – Krzywię się i wyglądam zza niego. Gnojek na parkingu nie jest sam. Czterech policjantów z latarkami okrąża go, jeszcze kilku stoi nieopodal, pisząc raporty, podczas gdy świadkowie opowiadają o tym, co zaszło. Jakimś cudem nie widziałam ich wszystkich.

– O rany boskie. – Zataczam się w tył, zawartość żołądka podchodzi mi do gardła, rozbita butelka wyślizguje się z moich palców i toczy po podłodze, a ja zginam się wpół.

– Złapałem cię, zanim zdążyli zauważyć, co chcesz zrobić. Nikt nic nie widział, a jeśli nawet, zlekceważyli to – informuje mnie Nate, intensywnie wpatrując się w moją twarz, jakby czegoś szukał. Być może czającego się demona.

– Kacey! – krzyczy Trent, gdy zdyszany dociera do mnie. Z jego powodu zaczynam hiperwentylować, moja pierś unosi się i opada, jakbym walczyła o ostatni oddech. Taki, którego nigdy już nie uda mi się zaczerpnąć. Uwaga Trenta natychmiast spoczywa na rozbitej butelce leżącej u moich stóp. – Boże, Kacey. Coś ty chciała zrobić?

Przełykam ślinę i walczę o powietrze, potrząsając głową i drżąc na całym ciele.

– Nie wiem, nie wiem, nie wiem – mamroczę w kółko. Jednak doskonale zdaję sobie sprawę z tego, co prawie zrobiłam.

Niemal zabiłam człowieka.

★ ★ ★

Światło ulicznych latarni, które mijamy, zlewa się w jedną smugę, gdy Dan odwozi nas do domu radiowozem. Wiem, że gdzieś za nami Trent jedzie na motocyklu, a ja nie jestem w stanie przestać myśleć o przerażeniu malującym się na jego twarzy. „Coś ty chciała zrobić?" – zapytał. I wiedział. Bez wątpienia wiedział.

Storm pomaga mi wysiąść z radiowozu, jakbym to ja została zaatakowana, nie ona. Dlaczego zachowuje się tak normalnie?

Krok do przodu. Krok do przodu. Krok do przodu.

– Kacey, nic mi nie jest. Naprawdę. – Jak przez mgłę słyszę słowa Storm, gdy prowadzi mnie do mieszkania.

Wiem, że z nią w porządku i jestem za to wdzięczna. Ale ze mną nie jest. Walczę, by nie rozpaść się na kawałki.

Dzisiaj niemal zabiłam człowieka.

Duszpasterze z kościoła ciotki Darli mieli rację...

Krok do przodu. Krok do przodu. Krok do...

Palce pstrykają mi przed oczami, co wytrąca mnie z transu. Odwracam się i w niebieskich oczach Storm dostrzegam ocean zmartwienia.

– Chyba jest w szoku – mówi do kogoś, najwyraźniej nie do mnie.

– Wszystko ze mną dobrze. Ze mną dobrze. Dobrze – mamroczę pod nosem, łapiąc Storm za ramię i ściskając w panice. – Nie mów Livie, proszę. – Nie może dowiedzieć się, co niemal zrobiłam.

Storm przytakuje. Widzę, jak zaniepokojona patrzy na Trenta i na Dana.

– Chodź. – Ziemia znika, gdy łapią mnie silne ramiona. Sekundę później Trent kładzie mnie na łóżku i okrywa kołdrą.

– Nie, nie jestem zmęczona – bełkoczę, miotając się, by wstać.

– Po prostu odpocznij. Proszę – mówi miękko Trent. Dłonią gładzi mój policzek, więc łapię ją mocno i przyciskam do niej usta.

– Zostań. – Słyszę we własnym głosie desperację.

– Oczywiście, Kacey, zostanę – szepcze. Zdejmuje buty i kładzie się obok mnie.

Zamykam oczy i wciągam powietrze blisko jego klatki piersiowej, rozkoszując się ciepłem jego ciała, biciem serca i zapachem.

– Nienawidzisz mnie, prawda? Musisz mnie nienawidzić. Nic nie mogę na to poradzić. Jestem zepsuta.

Trent przytula mnie mocniej.

– To nieprawda. Nie mógłbym cię nienawidzić. Otwórz przede mną swoje serce, Kacey. Wezmę wszystko, co się z tym wiąże.

Zaczynam płakać. Niekontrolowanie. Pierwszy raz od wielu lat.

★ ★ ★

– Pociągnij mnie za palec.

Jenny mocno chichocze. Śmieje się za każdym razem, gdy Billy to mówi.

A ja przewracam oczami, jak mam w zwyczaju, za każdym razem, gdy to słyszę.

– To takie seksowne, Billy. Weź mnie, teraz.

– Kacey – napomina mnie mama, podsłuchując.

Billy mruga do mnie i ściska mocno moją dłoń, więc piszczę. Tata i mama siedzą z przodu, rozmawiając o przyszłotygodniowym meczu i o tym, że muszę niedługo zrobić prawo jazdy, by nie musieli już dłużej wozić mi tyłka. Oczywiście wiem, że żartują. Nigdy by nie przepuścili żadnego z moich meczy rugby.

– Tato, mógłbyś przestać być taki skąpy i kupić mi już to cholerne porsche?

– Nie wyrażaj się, Kacey – karci mnie tata, ale zerka przez ramię, by pokazać swój uśmiech. Wiem, że w duchu się cieszy. Przecież w końcu zdobyłam dzisiaj zwycięskiego gola.

Wszystko, co dzieje się później, zasnuwa mgła. Moim ciałem nagle szarpie. Coś we mnie uderza. Coś ciężkiego naciska na mnie z prawej. Czuję, że lecę i odwracam się. Po czym to wszystko... ustaje.

Mam niejasną świadomość, że coś jest bardzo nie w porządku.

– Mamo? Tato? – Nie ma odpowiedzi.

Trudno mi oddychać. Coś ściska mi żebra. Nie czuję swojej prawej strony. I słyszę dziwne świszczenie. Przysłuchuję się uważniej. Brzmi, jakby ktoś łapał ostatni oddech.

Prostuję się, jestem cała zlana potem, serce wali mi o żebra, pędząc tak szybko, że nie wiem, gdzie rozpoczyna się jedno uderzenie, a kończy drugie. Na moment zwijam się w ciasną kulkę i kołyszę się, starając się otrząsnąć z tej przerażającej świadomości, że to ja przyczyniłam się do wypadku. Że to ja swoimi przemądrzałymi uwagami rozproszyłam tatę. Że gdybym go nie prowokowała, zauważyłby zbliżający się samochód i mógłby uniknąć wypadku. Wiem jednak, że i tak nie mogę teraz tego zmienić. Nic już nie może być inaczej.

Czuję ulgę, zdając sobie sprawę, że Trent leży koło mnie. Jego naga klatka piersiowa powoli unosi się i opada. Jeszcze mnie nie opuścił. Wpadające z zewnątrz światło ulicznych latarni rzuca przyjemny blask na jego ciało, więc po cichutku siadam i wpatruję się, chcąc się z nim stopić w jedność. Walczę z chęcią, by go dotknąć, by przeciągnąć palcami po doskonale wyrzeźbionych krzywiznach.

Wzdychając, wstaję i na chwiejnych nogach podchodzę do komody, zastanawiając się, ile minie czasu, by to nowe życie również się rozpadło. Nim stracę Trenta, Storm i Mię. Wczorajszej nocy niemal się rozleciało. Tak po prostu. Powinnam odejść, wmawiam sobie. Zniknąć i zakończyć te wszystkie relacje, do jakich zostałam zmuszona, i oszczędzić wszystkim zmartwień. Jednak wiem, że to niemożliwe. Tkwię w tym zbyt głęboko. Jakimś cudem udało mi się zrobić dla nich miejsce zarówno w życiu, jak i w sercu. Albo oni zrobili miejsce dla mnie w swoich. Tak czy inaczej, nie przetrwałabym pustki, która nadeszłaby wraz z ich odejściem.

Stojąc plecami do śpiącego Trenta, zdejmuję przepoconą sukienkę i upuszczam ją na podłogę. Rozpinam biustonosz i rzucam go obok sukienki. Majteczki podzielają ten sam los. Z górnej szuflady komody wyjmuję spodenki i podkoszulek na ramiączkach. Rozważam wskoczenie pod prysznic, by się ochłodzić, gdy odzywa się miękki głos:

– Masz śliczne rude włosy.

Zastygam w bezruchu z płonącymi policzkami, całkowicie świadoma, że kompletnie naga stoję przed facetem, który samym spojrzeniem mógłby doprowadzić mnie na szczyt. Słyszę, jak skrzypi łóżko, po czym rozbrzmiewają powolne kroki, mimo to nie ruszam się. Sylwetka Trenta góruje nade mną z tyłu, a powietrze w pokoju pełne jest elektryzującego napięcia. Nie mogę się odwrócić. Nie mogę spojrzeć mu w twarz i nie wiem dlaczego.

Odczuwam jego obecność, jakby owinął ręce wokół mojej duszy, tuląc ją, starając się ją chronić przed zranieniem, i jestem z tego powodu przerażona. Truchleję na samą myśl, że to uczucie może się skończyć.

Każdy nerw w moim ciele iskrzy. Spinam się, gdy jego ręka muska moje ramię, po czym odsuwa mi na bok włosy, odsłaniając szyję. Chłodne powietrze zaczyna mnie łaskotać, gdy Trent się pochyla.

– Jesteś taka piękna. Cała.

Wyjmuje mi z dłoni ubranie i upuszcza je na podłogę, po czym bierze mnie za rękę. Przeciąga wargami po moim ramieniu, następnie maleńkimi pocałunkami znaczy linię blizny, wywołując we mnie dreszcz. Unoszę dłoń, opieram ją na głowie, po czym czuję, jak Trent się przesuwa. Coraz niżej i niżej, przeciąga ustami po moich plecach, przez biodro, do zewnętrznej strony uda, całując każdy symbol mojej tragicznej przeszłości. Przez cały czas lewą ręką trzymam jego dłoń, podczas gdy prawą opieram na głowie. Drżę z niecierpliwości i ekscytacji.

Trent przesuwa dłonie, by objąć moje biodra, składa pocałunek na mojej kości ogonowej, więc lekko się chwieję, gdy miękną mi kolana. Wyczuwam, że ponownie za mną staje. Jego ręce znów wędrują, tym razem zatrzymują się w okolicy mojego brzucha, przyciągając mnie mocno do siebie, przez co czuję, jak jest podniecony.

Odchylam głowę i opieram ją na jego klatce piersiowej. Czuję mieszaninę podniecenia i frustracji. Podniecenie, ponieważ po tygodniach trzymania mnie na dystans Trent ponownie pozwala mi być blisko. Frustrację, bo wiem, że zaraz brutalnie się to skończy.

Jednak tym razem nic nie wskazuje na rychły koniec. Dłonie Trenta prześlizgują się na moje piersi i obejmują je. Słyszę ostre wciągnięcie powietrza. Powoli mnie odwraca, a moje ręce unieruchamia za plecami.

Nadal nie wiem dlaczego, ale nie mogę spojrzeć mu w twarz. Zamiast tego patrzę na cieniutką bliznę na obojczyku i czuję, jak jego klatka piersiowa unosi się i opada tuż przy mojej skórze, twardnieją mi sutki, ocierające się o jego tors. Mój oddech staje się płytki i urywany, gdy Trent pochyla się i szepcze mi do ucha:

– Spójrz na mnie, Kacey.

Zatem to robię. Patrzę w górę i tonę w tych niebieskich tęczówkach wypełnionych niepokojem, bólem i pożądaniem.

– Poskładam cię w całość, sprawię, że znów będziesz kompletna, Kacey. Przyrzekam, że to zrobię – szepcze. Następnie jego usta zderzają się z moimi.

Ledwo orientuję się, że mam ścianę za plecami, kiedy bokserki Trenta lądują na podłodze, a silne ramiona unoszą mnie, więc owijam nogi wokół jego bioder i czuję, jak przywiera do sedna mojej kobiecości.

Wchodzi we mnie.

Sprawia, że jestem kompletna.

★ ★ ★

Budzę się, gdy na zewnątrz nadal jest ciemno. Moja głowa spoczywa na klatce piersiowej Trenta, nasze ciała są mocno splecione. Palcem wodzi po moich plecach, co podpowiada mi, że nie śpi. Tym razem to nie koszmar mnie zbudził. To podniesione głosy Storm i Dana dochodzące zza ściany.

– Mogłaś zginąć, Noro! – krzyczy Dan. – Zapomnij o pieniądzach. Nie potrzebujesz tej kasy.

Głos Storm nie jest tak donośny, a słowa nie płyną tak szybko, ale i tak udaje mi się wszystko usłyszeć.

– Myślisz, że te wszystkie lata treningów były po to, aby skończyć w lokalu takim jak *Penny*? Spieprzyłam to, Dan. Dokonałam złych wyborów i muszę z nimi żyć. Przynajmniej na razie. Dla Mii.

– Właśnie o niej mówię. Co by się z nią stało, gdyby ten facet cię zabił? Kto by się nią zajął?

Ojciec? W więzieniu? – Następuje chwila ciszy, po czym Dan znów zaczyna krzyczeć: – Nie wiem, czy dam radę, Noro! Nie mogę za każdym razem, gdy wychodzisz do pracy, bać się, że umrzesz.

Prycham.

– I kto to mówi – mamroczę pod nosem, ale gryzę się w język. To ich sprawa.

– Cóż, nie będę podejmowała decyzji, opierając się na tym, czego chce jakiś mężczyzna, ponieważ kiedy odejdziesz, ja tu pozostanę i będę musiała żyć z tym wszystkim. – Słyszę, że głos jej się łamie i wiem, że płacze. Wrzaski zamierają i następuje cisza. Cieszę się, bo nie chciałabym słyszeć, jak Storm i Dan zrywają ze sobą.

– Mogę cię o coś zapytać? Nie będziesz się złościć, Kacey? – pyta Trent.

– Yhm – mruczę bez namysłu.

– Wiesz coś na temat kierowcy, który uderzył w wasz samochód?

Natychmiast się spinam.

– Był pijany.

– I?

– I tyle.

– Nic? Nie znasz nazwiska, twarzy, czegokolwiek?

Milczę, decydując, czy chcę odpowiedzieć.

– Nazwisko. Tylko tyle.

– Pamiętasz je?

Wzdycham głośno. Nigdy go nie zapomnę.

– Sasha Daniels.

– Co się z nim stało?

– Zmarł.

Następuje długa chwila ciszy, podczas której Trent kreśli kółka na moich plecach i zaczynam wierzyć, że rozmowa dobiegła końca.

Głupia dziewucha.

– Jechał sam?

Waham się, ale postanawiam odpowiedzieć.

– Było z nim dwóch kumpli. Derek Maynard i Cole Reynolds. Derek i Sasha nie mieli zapiętych pasów. Obaj wylecieli z samochodu.

Moja głowa wraz z głębokim westchnieniem Trenta unosi się i opada.

– A ten, który przeżył, ten cały Cole, skontaktował się z tobą?

Zamykam oczy i rozkoszuję się ciepłem piersi Trenta, walcząc z przerażeniem, gdy ciągnie mnie coraz dalej w głęboki mrok.

– Jego rodzina próbowała. Doprowadziłam do sądowego zakazu i zagroziłam na policji, że jeżeli ktokolwiek z nich spróbuje skontaktować się ze mną czy z Livie, zabiję ich. – W tamtym czasie byłam przykuta do łóżka i nie mogłam się ruszyć, a co dopiero popełnić morderstwa. Mimo to policja potraktowała moje groźby poważnie.

Chociaż teraz wiem, że jestem do wszystkiego zdolna.

Do morderstwa też.

Trent przestaje wodzić palcami po moich plecach i przytula mnie w ochronnym geście.

– Mam zamiar zaproponować ci coś, Kacey. Proszę, nie złość się.

Nie odpowiadam. Po prostu słucham bicia jego serca. Pozwalam, by mnie pochłonęło. Czuję je każdą cząsteczką ciała.

– Uważam, że powinnaś spotkać się z tym Cole'em. Być może w ten sposób zamknęłabyś jakiś etap. Tylko wy dwoje przeżyliście ten straszny wypadek. Macie ze sobą coś wspólnego.

Siadam na łóżku i patrzę na Trenta. Gapię się na niego, jakby wyrosło mu pięć głów, trzy zaczęły płonąć, a dwie pozostałe pożerały te płonące. Po uspokojeniu rozszalałego serca, mówię:

– Powiem to tylko raz i nigdy nie będę powtarzać. – Mój głos jest opanowany. Nie krzyczę, nie płaczę, nie drżę. – Nie chcę widzieć Cole'a Reynoldsa. Nie chcę z nim rozmawiać, nie chcę go poznawać. – Jego nazwisko, przechodząc przez moje usta, natychmiast powoduje ich skrzywienie. – To jego samochód uderzył w nasz. Dał kluczyki kumplowi, który na kawałeczki roztrzaskał mi życie. Mam nadzieję, że gdziekolwiek jest, cierpi. Mam nadzieję, że wszyscy, których kocha, porzucili go. Mam nadzieję, że nie ma grosza przy duszy i musi jeść kocie żarcie i śmieci. Mam nadzieję, że każdej nocy budzi się, w kółko przeżywając tę straszną noc. Uświadamiając sobie, co mi zrobił. Co zrobił Livie. – Wzdycham i ponownie kładę się na klatce piersiowej Trenta, jakbym uwolniła całe gigantyczne pokłady nienawiści. – I mam nadzieję, że pieką go jaja. – Mój głos jest zimny i ostry. Nie staram się ukrywać w głosie nienawiści. Uwalniam ją całym sercem. Nienawiść jest dobra. Przebaczenie – złe.

W pokoju panuje cisza, Trent obejmuje mnie ciaśniej, opiera podbródek na czubku mojej głowy. Czuję w nim napięcie i nie jestem zdziwiona. Gapię się w ścianę, zastanawiając się, jak naprawdę popieprzone jest życie Cole'a Reynoldsa. Zastanawiam się, czy ima się pracy w klubie ze striptizem, by zapewnić siostrze życie, na jakie ta zasługuje. Myślę nad tym, czy musiał porzucić marzenia o studiach. Rozważam, czy krzywi się z bólu za każdym razem, gdy pada deszcz, ponieważ jego ciało poskręcane jest metalowymi śrubami.

Jednak przede wszystkim rozmyślam o Trencie, który musi teraz przetrawić, jak bardzo popieprzony jest jego mały rudzielec.

★ ★ ★

Budzę się w pustym pokoju. Na poduszce obok leży liścik. Są na nim trzy słowa.

Musiałem iść. Przepraszam.

Zakładam, że Trent ma nowy projekt. Mimo to jestem zawiedziona. Przydałaby mi się kolejna dawka jego ciała, gdyby był chętny, by mi ją podarować. Gramolę się z łóżka i przeciągam. Groza wczorajszego wieczoru z *Penny* zostaje zepchnięta na bok przez przyjemne wspomnienia nocy spędzonej z Trentem. Minęło bardzo dużo czasu, odkąd tak się czułam. Właściwie nigdy się tak nie czułam. Seks z Billym nigdy taki nie był. Bardzo zależało mi na nim, ale byliśmy młodzi i niedoświadczeni. Trent nie jest niedoświadczony. Trent dokładnie wie, co robi i całkiem dobrze mu to wychodzi. I po prostu z Trentem jest inaczej. Smakuje jak arbuz po życiu w pragnieniu. Jest jak powietrze po latach spędzonych pod wodą.

Jest jak życie.

ETAP SZÓSTY

WYCOFANIE

ROZDZIAŁ CZTERNASTY

Wchodzę do mieszkania Storm i dostrzegam Mię z szeroko otwartą buzią, do której ubrany jedynie w pasiaste bokserki Dan wrzuca kółka Cheerios. Zgaduję, że Storm i Dan się dogadali. Zalewa mnie fala ulgi. Lubię ich widzieć razem.

Dan przerywa zabawę, by obdarować mnie zmartwionym spojrzeniem.

– Jak się dzisiaj czujesz?

– Dobrze. – Uśmiecham się i wrzucam Cheerios w usta. Dan mnie nie zna. Nie ma pojęcia, jak dobra jestem w zakopywaniu przerażających wspomnień. Jestem w tym mistrzynią. W kilka godzin cały ten koszmar został zapomniany, i o ile nikt go nie wyciągnie, pozostanie tak przez bardzo długi czas.

Podchodzę do Storm, która w dużej szklanej misce miesza ciasto.

– Naleśnika? – Unosi chochelkę.

Przytakuję, masując się po brzuchu.

– Widziałaś rano Livie?

Storm kiwa głową.

– Nie tak dawno poszła do szkoły. – Wylewa porcję ciasta na patelnię i kuchnię wypełnia dźwięk skwierczenia. Storm patrzy na mnie tym samym zmartwionym spojrzeniem, jakim przed chwilą obdarował mnie Dan. – Jak się czujesz, ale tak naprawdę?

– Dobrze… Już mi lepiej.

– Na pewno? Dan zna faceta, z którym mogłabyś pogadać, gdybyś chciała.

Kręcę głową.

– Nic mi nie jest. Wszystko, czego mi trzeba, to widzieć cię żywą, zdrową i smażącą mi naleśniki.

Jedną ręką głaszczę jej plecy, drugą łapię talerz z jedzeniem. Tak, to dokładnie to, czego mi potrzeba. Storm, Mia, Livie i Trent. Nawet Dan. Ich teraz potrzebuję.

★ ★ ★

Ja: *Mam dzisiaj wolne. Wpadniesz?*

Czekam w nieskończoność, ale nie dostaję odpowiedzi od Trenta. Zniecierpliwiona idę do jego drzwi i pukam. Nikt nie otwiera. W mieszkaniu jest ciemno. Błąkam się więc bez celu po patio, pod fałszywym pretekstem kontroli stanu roślin. Tak naprawdę chcę sprawdzić, czy jest tam motocykl Trenta. Stoi. Wracam do drzwi jego mieszkania i ponownie pukam. Nadal brak odpowiedzi.

Cain nie pozwolił żadnej z nas dziś pracować. Właściwie zmusił Storm do wzięcia wolnego tygodnia w ramach rekompensaty za zagrożenie, w jakim się znalazła. Mogę się założyć, że Dan jest szczęśliwy z tego powodu. Wnosząc po błysku w oku Storm, zakładam, że ona też nie ma nic przeciwko. Też bym się cieszyła, gdyby był tu Trent.

Następnego dnia Trenta też nie ma.

I kolejnego.

Żadnej wiadomości. Żadnego telefonu. Tak jakby wyparował z powierzchni ziemi.

Trzeciej z kolei nocy ze ściśniętym żołądkiem idę do pracy. Muzyka dudni mi w uszach, światła oślepiają, klienci wkurzają. Bez Storm i Trenta to już nie jest to samo miejsce i jestem z tego powodu nieszczęśliwa. Nawet usilnie się koncentrując, nie potrafię wykrzesać uśmiechu. Wiem, że Storm wróci za kilka dni. Jednak nieobecność Trenta odczuwam jak nóż wbity w plecy. Boli, nie mogę dosięgnąć, by go wyciągnąć i jestem pewna, że jeśli tam zostanie, zabije mnie.

Nieobecność Trenta trawi mnie przez cały tydzień. Sprawia, że jestem zgryźliwa, zrzędliwa i generalnie nieprzyjemna dla wszystkich wokół. Jestem tego świadoma i mam to gdzieś. Jego brak sprawia, że w wolny wieczór oglądam telewizję i zaczynam kłócić się z Livie. Przez to ona płacze i nazywa mnie suką. Livie nigdy tego nie robi. Przez jego absencję włóczę się też co noc po patio, rzucając ukradkowe spojrzenia na mieszkanie

1D. Efekt końcowy zawsze jest taki sam. Ciemno. Gdziekolwiek pojechał Trent, z pewnością nie zamierza wracać.

Co, jeśli nigdy nie wróci?

★ ★ ★

Dzień piąty.

Krzyczę z przerażenia, gdy widzę, jak audi rodziców tonie w rzece. Moje spojrzenie jest jednak przykute do osoby za kierownicą.

To Trent.

Budzę się spocona, rozczochrana i zdyszana. *To był tylko sen! O, dzięki Bogu!* Zajmuje mi dobre piętnaście minut, by otrząsnąć się z przerażających obrazów malujących mi się w głowie. Ale myśl pozostaje. Co, jeśli Trent miał wypadek? Nikt by mnie nie powiadomił. Jestem nikim. Nie miałam szans, by stać się kimś dla niego.

Zadręczam Storm, by dała mi numer Dana, a potem prześladuję go, by sprawdził w policyjnych raportach, czy Trent Emerson miał wypadek. Mówi mi, że nie może w ten sposób nadużywać władzy. Warczę na niego i rzucam telefon na kuchenną szafkę. Następnie ponownie do niego dzwonię i przepraszam, a on proponuje, że przyniesie laptopa, bym mogła sprawdzić doniesienia i nekrologi. Tyle mi wystarczy.

Jest późna noc, gdy mogę uznać, że Trent raczej żyje i ma się dobrze. Po prostu nie ma go przy mnie.

★ ★ ★

Dzień dziewiąty.

W drodze na siłownię, przechodząc pod drzwiami Trenta, zamieram. Jestem pewna, że czuję smród.

O rany boskie.

Trent nie żyje.

Biegnę do drzwi Tannera i walę w nie, dopóki się nie otwierają. Staje w nich w spodniach od piżamy z Batmanem i z oczami wielkimi niczym u łani przed zbliżającymi się reflektorami samochodu.

– Chodź! – Łapię go za rękę i ciągnę. – Musisz natychmiast otworzyć 1D!

Tanner opiera się całym swoim ciężarem.

– Chwila. Nie mogę tak po prostu otworzyć...

– Myślę, że Trent nie żyje! – krzyczę.

To sprawia, że Tanner się rusza. Czekam za nim, przestępując z nogi na nogę, gdy w swoim gigantycznym pęku kluczy, trzęsącymi się rękami, szuka właściwego. Jest zdenerwowany. *Każdy by był.*

Gdy w końcu otwiera drzwi, przepycham się obok niego, niepewna, co w ogóle śpieszę zobaczyć.

W środku panuje półmrok i porządek. Jest tu mało rzeczy. Nie zorientowałabym się, że ktoś tu mieszka, gdyby nie laptop leżący na biurku, granatowy sweter Trenta przewieszony przez oparcie kanapy czy zapach wody po goleniu unoszący się w powietrzu.

Tanner przechodzi obok mnie i pośpiesznie sprawdza pokoje i łazienkę. Otwiera nawet drzwi szafy. Gdy wraca i staje przede mną, jest wkurzony.

– Właściwie dlaczego mi powiedziałaś, że Trent nie żyje?

Przełykam ślinę, odwracając wzrok.

– Ups.

– Dobra, a teraz wynocha. – Popycha mnie do drzwi, niezbyt delikatnie kładąc mi rękę na ramieniu. Słyszę, jak mamrocze pod nosem coś o narkotykach i hormonach.

★ ★ ★

Dzień trzynasty.

Wykop. Uderzenie. Obrót. Wykop.

Worek bez żadnej skargi przyjmuje cięgi. Walę w niego i kopię, wyładowując gniew i strach. Trent ma inne życie. Musi mieć. To opalona, jasnowłosa, zdrowa psychicznie kobieta. Zapewne ma z nią dwójkę ślicznych, dobrze wychowanych maluchów, które nie przeklinają jak szewc, ponieważ nie słyszą nieustannego ciągu wulgaryzmów płynących od matki. Najwyraźniej, mając jakiś kryzys, przyjechał do Miami, by znaleźć sobie tymczasową laskę. Jestem niczym więcej niż czyjąś chwilą słabości, a zauroczyłam się jak bezmyślna, żałosna nastolatka.

Wykop. Zmiana pozycji. Obrót. Wykop.

To dobre.

Znów czuję, jakbym odzyskiwała kontrolę.

Później u Storm siedzimy z Mią na kanapie i oglądamy odcinek *Sponge Boba*. Obok mnie na poduszce spoczywa ciemnowłosa lalka Ken. Przypomina mi o Trencie. Poważnie zastanawiam się nad kradzieżą, napisaniu na piersi lalki „Trent" i przyłożeniu zapalniczki w miejscu, gdzie powinny być genitalia.

Dzień siedemnasty.

– Był prawdziwy? – mamroczę, wpatrując się w komórkę trzymaną w dłoni. Nie kupiłam jej dla siebie, prawda?

– Co? – pyta Livie, patrząc na mnie ze zdziwieniem.

– Trent, czy był prawdziwy? To znaczy mogłabym zrozumieć, gdyby nie był. No bo czy ktoś mógłby być tak piękny, słodki, idealny i do tego chciałby kogoś tak popieprzonego jak ja?

Mija długa chwila ciszy, po czym patrzę na Livie, która gapi się na mnie, jakbym połknęła worek tłuczonego szkła. Wiem, że się o mnie martwi. Storm również. Myślę, że nawet Nate.

Dzień dwudziesty.

Wykop. Uderzenie. Uderzenie. Wykop.

Wyżywam się na worku.

Trent mnie wykorzystał. W jakim chorym celu? Nie mogę zdecydować. Najwyraźniej miał jakiś

311

pokręcony fetysz. Znalazł kobietę po przejściach i za pomocą dołeczków i uroku osobistego ukierunkował jej słabość. Złamał mój pancerz i przedostał się, by stopić warstwę lodu na moim sercu. Po czym porzucił mnie, gdy odkrył, jak naprawdę jestem popieprzona. Jednak najpierw oczywiście się ze mną przespał.

A ja mu na to pozwoliłam. To moja wina! Jestem idiotką.

Uderzam w dziesięciokilogramowy worek z piaskiem. Uwielbiam piasek. Bez sprzeciwu pochłania wszystkie moje emocje i bez żadnych oczekiwań pozwala mi się wykorzystywać.

– Jesteś na coś wściekła?

Odwracam się i widzę Bena, który stoi za mną z ramionami skrzyżowanymi na piersi i z wszystkowiedzącym uśmieszkiem malującym się na twarzy. Odwracam się i wykonuję perfekcyjny wykop.

– Wcale.

Ben podchodzi i łapie worek. Pokazuje, bym kontynuowała, podczas gdy on będzie go trzymał.

– Gdzie twój chłopak?

Kopię w worek bardzo mocno, a jak znam Bena, nie spodziewa się tego. Mam nadzieję, że walnie go w jaja, jak poprzednio Trenta. Tak się jednak nie dzieje, niemniej zarabiam pomruk dezaprobaty.

– Jaki chłopak?

– Ten, który przesiaduje w barze.

– Widziałeś go tam ostatnio?

Uderzenie.

Następuje długa chwila ciszy.

– Nie, chyba nie widziałem.

– No cóż, w takim razie, Prawniczku, po czym wnosisz, że to mój chłopak? A może nie jesteś w stanie odpowiedzieć? W takim wypadku nie będzie z ciebie dobry prawnik.

Wykonuję kolejny wykop w worek, zarabiając następny pomruk.

– To co, znów jesteś wolna?

– Zawsze byłam.

– Prawda. Cóż, to może gdzieś dzisiaj wyjdziemy?

– Pracuję.

– Ja też. To może zjemy obiad i razem pójdziemy do pracy?

– Jasne, w porządku. Dlaczego nie – mówię bez zastanowienia. Nie chcę się nad tym zastanawiać.

Brwi Bena unoszą się.

– Poważnie?

Przestaję kopać i przedramieniem ocieram pot z czoła.

– To nie to, co chciałeś usłyszeć?

– No tak, ale zamiast tego spodziewałem się jakiejś odpowiedzi mówiącej, żebym się odwalił.

– To też da się załatwić.

– Nie, nie! – szybko rzuca Ben, odsuwając się ode mnie. – Mogę przyjść po ciebie o osiemnastej?

– Dobra – mówię, markując w powietrzu idealny wykop w głowę.

★ ★ ★

– Na co ja się zgodziłam? – pytam sama siebie, stojąc pod ciepłą wodą, wpatrując się w sitko prysznica, wyobrażając sobie, że jest tu kolejny czerwony gad, który może mnie śmiertelnie wystraszyć. Czy gdybym wystarczająco głośno wrzeszczała, Trent pojawiłby się w magiczny sposób? Ponownie wyłamałby drzwi? Tym razem nie dałabym mu wyjść. Nie ma mowy.

Zastaję Livie w kuchni. Od ostatniej kłótni ledwo ze sobą rozmawiamy.

– Przepraszam, Livie – tylko tyle mówię.

Oplata mnie ramieniem w talii.

– Jest palantem, Kacey.

– Głupim palantem.

– Wielkim, głupim palantem – dorzuca. To gra, w jaką bawiłyśmy się, gdy byłyśmy młodsze. Doprowadzała rodziców do szału.

– Wielkim, głupim, śmierdzącym palantem.

– Wielkim, głupim, śmierdzącym palantem z hemoroidami.

Uderzam się w czoło.

– Och, i mamy zwyciężczynię!

Livie chichocze.

– Gdzie się wybierasz?

Wysuwam się z jej uścisku i zakładam buty.

– Wychodzę.

– Na randkę? – Twarz Livie rozjaśnia się.

Unoszę rękę, by powstrzymać jej ekscytację.

– To Ben, mięśniak z pracy. Mamy zamiar coś przekąsić, po czym podrzuci mnie do roboty i dostanie kopa w klejnoty, jeśli czegokolwiek spróbuje.

Rozlega się pukanie.

– Mięśniak u bram! – żartuję, gdy otwieram drzwi, spodziewając się znaleźć za nimi dużą sylwetkę Bena i jego wkurzający uśmieszek.

Cofam się dwa kroki, tracąc z płuc całe powietrze.

To Trent.

ROZDZIAŁ PIĘTNASTY

– Hej – wita się, zsuwając okulary i ukazując piękne, niebieskie oczy, w których mogłabym się zatracić.

Gapię się w te tęczówki, czując, jak krew odpływa mi z ciała, gdy widzę całą gamę emocji przetaczającą się przez jego twarz: ulgę, poczucie winy, smutek, gorycz i znów poczucie winy. Jestem pewna, że przez moją własną też przepłynął szereg uczuć, ale nie umiem żadnego z nich teraz zidentyfikować. Zatem po prostu stoję w drzwiach z otwartymi ustami, całkowicie straciwszy zdolność mówienia.

Livie natomiast wręcz przeciwnie.

– Ty! Trzymaj się od niej z daleka! – krzyczy, sunąc do przodu. Jej szarża wytrąca mnie z transu i ruszam, by ją złapać, zanim młóceniem pazurów zdrapie z Trenta dziesięć warstw skóry.

– Daj nam chwilkę, Livie – udaje mi się powiedzieć ze spokojem.

Wewnętrzny potok wrażeń grozi zwaleniem mnie z nóg. Moje serce przyspiesza rytm, więc opieram się o drzwi, walcząc, by mocniej wciągnąć powietrze do płuc. Trent wrócił. To zarówno cios w brzuch, jak i pęcznienie w klatce piersiowej. On jest jak nałóg – wiem, że to coś złego, ale, cholera, sprawia, że czuję się szczęśliwa.

Livie odwraca się na pięcie i idzie do swojego pokoju, ale najpierw poraża Trenta ostatnim, lodowym spojrzeniem.

– Hemoroidy! Pamiętaj o nich, Kacey!

Jej nagły wybuch i powaga działają na mnie jak igła na balonik i przerywają mój atak paniki, więc zaczynam chichotać. *Boziu, kocham to dziewczę.*

Nie wiem, czy sprawia to mój śmiech, ale Trent wykazuje się niesamowitą odwagą, próbując mnie dotknąć.

– Pozwól mi wyjaśnić – zaczyna, gdy jego dłoń podąża w kierunku mojej.

Odpycham ją, mój wesoły nastrój natychmiast zasnuwa gniew.

– Nie waż się mnie dotykać – syczę.

Trent trzyma ręce przed sobą, skierowane wnętrzem dłoni w moją stronę na znak pokoju.

– OK, rozumiem, Kace. Ale daj mi szansę wyjaśnić.

Krzyżuję mocno ramiona na piersi, by powstrzymać się od drżenia lub od przytulenia się do niego.

– To dawaj, wyjaśniaj – mówię groźnie, walcząc z przemożną ochotą, by rzucić się na niego, by nie słuchać wymówek, bo tak naprawdę nie mają one żadnego znaczenia. Są przeszłością, a teraz liczy się tylko to, jak się przy nim czuję. Jednak nie mogę na to pozwolić. Nie mogę okazać słabości.

Otwiera usta, by zacząć mówić, a mnie miękną kolana. *O Boże*. Jeśli jeszcze sekundę będę musiała stać w jego obecności, przegram wszystkie bitwy.

Niczym rycerz w lśniącej zbroi, zza rogu wychyla się Ben.

– Czas minął – oświadczam trochę zbyt głośno. Przechodzę obok Trenta, zamykając za sobą drzwi do mieszkania. – Hej, Ben! – Dla każdego, kto mnie zna, oczywiste jest, że gram. Nigdy nie jestem tak serdeczna. Nawet chwilowo.

Ben patrzy na mnie, przeskakuje spojrzeniem na Trenta i widzę, jak w jego głowie zaczynają pracować trybiki. Wie, że właśnie w czymś przeszkodził. Jest bystrym mięśniakiem.

– Chcesz, żebym... – Wskazuje na bramę, jakby sugerował, że może sobie iść.

– Nie! – Biorę go pod ramię i ciągnę, trzymając wysoko głowę i idąc blisko, pozwalając, by gniew napędzał moje kroki.

Wewnątrz czuję, jak walą się moje mury.

★ ★ ★

– Ledwie ruszyłaś makaron – wytyka mi Ben. Siedzimy we włoskiej restauracji znajdującej się pięć minut drogi od *Penny*.

– Sporo go ruszyłam – mamroczę, gdy wbijam w niego widelec. – Ruszyłam go tak bardzo, że twój makaron jest zazdrosny. Słyszałam, że spaghetti potrafi skopać tyłek.

– Niewiele zjadłaś – próbuje jeszcze raz Ben, ale uśmiecha się.

– Nie jestem głodna.

– Przez tego gościa?

Siedzimy w restauracji od czterdziestu pięciu minut i to pierwsze pytanie, jakie zadał mi Ben. Przez pozostały czas słuchałam jego wywodu na temat urazu kolana, który uniemożliwił mu zdobycie stypendium w footballu i o tym, jak bardzo chciałby być prokuratorem w Vegas, ponieważ tam żyją wszyscy bogaci oszuści. Nie wiem, czy nie pytał mnie o nic dlatego, że jest narcyzem, czy dlatego, że zdaje sobie sprawę, że nie lubię odpowiadać na pytania. Tak czy inaczej, mi to pasuje.

Wzdychając, wyciągam z torebki dwudziestkę i kładę ją na stole.

– Chyba powinniśmy już iść.

Marszczy brwi, podając mi z powrotem pieniądze.

– Ja stawiam.

– Nie będę się z tobą bzykać.

– Ło! A kto mówił o bzykaniu? Przyszedłem tu coś zjeść w miłym towarzystwie. – Zachowuje się, jakby się obraził, ale błysk w oku podpowiada mi, że się droczy. Ucieka mi małoatrakcyjne prychnięcie. – Dobra, w porządku, w przeciętnym towarzystwie.

– Wkłada kawałek chleba do ust i z uśmiechem dodaje: – W towarzystwie gorącej laseczki.

– I to Ben, jakiego znamy i kochamy – potwierdzam z przesadnym ukłonem i rzucam w niego torebeczką cukru.

– Ale powiedz poważnie – mówi Ben, zgarniając ostatnią porcję makaronu z talerza. Czekam cierpliwie, aż przeżuje i przełknie. – Dlaczego zgodziłaś się ze mną wyjść? Najwyraźniej coś masz do tamtego faceta, a nawet gdybyś nie miała, nie jestem idiotą. Nie wiem, co to wtedy było na siłowni, ale...

Szlag. Jestem przewidywalna. Chociaż liczę na to, że nie dla Trenta. Nie chciałabym, żeby z taką łatwością mnie prześwietlał. Podszedłby mnie wtedy i zburzył moje tarcze ochronne za pomocą tych swoich żarzących się, niebieskich oczu.

Wzruszam ramionami.

– Nie chcesz mnie, Ben. Składam się z siedmiu warstw popieprzenia okraszonych odrobiną gównianego szaleństwa.

Ben uśmiecha się, ale dostrzegam w jego spojrzeniu odrobinę smutku, gdy rzuca na stół kilka banknotów, by zapłacić za posiłek.

– Wiem o tym.

– W takim razie dlaczego chciałeś ze mną wyjść? Zwłaszcza po tym, co ci zrobiłam wtedy na siłowni?

Wzrusza ramionami.

– Czekałem na kolejny raz, kiedy ci odbije? Byłbym szybszy. Wejście, wyjście.

Wybucham śmiechem i czuję ulgę z powodu bezwstydnej szczerości Bena.

– Nie wiem, Kace. Otacza mnie wiele zdzir i świrusek. Ty jesteś inna. Jesteś bystra i zabawna. I jak żadna potrafisz stopić pewność siebie faceta.

– Nie sądzę, żeby ktokolwiek potrafił stopić twoją nadętą główkę, Ben.

Uśmiecha się arogancko.

– Zależy, o której główce mówisz.

★ ★ ★

– Słyszałam, że Trent wrócił do miasta – Storm szepcze mi do ucha, gdy nalewam do kieliszków drogą tequilę na wieczór kawalerski.

– Tak? – odpowiadam, zaciskając zęby. Nie wiem, co mogłabym jeszcze powiedzieć. Nie zapomniałam. Nie potrafię wytrzymać minuty, by jego imię nie przeszło mi przez myśl, bez wspomnienia, jak cudownie czuć jego dotyk, bez pragnienia, by wszystko wróciło do tego, jakie było przez ten krótki, magiczny czas, nim wyrwał mi serce z piersi i wrzucił je do ścieków.

Nienawidzę go za to, że sprawia, iż tak się czuję. Za nadzieję, którą mi ofiarował, by natychmiast odebrać. Za to, że wyciągnął mnie z wody, nauczył ponownie oddychać, a zaraz po tym ponownie zanurzył mi głowę.

Zatem gdy zauważam, jak gapi się na mnie z drugiej strony baru, muszę się przytrzymać lady, ponieważ złość i żal wybuchają we mnie z taką siłą, że nie potrafię stać prosto.

– Czego chcesz? – syczę.

– Muszę z tobą porozmawiać.

– Nie.

– Proszę, Kacey. – Ten ton, ten głos. Już czuję, że uderza w mój słaby punkt, we wrażliwe miejsce, by wygrać. Nie pozwolę mu. Nie tym razem.

– Miałeś trzy tygodnie, by ze mną porozmawiać... O, czekaj! – Dla lepszego efektu uderzam się w czoło. – Zniknąłeś z pieprzonej powierzchni ziemi. Prawda? Prawie zapomniałam.

– Daj mi pięć minut – prosi, pochylając się w przód.

– Dobra! Dawaj. To idealny czas i miejsce na rozmowę. – Wyrzucam ręce w górę, przesadnie podkreślając, jakie to niewłaściwe.

Trent zaciska zęby.

– Miałem na myśli pięć minut na osobności, Kacey. Muszę ci coś wyjaśnić. Potrzebuję... cię.

– Och, ty mnie potrzebujesz? A to ciekawe – cedzę słowa przez zaciśnięte zęby. Wewnętrzne spoiwo, które nie pozwala mi się rozpaść, zaczyna pękać, gdy słyszę te słowa. *Potrzebuje. Trent mnie potrzebuje.* – Dobra. – Rzucam ścierkę na bar i wychodzę. – Wracam za pięć minut, Storm.

Storm patrzy przed siebie, dostrzega Trenta, spogląda na mnie z niepokojem, ale kiwa głową.

– Chodź za mną. – Przechodzę blisko niego, świadoma, że Nate i Ben drepczą nam po piętach, ale kontynuuję marsz. Przechodzimy obok Jeffa i Bryana, dwóch ochroniarzy buldogów, którzy pilnują pokojów VIP-ów. Nie próbują mnie zatrzymać. Jestem pewna, że moja sztywna postawa i grymas na twarzy mówiący „Spieprzajcie z drogi, nim was poduszę własnymi językami" mają z tym coś wspólnego.

Kopniakiem otwieram drzwi do wolnego pokoju. Odwracam się na pięcie i ze skrzyżowanymi na piersi ramionami obserwuję szczupłe ciało Trenta i jego pełną obaw twarz, gdy staje przede mną. Szarpnięciem głowy wskazuję do środka.

– Wchodź.

– Kacey...

– Mówiłeś, że chcesz rozmawiać na osobności. Gdzie dostaniesz jej więcej niż w pokoju VIP-ów? – pytam tonem ociekającym lodem.

Z westchnieniem porażki i z niewielkim skinieniem głowy Trent wchodzi do środka. Za jego plecami widzę, jak Ben pochyla się, by szepnąć coś Nate'owi. Wygląda, jakby próbował powstrzymać bestię. Ben kieruje na mnie pełne obaw spojrzenie.

– Wszystko w porządku, Kacey?

– A jak myślisz, Ben?

Opuszcza podbródek w zamyśleniu.

– Myślę, że poczekam tu i popilnuję. Nie będę wchodził. Nie wejdę, póki nie usłyszę czegoś niepokojącego, dobra?

– Dobra. – Obdarowuję go niewielkim skinieniem głowy. Myślę, że po sprośnej przeszłości, doszliśmy z Benem do porozumienia. Mogę go nawet nazwać przyjacielem.

Wpadam do pokoiku i zatrzaskuję za sobą drzwi. Wnętrze jest słabo oświetlone. Stoi tam czarny i wygodny fotel, a z głośników dochodzi nastrojowa muzyka, znacznie różniąca się od tej dudniącej w klubie. Storm mówiła, że są pracownicy, którzy dokładnie czyszczą i dezynfekują te pomieszczenia po każdym kliencie. Nawet jeśli nie byłaby to prawda, w tej chwili mam to gdzieś.

Podchodzę do Trenta i popycham go w tył, na fotel. Następnie zaczynam nerwowo mocować się z zamkiem spódnicy znajdującym się z boku.

– Co ro... – zaczyna pytanie Trent, ale jego słowa zamierają, gdy odpinam spódnicę i opuszczam ją na podłogę. Wychodzę z niej i od góry, zręcznie, zaczynam rozpinać lekką bluzkę.

– Nie, Kacey. – Trent przesuwa się w przód.

Opieram na jego piersi ośmiocentymetrowy obcas i popycham go z powrotem na miejsce.

– Właśnie po to przyszedłeś, prawda? Tego właśnie potrzebujesz? – mówię lodowatym głosem. – Tego zawsze chciałeś? – Upuszczam bluzkę na podłogę i patrzę na niego. Mam na sobie jedynie biustonosz, majteczki i buty na obcasach. – To jest chwila, w której mówisz, jaka jestem piękna. Zatem powiedz to. Powiedz, żebyśmy mieli już to z głowy i byś ponownie mógł zniknąć. – Pod koniec mój głos unosi się nieco, więc przestaję mówić, nie mogąc już mu ufać.

– Nie, rany, Kacey. – Trent zsuwa się z fotela na kolana, dłonie opiera mi na udach, delikatnie mnie przytrzymując.

– Nie wolno dotykać dziewcząt. Już zapomniałeś, jakie są reguły? – szydzę z niego.

Nasze spojrzenia krzyżują się i widzę w jego oczach potok emocji niemożliwych do opisania, które stapiają wszystkie moje systemy ochronne. Muszę odwrócić spojrzenie, bo w gardle tworzy mi się gula, której nie potrafię przełknąć.

– Przepraszam. Nie chciałem dokładać ci bólu.

– Doprawdy? Pozostawiając mnie samą z lakoniczną notką po nocy, podczas której zaatakowano Storm, po tym, jak pierwszy raz uprawialiśmy seks? Po tym wszystkim zniknąłeś na niemal trzy tygodnie i twierdzisz, że to twój sposób na niedokładanie mi bólu? – Łamie mi się głos, więc zagryzam zęby. Nienawidzę własnego głosu.

Trent pochyla się, opiera głowę o mój brzuch, a jego dłonie lądują na moich biodrach, po czym wracają na uda, które są zadowolone z dotyku. Nie chcę, żeby się z tego cieszyły. Przeklęte, zdradzieckie uda. *Walcz z tym, Kacey. Walcz z tym.*

– Kacey, myliłem się.

Przełykam.

– Co do czego?

– Gdy naciskałem na ciebie. Myślałem, że gdy otworzysz się i opowiesz o swojej przeszłości, w jakiś sposób będę mógł ją dla ciebie naprawić. Nie powinienem naciskać na ciebie w taki sposób.

Wciągam powietrze przez zęby, gdy czuję, jak ciepłe wargi przesuwają mi się po brzuchu. Trent doskonale wie, jak zniszczyć mój pancerz ochronny. Nie gra fair. Co gorsza, w tej chwili nie chcę, żeby grał inaczej.

– Powinienem skupić się na uszczęśliwianiu cię. I to zrobię. Każdy dzień do końca życia poświęcę, by cię uszczęśliwiać. Przyrzekam.

Nie kupuj tego. Nie kupuj tego.

– Już wcześniej tak mówiłeś. A potem wyparowałeś. – Nie podoba mi się, jak głos mi słabnie, jakbym się miała rozpłakać. *Jeden... Dwa... Trzy... Cztery...*

Kurwa. To bezskuteczne.

Trent siada na piętach, odchyla się w tył i znów przesuwa dłońmi po moich udach. Nie patrzy mi jednak w oczy, zamiast tego wpatruje się w podłogę między nami. Gdy się odzywa, w jego głosie brzmi nuta gniewu.

– Kacey, nie tylko ty masz problemy. Też jestem popieprzony, OK? W mojej przeszłości są sprawy, o których nie umiem ci opowiedzieć. Dlatego nie mogę ci ich zdradzić.

To zdanie zbija mnie z tropu. *Trent ma mroczną przeszłość?* Nigdy tego nie rozważałam. Dlaczego o tym nie pomyślałam? Bo byłam tak pochłonięta własnymi problemami, oto dlaczego. Ale jak mroczna może być naprawdę jego przeszłość? Drżącym palcem unoszę mu podbródek, jego głowa odchyla się, a te przepiękne i niebieskie tęczówki zaczynają mnie wciągać. Wydaje się zrównoważony, spokojny, idealny.

– Ani razu nie naciskałam, byś wyjawił mi, jakie skrywasz tajemnice – mówię miękkim, pozbawionym goryczy głosem.

– Wiem. Wiem, Kace. – Trent przyciąga mnie do siebie.

Przesuwa palce, obejmując moje biodra, przeciąga kciukami po wystających kościach miednicy, rozpalając niewielką iskierkę pożądania, która miesza się z mocno już płonącymi emocjonalnymi płomieniami.

Instynktownie przesuwam dłonie, by znalazły się na jego dłoniach.

Trent kontynuuje:

– Po tamtej nocy myślałem... myślałem, że zbyt mocno naciskałem. Sądziłem, że to ja przyczyniłem się do tego, co miało miejsce po ataku na Storm.

Drżę na samo wspomnienie. Moja mroczna strona. Moje mordercze alter ego.

– Nie ty to spowodowałeś, Trent. To byłam ja, w końcu uwolniona z łańcuchów.

– Wiem, kochanie. Teraz to wiem. Ale musiałem wyjechać, by pomyśleć. Musiałem odsunąć się na chwilę i...

– Mogłeś mi chociaż wysłać wiadomość.

– Wiem. Spieprzyłem. Przepraszam. Po prostu nie wiedziałem, jak wytłumaczyć ucieczkę. Bałem się. – Spogląda w górę, ujawniając błyszczące w oczach łzy.

Cała moja wściekłość gaśnie, wszystkie osłony zostają rozbite.

Nie mogę znieść widoku Trenta w takim stanie.

– Nie. Jest w porządku. – Głaszczę go po głowie ze współczuciem, drugą ręką ocierając pojedynczą łzę. *I kto to mówi?* Czy to nie ja biegałam, sprawdzając jego mieszkanie, czytałam wiadomości i nekrologi, a nawet chciałam okaleczyć biednego Kena?

– Tak mi przykro, Kacey. Przestanę na ciebie naciskać. Koniec z rozmowami o przeszłości. Koniec z przeszłością. Tylko przyszłość. Proszę. Potrzebuję cię.

Znów to słowo. Nie potrafię nic powiedzieć. Kiwam tylko głową.

Jednak to wystarcza Trentowi. Palce zaciskają się na moich biodrach i ciągną w dół. Chętnie opadam na kolana. Trent przyciąga mnie i mocno tulimy się do siebie. Ciepłe dłonie odnajdują drogę po moich plecach, by rozpiąć biustonosz. Trent odrzuca go na bok, by objąć moje piersi, w tym samym czasie jego usta w końcu odnajdują moje.

Dotyk jego warg wysyła niepohamowaną falę pożądania przez moje ciało, więc drżę. Trzy tygodnie abstynencji. Nie wiem, jak to przeżyłam. Sięgam w dół i zmagam się z jego koszulą. Chcę się jej pozbyć. Teraz. Chcę, byśmy stykali się skóra przy skórze. Natychmiast.

Trent, jakby wyczuwając moją naglącą potrzebę, uwalnia usta, by ściągnąć koszulę przez głowę i odrzucić ją na bok, jego pierś styka się z moimi, gdy natychmiast się przysuwam.

– Kace – szepcze, zachłannie przesuwając usta na moją szyję i przeciągając jednocześnie dłonią po wewnętrznej stronie mojego uda, by dostać się pod majteczki. Wciągam powietrze przez zęby, gdy jego zręczne palce zaczynają mnie dotykać. – Nigdy już od ciebie nie odejdę. Nigdy.

Serce kołacze mi w piersi, gdy kołyszę się w przód i w tył na jego palcach, gdy szepczę jego imię, gdy walczę z zamkiem w jego spodniach, pozwalając, by ostatnie trzy tygodnie zniknęły w studni zapomnienia.

ROZDZIAŁ SZESNASTY

– Ja to zrobiłam? – Marszczę brwi, przeciągając palcem po policzku Trenta, na którym widnieje czerwona szrama.

Trent się krzywi.

– Livie ma dobry lewy sierpowy.

– Serio? – Unoszę się, by lepiej widzieć zaczerwienione miejsce. I Trenta, tak w ogóle. Całe jego nagie ciało, leżące na wykładzinie w słabo oświetlonym pokoju VIP-ów. Nie słyszę już pulsowania basu w klubie. To pewnie oznacza, że lokal został zamknięty. Nie wiem, jak długo tu jesteśmy. Ben jednak nam nie przeszkadzał. Przynajmniej go nie zauważyłam.

Trent zaczyna mówić, ale kilka razy się zacina.

– Gdy wyszłaś z tym palantem, wyskoczyła Livie i goniła mnie po patio, wrzeszcząc, że złamałem ci serce. Po czym odchyliła się w tył, przywaliła mi i powiedziała, żebym lepiej poszedł i sprawił, byś ponownie była szczęśliwa. Tym razem na zawsze.

Opieram twarz na nagiej piersi Trenta i się śmieję.

– Chyba mój temperament w końcu ją zaraził. – W duchu powtarzam jej słowa, wdychając powietrze z zapachem Trenta. – Zawsze to strasznie długo.

Trent obejmuje mnie ciasno ramionami.

– Zawsze nie trwa wystarczająco długo, jeśli chodzi o ciebie.

★ ★ ★

– Myślisz, że jak wejdę do twojego mieszkania, Livie znów mnie walnie?

– Wszystko jest możliwe. Ale czuję się teraz dość szczęśliwa – mruczę, wyciągając się w łóżku.

Trent zakłada ramiona za głowę, zarozumiały uśmieszek wykrzywia mu kąciki ust.

– Mam nadzieję, że jesteś szczęśliwa. Bardzo się starałem. Myślisz, że pięć razy w ciągu jednej nocy wystarczy? I jeśli to cię nie posłada....

Unoszę się, przerzucam przez niego jedną nogę, aby usiąść na nim okrakiem i marszczę czoło.

– Och, poskładałeś mnie wczorajszej nocy. Dzisiaj czuję się zupełnie inaczej.

Spragnionym spojrzeniem taksuje całe moje ciało, następnie zatrzymuje się na mojej twarzy i unosi brew.

– Poważnie?

Wzruszam ramionami, a następnie tajemniczo mrugam okiem.

Trent się śmieje, przeczesuje włosy, pozostawiając je w dzikim nieładzie.

– Słyszałem, że rude są ostre, ale, rany, nikt mnie nie ostrzegał, że jesteś seksualną diablicą.

Figlarnie pstrykam go w nos. Unosi się z rykiem, zrzuca mnie z siebie i rozkłada na plecach, utrzymując się nade mną na tyle wysoko, bym widziała całą jego sylwetkę. Z ironicznym uśmiechem zaplata sobie moje nogi w pasie i opuszcza się, by we mnie wejść.

★ ★ ★

Mijają tygodnie, a Trent jest ze mną. Przez większość nocy zostaje w moim mieszkaniu. Zwykle późnym wieczorem pojawia się w klubie, siedzi i obserwuje mnie intensywnym, przenikliwym spojrzeniem, od którego miękną mi kolana, ponieważ wiem, co mnie czeka, gdy dotrę do domu. Trent nie wyjeżdża i uszczęśliwia mnie. Od dłuższego czasu nie byłam tak szczęśliwa. Nigdy nie byłam tak szczęśliwa na tak wiele sposobów. I mnie rozśmiesza. Sprawia, że chichoczę. Że znów czuję. I każdej nocy przepędza koszmary. Nie wszystkie, ale nie powtarzają się już codziennie. A kiedy budzę się zlana potem, z trudem łapiąc oddech, Trent tuli mnie, gładzi po głowie i powtarza, że to tylko sen, oraz przyrzeka, że on i ja jesteśmy prawdziwi.

Z każdym dniem kawałeczki Poprzedniej Kacey układają się na nowo. A może wychodzą z ukrycia. Być może Kacey Cleary przez cały ten czas była schowana gdzieś głęboko w środku, czekając, aż właściwa osoba wyciągnie ją z głębokiej, mrocznej wody.

By ją ocalić przed utonięciem.

Na początku tego nie zauważałam, ale Livie owszem. Wielokrotnie przyłapywałam ją, jak mnie obserwuje. Gdy robiłam sobie kanapkę, gdy zmywałam naczynia, gdy byłyśmy na zakupach, tajemniczy uśmiech malował się na jej pięknych ustach. Kiedy pytałam ją, o co chodzi, tylko kręciła głową i mówiła:

– Kacey wróciła. I jest szczęśliwa.

Związek Storm i Dana jest silny. Myślę, że Storm jest zadurzona, chociaż nie chce tego przyznać, by nie zapeszać. Mogę też powiedzieć, że Dan jest po uszy w niej zakochany, a także w Mii, bo zawsze kiedy ją widzi, uśmiech pojawia mu się na ustach. A Mia?

Cóż, pewnego ranka obudziliśmy się z Trentem, bo Mia wskoczyła nam do łóżka ze szczerbatym uśmiechem na buzi i z dwoma ćwierćdolarówkami w rączkach.

– Patrz, Trent! Sprzedałam wczoraj ząbek!

Mogę się jedynie uśmiechnąć. Uśmiechnąć i zrobić mentalną notatkę, by zamykać drzwi na klucz, żeby Mia nie nauczyła się ode mnie czegoś więcej niż kilku brzydkich słów. Mia jest najszczęśliwszym dzieciakiem, jakiego kiedykolwiek widziałam, ponieważ otaczają ją kochający ludzie.

Zgodnie z obietnicą Storm, w *Penny* zarabiam więcej kasy, niż mogłabym sobie wymarzyć. Kwota na koncie bankowym rośnie z każdym tygodniem. Jeszcze dwa lata takiego życia i będę mogła opłacić Livie kilka semestrów w Princeton. Nadal liczę na jej stypendium, które dałoby sporo możliwości. Livie jest bardzo mądra i bardzo dobra. I zasługuje na to, co najlepsze.

Wszystko układa się idealnie.

★ ★ ★

– Dlaczego musimy być w *Penny* aż trzy godziny wcześniej? – marudzę, nakładając kurtkę, gdy chłód grudniowej bryzy owiewa moje ciało. Słyszałam, że nienaturalnie chłodne, jak na tę porę roku powietrze nadciągnęło nad Miami. Nadal jest ciepło w porównaniu z Michigan, ale mimo wszystko mam gęsią skórkę.

– Szkolenie z powodu przedłużenia licencji na sprzedaż alkoholu. Robimy je co dwa lata. Każdy, kto serwuje drinki, musi je przejść – wyjaśnia Storm.

– Trzy godziny będziemy słuchać, jak przygotować drinka? Poważnie?

– Nie przejmuj się – mówi, pukając w tylne drzwi lokalu. – Pozwalają też skosztować.

– Świetnie. Nawalę się, nim zacznę pracować – nadal marudzę, szybko kiwając głową Nate'owi, gdy go mijam. W środku jest cicho i ciemno. Nigdy nie byłam w *Penny*, gdy było tak cicho. – Gdzie są wszyscy? To mnie trochę przeraża.

– Za barem – huczy za mną Nate, popychając mnie do przodu. Zerkam przez ramię, a jego usta rozszerzają się w uśmiechu, ukazując białe zęby. *Nie wierzę, że kiedyś bałam się tego olbrzymiego misiaczka.*

Wychodzimy zza rogu do słabo oświetlonej części lokalu.

– Niespodzianka! Wszystkiego najlepszego!

Podskakuję i plecami uderzam w Nate'a, który swoje wielkie łapsko luźno oplata wokół mnie, a jego głęboki śmiech odbija się od sufitu. Są wszyscy, stoją na scenie pod reflektorem. Trent, Livie, Dan, Cain, Ben. Nawet Tanner.

Jest i Mia. Tańczy z boku w kółku z Ginger i kilkoma w pełni ubranymi striptizerkami, których nie rozpoznaję.

– Zaskoczona? – Storm, chichocząc, łapie mnie za rękę i ciągnie w stronę pozostałych. – Livie zdradziła nam, że niedługo kończysz dwadzieścia jeden lat, więc chcieliśmy ci zrobić niespodziankę. Cain zaproponował, by zrobić ci tu imprezkę.

Jak na zawołanie podchodzi Cain i zarzuca mi rękę na ramię.

– Mam nadzieję, że nie masz nic przeciw urodzinowemu przyjęciu w *Penny.* Pomyśleliśmy, że niespodzianka będzie gwarantowana.

Gdy wchodzę między nich, chcę coś powiedzieć, ale nie bardzo wiem, jak mam zareagować.

– Oczywiście, że jest. Dziękuję.

Cain wręcza mi kopertę.

– Dwadzieścia jeden lat ma się tylko raz, kochana. Ciężko pracujesz i dbasz o moją Storm. Tu masz niewielki prezencik od wszystkich. Częstuj się jedzeniem, winem, czym chcesz. Dzisiaj masz wolne. – Szczypie mnie w policzek, po czym odwraca się do Storm. – Trzymaj swoją małą księżniczkę z dala od sceny, słyszysz? Nie chcę, żeby podłapała jakieś pomysły.

Storm przewraca oczami.

– Oczywiście, Cain.

Kręcę głową, obserwując, jak odchodzi. Jest wielką indywidualnością. Słysząc, jak to mówi, biorąc pod uwagę to, że ten lokal to jego życie i że zatrudnia te wszystkie dziewczyny, by tańczyły na scenie, uważam, że jego słowa są po prostu dziwne.

Myśl ulatnia się, gdy widzę, jak Trent zbliża się do mnie z uwodzicielskim uśmiechem i dwoma kieliszkami szampana w rękach.

– Wiesz, że nie piję, Trent – mówię, biorąc jeden z nich.

– A ty wiesz, że ja też nie piję, Kacey.

Uśmiechamy się do siebie, po czym Trent obejmuje mnie wolną ręką w talii, przyciąga do siebie i całuje w szyję.

– Mój plan się sprawdza? Uszczęśliwiam cię? – pyta, szepcząc mi do ucha.

Tracę oddech. Zawsze tak się dzieje, gdy Trent jest tak blisko.

– Nawet nie potrafię opisać, jak bardzo.

Chłodnym nosem trąca mnie w policzek.

– Spróbuj.

– Cóż... – Pochylam się, wtulając się w niego. Nie wiem, jak to możliwe, ale po moim ciele przeskakują iskry, jak to miało miejsce za pierwszym razem. – Może wolałbyś, żebym ci pokazała, gdy wrócimy do domu?

Czuję jego odpowiedź wbijającą mi się w brzuch, więc chichoczę, wciąż w szoku, że ten wspaniały, słodki, diabelski facet cały jest mój.

– Za następne osiemdziesiąt lat – mruczy, stukając kieliszkiem o mój i biorąc łyczek.

– Osiemdziesiąt? Boziu, jesteś optymistą. Myślałam, że będziesz dobry jeszcze jakieś dziesięć, po czym będę cię musiała wymienić na inny, młodszy model.

Pochyla się i całuje mnie w usta, więc smakuję słodycz szampana z jego języka.

– Powodzenia, bo nigdzie się nie wybieram.

★ ★ ★

Wieczorna bryza szczypie mnie w policzki, kiedy wracamy z Trentem, a palce moich dłoni są splecione na jego torsie. Kusi mnie, by przeciągnąć nimi po jego ciele, ale uważam, by nie rozpraszać go podczas jazdy. Nie mogę doczekać się, aż dotrzemy do domu, chociaż jesteśmy już niedaleko. Livie i Mia jadą za nami w samochodzie Dana. Storm została w pracy. Obiecała, że jutro urządzimy sobie babski wieczór.

Trent parkuje motocykl, a ja zeskakuję. Nim udaje mi się odejść za daleko, Trent łapie mnie za szlufki jeansów i przyciąga do siebie.

– Zostajemy dzisiaj czy wychodzimy? – Zębami delikatnie skubie moją szyję.

– A może to i to? Najpierw gdzieś pójdziemy, a potem zostaniemy.

– To bez sensu. – Dźwięk jego chichotu tuż przy moim uchu wywołuje we mnie dreszcze.

Śmieję się. A potem popycham go mocno, przewracając na trawę. Zaczynam biec.

– Jeśli mnie złapiesz, będziesz mógł wybrać. – Zanim zbiera się z ziemi, udaje mi się wyciągnąć klucz. Biegnę przez patio w kierunku naszych mieszkań, piszcząc i spodziewając się, że w każdej chwili złapią mnie silne ręce.

Kiedy tak się nie dzieje, zwalniam i oglądam się za siebie. Trent jak sparaliżowany stoi na środku patio, z twarzą pobladłą, jakby zobaczył ducha.

– Trent? – Wracam do niego. Podążając za jego spojrzeniem, dostrzegam dobrze ubraną, stojącą kilka metrów dalej i przyglądającą się nam parę w średnim wieku. Przegapiłam ich w swoim poprzednim, szaleńczym pędzie.

Mężczyzna wygląda znajomo, szybko orientuję się dlaczego. Ma oczy i usta Trenta. U kobiety uczesanej w wyrafinowany kok poznaję jego wąski nos.

– Trent, to twoi rodzice?

Brak odpowiedzi.

Szczerze mówiąc, bardzo chciałam poznać jego rodziców. Jego ojciec jest znanym prawnikiem na Manhattanie, matka prowadzi agencję reklamową. Przekazuje synowi sporo zleceń. Tak właśnie Trent zdobywa klientów. Wiem, że są rozwiedzeni, a mimo to są tu razem. Oblewa mnie strach. To muszą być złe wieści, skoro razem przebyli całą tę drogę.

Trent nadal się nie rusza, więc ta chwila jest bardziej niż niezręczna. Nie wiem, dlaczego tak się zachowuje. Nie słyszałam, żeby był między nimi jakiś konflikt. Ktoś musi coś zrobić. Z przyjaznym uśmiechem podchodzę do nich i wyciągam rękę.

– Dzień dobry, jestem Kacey.

Czuję, że uśmiech spełza mi z twarzy, gdy widzę, jak twarz matki Trenta zmienia kolory. Kobieta zamyka oczy, zaciska je wręcz, jakby coś ją bolało. Gdy ponownie je otwiera, błyszczą w nich łzy. Odwraca się do Trenta, przełyka ślinę, jej słowa są szeptem pełnym cierpienia:

– Jak mogłeś, Cole?!

To imię.

Moje serce zamiera.

Gdy ponownie łapie rytm, jest on powolny, dudniący, nieregularny.

– Co? – chrypię. Odwracam się i dostrzegam, że na twarzy Trenta maluje się strach i poczucie winy, ale nadal tego nie rozumiem. – Dla… dlaczego matka tak cię nazwała, Trent?

Jego oczy błyszczą, podczas gdy wargi szepczą:

– Ja tylko chciałem, byś ponownie była szczęśliwa, Kacey. Tylko tak mogłem to naprawić.

ETAP SIÓDMY

ZAŁAMANIE

ROZDZIAŁ SIEDEMNASTY

Spadam.

Wpadam do głębokiej, mrocznej wody, która mnie pochłania. Wlewa się we mnie przez usta, nos, wypełnia mi płuca, zabierając mi wolę do oddychania, do życia.

Akceptuję to. Cieszy mnie to.

Gdzieś w oddali słyszę głosy. Słyszę, że wołają mnie jacyś ludzie, ale nie potrafię ich znaleźć. Są bezpieczni ponad wodą. W innym świecie. W świecie żywych.

Nie ma w nim dla mnie miejsca.

★ ★ ★

– Kiedy się obudzi? – pyta Livie, słyszę też ciche, rytmiczne pikanie. Kiedyś nasłuchałam się tylu tych maszyn, że nie mam problemu z ich rozpoznaniem – to pompa infuzyjna. Jeśli już to nie dałoby mi wystarczająco jasnej wskazówki, gdzie dokładnie jestem, to te wątpliwości rozwiewa sterylny, szpitalny zapach.

– Gdy jej umysł będzie gotów – wyjaśnia nieznany męski głos. – Kacey przeżyła ciężki psychiczny wstrząs. Fizycznie nic jej nie jest. Odżywiamy i nawadniamy jej ciało. Teraz musimy czekać.

– To normalne?

– Z tego, co wiem, twoja siostra cztery lata temu doznała traumatycznego przeżycia i później nigdy nie doszła do emocjonalnego ładu. – Głos milknie na tak długo, że zbieram się na odwagę i unoszę powieki. Zamglonym wzrokiem spoglądam na białe i żółte ściany.

– Kacey!

Nagle w polu mojego widzenia pojawia się twarz Livie. Ma spuchnięte i podkrążone oczy, jakby od wielu dni nie spała, a jej czerwone policzki naznaczone są strużkami łez.

– Gdzie jestem? – pytam ochrypłym głosem.

– W szpitalu.

– Jak? Dlaczego?

Livie otwiera usta, po czym natychmiast je zamyka, próbuje grać spokojną. Dla mojego dobra. Wiem to. Znam Livie. Zawsze jest bezinteresowna. Zawsze opiekuńcza.

– Wyzdrowiejesz, Kacey. – Dłońmi rozgrzebuje koce, by odnaleźć moje palce. – Pomogą ci. Nigdy nie pozwolę, by Trent ponownie cię skrzywdził.

Trent. To imię atakuje moje ciało niczym milion ostrych igieł. Wzdrygam się w odpowiedzi.

Trent to Cole.

Trent zrujnował mi życie. Dwa razy.

Nagle zaczynam się dusić, rzeczywistość ściska mi płuca niczym imadło.

– Jak…? – zaczynam, ale nie mogę mówić, bo nie jestem w stanie oddychać. *Jak Trent może być Cole'em? Jak mnie znalazł? Dlaczego mnie znalazł?*

– Oddychaj, Kacey.

Uścisk Livie staje się mocniejszy, siostra kładzie się obok mnie, a ja zdaję sobie sprawę, że bardzo szybko łapię powietrze.

– Nie mogę, Livie. – Łkam, łzy płyną mi po policzkach. – Tonę.

Jej szloch wypełnia pokój.

On wiedział. Cały czas udawał, że jest opiekuńczy, współczujący i nieświadomy mojej przeszłości, tymczasem jest jej przyczyną. To był jego samochód, jego kumple, jego noc wypełniona alkoholem, noc, która odebrała mi życie.

– Już dobrze. Jesteś bezpieczna. – Livie przyciąga mnie do siebie, przygniata, bym przestała się trząść.

Leżymy tak przez minuty. Godziny. Całe życie. Nie jestem pewna. Nic się nie zmienia. Nic, dopóki Storm nie wpada do szpitalnej sali, dysząc, jakby właśnie przebiegła maraton, z dzikością w oczach, jakiej nigdy u niej nie widziałam.

– Wiem, Kacey. Wiem, co cię spotkało. Wiem wszystko. – Łzy płyną jej po policzkach. Wspina się na moje łóżko i łapie mnie za ręce. We trzy leżymy ściśnięte jak sardynki.

Splątane, szlochające sardynki.

★ ★ ★

Świszczący dźwięk…

Jasne światła…

Krew…

Piękna twarz Trenta, jego dłonie na kierownicy.
Wskazuje na mnie.

Śmieje się.

– Kacey! – Coś mocno uderza mnie w twarz. –
Obudź się!

Nadal krzyczę, nawet kiedy wytrzeszczone oczy
Livie pojawiają się w polu mojego widzenia, po
czym zauważam otaczające mnie maszyny. Ból żą-
dli mnie w policzek. Unoszę dłoń, by go rozmaso-
wać.

– Przepraszam, ale musiałam cię uderzyć, bo nie
mogłaś przestać krzyczeć – wyjaśnia Livie przez łzy.

Wróciły koszmary, tyle że są gorsze. Milion razy
gorsze.

– Nie mogłaś przestać krzyczeć, Kacey. Musisz
przestać. – Livie mocno pociąga nosem, zwijając
się obok mnie i zaczynając się kołysać, po czym
mamrocze pod nosem do siebie: – Proszę, pomóż
jej. Boże, proszę, pomóż jej.

★ ★ ★

– Możecie mi powtórzyć, co to za szpital? – Jestem tu już dwa dni, a Livie i Storm nie opuszcza-

ją mojego łóżka, chyba że idą skorzystać z łazienki albo przynieść jedzenie.

Storm i Livie wymieniają długie, pełne napięcia spojrzenie.

– Specjalistyczny – odpowiada powoli Livie.

– W Chicago – dodaje Storm, unosząc podbródek.

– Co? – mówię głośniej, niż sądziłam, że to możliwe. Szamoczę się, by usiąść. Czuję się, jakby walnęła we mnie ciężarówka.

Livie pośpiesznie dodaje:

– Klinika lecząca zespół stresu pourazowego. Tak się składa, że najlepsza w kraju.

– Cóż… Ale jak… jak…? – Z pomocą poręczy w końcu udaje mi się podnieść. – Od kiedy to ubezpieczenie zdrowotne pokrywa leczenie ZSP w najlepszej klinice w kraju?

– Uspokój się, Kacey. – Storm delikatnie popycha mnie w dół, bym się położyła. Nie mam siły z nią walczyć.

– O nie, nie mogę się uspokoić. Nie stać nas na to… – Przeklinając pod nosem, próbuję wyjąć wenflon.

– Co robisz? – pyta Livie z paniką w głosie.

– Wyrywam to cholerstwo z ręki i wychodzę z tego eleganckiego kukułczego gniazdka. – Odpycham jej rękę, gdy chce mi przerwać. – Ile to kosztuje, co? Pięć tysięcy za noc? Dziesięć?

– Ciii… Nie martw się o to, Kace. – Storm głaszcze mnie po głowie.

Przychodzi kolej Livie na powstrzymywanie moich rąk.

– Ktoś musi! Co mam do cholery zrobić? Mam przenieść się na etat do pokoju VIP-ów ubrana jedynie w nakolanniki, by zapłacić rachunek za ten szpital?!

– Widzę, że nasza pacjentka się obudziła. – Miękki głos, który słyszałam już wcześniej, przerywa mi i gasi mój zapał. Odwracam głowę i widzę przyzwoicie wyglądającego, starszego mężczyznę z początkami łysiny i pogodnymi oczami, wyciągającego rękę w moją stronę. Nie słyszałam, jak wchodził. – Witam, jestem doktor Stayner. – Patrzę na jego dłoń, jakby była brudna, aż w końcu ją cofa. – A, tak, masz problemy z dłońmi.

Mam problemy z dłońmi? Patrzę krzywo na Livie, a ona odwraca spojrzenie.

Nie potrafię stwierdzić, co lekarz myśli na ten temat.

– Kacey, przejąłem opiekę nad tobą na prośbę…

– Dana – wcina się Storm. Jej spojrzenie przeskakuje między lekarzem a Livie.

– Tak. Dana. – Odchrząkuje. – Myślę, że mogę ci pomóc. Uważam, że znów będziesz mogła żyć normalnie. Ale nie będę mógł tego zrobić, jeśli nie przyjmiesz mojej pomocy. Rozumiesz? – Gapię się na tego mężczyznę, który nazywa się lekarzem, ale najwyraźniej nim nie jest. Jaki lekarz wchodzi do sali pacjenta i mówi w ten sposób?

Kiedy nie odpowiadam, mężczyzna podchodzi do zakratowanego okna.

– Chcesz być znowu szczęśliwa, Kacey?

Szczęśliwa. Oto to słowo. Myślałam, że byłam szczęśliwa. I wtedy zniszczył mnie Trent. Ponownie. Zakochałam się w mordercy mojej rodziny. Spędzałam z nim noce, marząc o przyszłości u jego boku. Był przy mnie, we mnie. Żółć podchodzi mi do gardła.

– Warunkiem mojej terapii jest rozmowa, Kacey – wyjaśnia doktor Stayner bez sarkazmu czy irytacji w głosie. – Zatem zapytam jeszcze raz. Czy chcesz być szczęśliwa, Kacey?

Boże, jaki ten facet jest nachalny. I będzie mnie zmuszał do mówienia. Właśnie o to chodzi. Dlaczego wszyscy nalegają na grzebanie w przeszłości? Już po niej. Dokonała się. Żadna ilość rozmów nie może jej zmienić, nie przywróci nikogo do życia. Dlaczego tylko ja to widzę?

Wspaniałe odrętwienie wraca i przemieszcza się od moich kończyn do klatki piersiowej, formując mi twardą, lodową powłokę na sercu. To naturalna obrona mojego organizmu. Odrętwienie uśmierza ból.

– Nie ma już dla mnie czegoś takiego jak szczęście – mówię zimnym i ostrym głosem.

Lekarz odwraca się do mnie ponownie, w jego pogodnych oczach lśni litość.

– Och, jest, panno Cleary. To będzie żmudna walka, a ja będę cię testował na każdym kroku. Moje metody bywają niekonwencjonalne. Chcę z tobą zająć się sprawami, które są problematyczne i budzą wątpliwości. Będziesz mnie czasami nienawidzić, ale wspólnie osiągniemy cel. Tylko musisz chcieć. Nie przeniosę cię do mojej kliniki, póki nie wyrazisz zgody.

– Nie chcę – mówię wyzywająco. Sam pomysł przeniesienia się gdziekolwiek z tym szarlatanem wydaje się skandaliczny.

Obok siebie słyszę stłumiony dźwięk. To Livie stara się zachować spokój.

– Kacey, proszę – błaga.

Z uporem zaciskam zęby, chociaż boli mnie, gdy widzę ją w takim stanie. Widzi moją mimowolną reakcję i nagle rzadki błysk wściekłości rozbłyska w jej oczach.

– Nie jesteś jedyną, która straciła rodziców, Kacey. Tu już nie chodzi tylko o ciebie. – Zeskakuje z mojego łóżka i staje nade mną z zaciśniętymi pięściami. A potem wpada w szał, jak nigdy dotąd. – Nie zniosę tego więcej! Koszmarów, walki, izolacji. Od czterech lat muszę się z tym zmagać, Kacey! – Livie jest na skraju histerii, krzyczy, łzy płyną jej po policzkach i spodziewam się, że w każdej chwili się załamie. – Przez cztery lata obserwowałam, jak przychodzisz i odchodzisz, każdego dnia zastanawiałam się, czy znajdę cię wiszącą w garderobie lub dryfującą w rzece. Rozumiem, że byłaś w tamtym samochodzie. Rozumiem, że wszystko widziałaś. Ale co ze mną? – Krztusi się, napędza ją wściekłość, pozostawiając ją wypraną z emocji i nieszczęśliwą. – W kółko cię tracę i mam już tego dosyć!

Jej słowa uderzają mnie w twarz z siłą młota.

Myślałam, że już mam złamane serce, ale najwyraźniej się myliłam.

Nie było złamane całkowicie.

Aż do teraz.

– Wiem, co się stało w noc, kiedy zaatakowano Storm, Kacey. Wiem o tym – mówi Livie, taksując mnie ostrym spojrzeniem. *Storm*. Spoglądam na nią, a Livie grozi mi palcem. – Kacey Delyn Cleary, nie waż się robić wyrzutów Storm za to, że mi powiedziała. Nawet nie próbuj. Powiedziała mi to, ponieważ się o ciebie troszczy i chce, byś uzyskała pomoc. Niemal napadłaś z rozbitą butelką na faceta. Nie będziemy więcej kryć takich wybryków, rozumiesz? – Livie niezdarnie ociera łzy. – Nie będę przymykać już oczu.

Raz na jakiś czas powtarzałam sobie, że żyję dla Livie. Wszystko, co robiłam, było po to, by ją chronić. Patrzę na nią teraz, patrzę na to, z czym musi się zmagać i zastanawiam się, czy nie robiłam tego wszystkiego, by chronić siebie. Wiem, że Livie straciła rodziców. Wiem, że w jakiś sposób mnie też straciła. Ale czy kiedykolwiek naprawdę zastanawiałam się nad tym, co ona czuje? Czy próbowałam wczuć się w jej sytuację? Myślałam, że żadna inna sytuacja nie jest tak ciężka jak moja własna, która ciągnie mnie na dno jak betonowe buty. A Livie nigdy się nie skarżyła. Zawsze była silna i zrównoważona. Zawsze była Livie – z rodzicami lub bez. Myślałam tylko, że...

Nie myślałam... O Boże! Tak naprawdę nigdy nie zastanawiałam się nad swoim zachowaniem, nad moimi reakcjami i nad tym, co robię Livie. Uważałam, że jeśli stoję i oddycham, to robię to dla niej. Dla Livie. Ale w pewnym sensie nigdy tak nie było.

Nagle pragnę umrzeć.

Czuję, że kiwam głową, gdy uderza mnie nowy poziom bólu, a cały opór znika. Teraz wszystko sobie uświadamiam. Zawsze sobie powtarzałam, że chcę chronić siostrzyczkę przed bólem, ale wcale jej nie chroniłam. Chroniłam tylko siebie. Wszystko, co robiłam, sprawiało jej ból. Sprawiało ból wszystkim w moim otoczeniu.

– Dobrze. – Doktor Stayner akceptuje moją zgodę. – Każę przygotować ci pokój. Pierwszy etap terapii zaczynamy od zaraz.

Czuję się niepewnie w obliczu jego natychmiastowej reakcji. Jest skuteczny i pragmatyczny, a jednocześnie przypomina tornado siejące spustoszenie. Płynnie podchodzi do drzwi i zaprasza kogoś do środka.

Nie. Kulę się w łóżku i tak mocno ściskam dłoń Livie, że aż słyszę jęk bólu. *Dobry Boże, proszę... nie! Nie może mi tego robić.*

Zza drzwi wychodzi starsza wersja Trenta, smutek maluje się na jego przystojnej twarzy.

To ojciec Trenta.

Ojciec Cole'a.

Kurwa. Już nawet nie wiem, jak go nazywać.

– Chciałbym, żebyś wysłuchała tego, co ma do powiedzenia pan Reynolds. Nic więcej. Tylko go wysłuchaj. Dasz radę? – pyta doktor Stayner.

Chyba przytakuję, ale nie jestem pewna, bo jestem zbyt zajęta wpatrywaniem się w twarz tego mężczyzny, tak bardzo przypominającej twarz Trenta. Oczy, w które patrzyłam dzień w dzień. Szczęśliwa. Zakochana. Tak, zakochana. Tak, kochałam Trenta. Mojego mordercę.

– Przez cały czas będziemy tu z tobą – mówi Storm, biorąc mnie za rękę.

Ojciec Trenta/Cole'a odchrząka.

– Witaj, Kacey.

Nie odpowiadam. Potrafię tylko patrzeć, jak wkłada ręce w kieszenie i tam je pozostawia. Jak ma też w zwyczaju jego syn.

– Nazywam się Carter Reynolds. Możesz mi mówić po imieniu.

Na dźwięk tego nazwiska przebiega mnie dreszcz.

– Chciałem cię przeprosić za wszystko, co sprowadził na ciebie i twoją siostrę mój syn. Próbowałem to zrobić cztery lata temu, ale policja przekazała mi informację o sądowym zakazie zbliżania się. Wtedy razem z moją rodziną postanowiliśmy uszanować twoją wolę. Niestety Cole... Trent skrzywdził cię ponownie.

Wchodzi kilka kroków w głąb sali, aż staje w nogach mojego łóżka, rzucając ukradkowe spojrzenie na doktora Staynera, który tylko uśmiecha się do niego.

– To był nasz samochód... mój samochód... prowadził go wtedy Sasha. – Grymas przez chwilę maluje się na jego twarzy. – Chociaż myślę, że już to wiesz, prawda? Było to w dokumentach ubezpieczeniowych.

Następuje chwila ciszy, jakby chciał, abym potwierdziła. Nie robię tego.

– Po tym wypadku straciliśmy Cole'a. Przestał istnieć. Opuścił stan Michigan, rzucił studia, urwał kontakty z kolegami. Zerwał z dziewczyną, z którą był od czterech lat i w ogóle przestał pić. Zmienił imię i nazwisko z Cole Reynolds na Trent Emerson. To jego drugie imię i nazwisko panieńskie matki. – Carter milknie na chwilę, usta zaciska w lekkim grymasie. – Ten wypadek rozdarł naszą rodzinę na strzępy. Rok później rozwiodłem się z żoną. – Macha lekceważąco ręką. – Ale to nie ma znaczenia. Chcę tylko, żebyś wiedziała, że Cole... eee... Trent jest młodym mężczyzną z problemami. Dwa lata po wypadku znalazłem go w garażu, siedzącego w uruchomionym samochodzie, z wężem ogrodowym podłączonym do rury wydechowej. Myśleliśmy, że tamtej nocy stracimy go na dobre. – Carterowi głos załamuje się z powodu emocji, a ja, choć nie chcę, czuję ból, wyobrażając sobie tę scenę. – Wkrótce po tym wydarzeniu zgłosiliśmy go do doktora Staynera i jego programu dotyczącego zespołu stresu pourazowego. – Carter ponownie patrzy na lekarza, a ten przytakuje i się uśmiecha. – Kiedy wypuszczono Trenta, wszystko było dobrze. Byliśmy pewni, że wyzdrowiał. Znów się śmiał. Regularnie do nas dzwonił. W Rochester rozpoczął kurs grafiki komputerowej. Wydawało się, że się pozbierał. Brał nawet udział w programach ambulatoryjnych i grupach wsparcia, by pomóc innym przejść przez rozpacz. Po czym sześć tygodni temu wydawało się, że ma nawrót. Pojawił się w drzwiach domu matki, mamrocząc coś o tobie i o tym, że mu nigdy nie przebaczysz. Przywieźliśmy go tutaj do doktora Staynera.

Mocno walczę, by ukryć szok malujący się na mojej twarzy. Przez cały ten czas, gdy Trenta nie było ze mną, był tutaj, w Chicago. W klinice dla pacjentów cierpiących na zespół stresu pourazowego.

Brał udział w programie, na który nalegał, bym i ja się zgodziła.

– Kilka dni po opuszczeniu kliniki Trent znów był radosny. Nie mogliśmy tego zrozumieć. Pomyśleliśmy, że ma jakąś manię lub że bierze narkotyki. Doktor Stayner stwierdził, że oba przypadki są prawdopodobne. Nie mógł nam powiedzieć, co się dzieje, bo obowiązuje go tajemnica lekarska.

– Żeby było jasne, ja też nie wiedziałem, co się dzieje. Podczas sesji ze mną Trent ukrywał ważne informacje, wiedząc, że bym ich nie zaaprobował – przerywa doktor Stayner.

– Prawda. – Carter, zgadzając się, kiwa głową. – Trzy dni temu domyśliliśmy się w końcu, co się dzieje, po tym, jak matka Trenta spotkała przypadkiem tutejszą recepcjonistkę, a ta zapytała, czy Trent i Kacey się pogodzili. Matka nic o tym nie wiedziała, ale recepcjonistka mówiła, że wspominał o dziewczynie imieniem Kacey i o tym, że się pokłócili. Myślę, że nie uważał tej kobiety za jakieś zagrożenie. – Carter wzdycha. – Gdy mój syn dwa lata temu opuścił program leczenia, zrobił to z przekonaniem, że gdyby naprawił twoje życie, uzyskałby przebaczenie całego bólu, który spowodował. – Carter patrzy teraz pod nogi, cień wstydu zasnuwa mu twarz. – Mój syn szpiegował cię od dwóch lat, Kacey. Czekał na czas, by móc się zbliżyć.

Ledwo zauważam, że palce Livie mocno wbijają mi się w przedramię. Chociaż nie czuję zbyt wiele, gdzieś

głęboko w środku rejestruję ból. Trent mnie szpiegował? Śledził? Tylko dlatego, że chciał naprawić, co ze-
psuł? *Chcę cię uszczęśliwić. Rozśmieszyć.* Powracają do
mnie jego słowa. Wszystko nabiera sensu. Naprawdę
tego chciał. Miał misję, by dosłownie mnie naprawić.

– Razem z jego matką nie mieliśmy pojęcia, Kacey. Mówię prawdę. Jednak Trent obserwował cię
przeszło dwa lata. Jakiś kolega ze szkoły pomógł mu
włamać się do twojej skrzynki e-mailowej. Właśnie
stąd wiedział, że wyjeżdżasz do Miami. Nie mieliśmy pojęcia, że wyjechał z Nowego Jorku. Ale opuścił
mieszkanie, porzucił dotychczasowe życie, by jechać
za tobą, w przekonaniu, że jeśli uda mu się naprawić twoje życie, będzie mu przebaczone. Codziennie
wymienialiśmy e-maile, rozmawialiśmy przez pocztę
głosową. Raz nawet przyjechał z wizytą do matki.

– Zatem byłam projektem – mamroczę pod nosem. Pomysłem na odzyskanie spokoju.

Niedobrze mi. Tylko to teraz czuję. Żółć podchodzi mi do gardła, gdy zaczynam wszystko rozu-
mieć. Nigdy mu na mnie nie zależało. Byłam eta-
pem w pieprzonym programie dwunastu kroków,
jaki stworzył sobie w głowie.

– To nie ma znaczenia – mówię pustym głosem.
To naprawdę nie ma znaczenia.

Trent nie żyje, tak samo jak całe dobro, jakie
wniósł do mojego życia. To nigdy tak naprawdę nie
istniało.

Po raz pierwszy, odkąd wszedł Carter, odzywa się Storm.

– Kacey, Dan chce, żebyś wniosła sprawę przeciwko Trentowi. To, co zrobił, jest złe, sprzeczne z prawem i popieprzone na wiele różnych sposobów. Zasługuje, by zgnić w więzieniu. – Uśmiecham się do siebie. Storm nigdy nie przeklina. Musi być naprawdę wkurzona.

– Ale powiedziałam mu, że ma poczekać, póki ci się nie poprawi i samodzielnie będziesz mogła wnieść oskarżenie. Pomyślałam, że sama powinnaś to zrobić – mówi, po czym dodaje z niskim pomrukiem: – Mimo iż mam ochotę strzelić draniowi prosto w łeb.

Powoli przytakuję. Wnieść sprawę przeciwko Trentowi. Oskarżyć Trenta. Sprawić, by Trent poszedł do więzienia.

– Zrozumiemy, jeśli będziesz chciała wnieść oskarżenie – mówi ze spokojem Carter, jednak opadają mu ramiona, gdy odrzuca własnego syna.

– Nie. – Słowo wychodzące z moich ust zaskakuje nawet mnie.

Brwi Cartera unoszą się w zdziwieniu.

– Nie?

– Kacey, jesteś pewna? – pyta Livie, ściskając moją dłoń.

Spoglądam na nią i kiwam głową. Nie wiem dlaczego, ale nie chcę tego robić. Jestem pewna, że nienawidzę Trenta. Jestem pewna, że muszę go nienawidzić, ponieważ jest Cole'em, a nienawiść do Cole'a jest wszystkim, co znam.

Patrzę jednak na Cartera, wyobrażając sobie, jak ten mężczyzna wyciąga bezwładne ciało syna z samochodu i nie czuję już nienawiści. To żal. Współczucie dla niego i dla Trenta, ponieważ dokładnie wiem, jaki poziom bólu potrafi doprowadzić człowieka do takiego czynu. To koniec, który tańczy w moich myślach raz lub dwa razy do roku.

– Nie. Żadnych oskarżeń. Żadnej policji. Nie będę niczego zgłaszać. Nie widzę powodu.

Carter na chwilę zaciska powieki.

– Dziękuję – mówi ochryple, głosem pełnym emocji. Odchrząka. Patrzy na Livie i dodaje: – Rozumiem, że pozostaje sprawa opieki nad Livie.

– Nie, nie ma żadnej sprawy. Ona jest pod moją opieką. – Odwracam głowę, by popatrzeć na Livie. Dlaczego mu powiedziała?

– Dzwoniłam do ciotki Darli – wyjaśnia delikatnie. – Nie wiedziałam, czy na dłuższą metę dasz radę. Ciotka powiedziała, że może mnie zabrać do siebie i...

– Nie! Nie! Nie możesz mnie zostawić! – krzyczę nagle, a moje serce przyspiesza.

– Livie nigdzie się nie wybiera, Kacey – obiecuje Carter. – Z wyjątkiem powrotu do Miami, by mogła pójść do szkoły. Moja firma przygotuje wszystkie wymagane dokumenty. Na razie opiekę będzie sprawować pani Matthews, dopóki nie wyzdrowiejesz albo dopóki Livie nie stanie się pełnoletnia.

Nieśmiało kiwam głową.

– Dzię... dzięki. – Pomógł nam. Dlaczego nam pomaga?

Obdarowuje mnie zdecydowanym uśmiechem.

– Rozmawiałem również z twoim wujkiem. – Jego spojrzenie staje się zimne i ostre. – Pieniądze z ubezpieczenia jeszcze są, Kacey. Nie przepuścił ich wszystkich. Zajmę się tym, by wszystkie trafiły na konta twoje i siostry. – Wyciąga coś z wewnętrznej kieszeni płaszcza. – Tu masz moją wizytówkę, jeśli byście czegoś potrzebowały. Kiedykolwiek. Czy ktokolwiek z was. Pomogę, jak tylko będę mógł. – Kładzie kartonik na stoliku przy łóżku.

Skinąwszy głową doktorowi Staynerowi, kieruje się do drzwi. Jest przygarbiony, jakby niósł ogromny ciężar. I po tym, co zrobił jego syn, przypuszczam, że tak właśnie jest. Zatrzymuje się z dłonią na klamce.

– Nie wiem, czy to ważne, ale nigdy nie widziałem Trenta tak szczęśliwego, jak kiedy był z tobą. Nigdy.

★ ★ ★

Patrzę na wielkie, dębowe drzwi kliniki, które silnie kontrastują ze sterylnie białym, zewnętrznym tynkiem. Mimo wszystko to ładny budynek.

Mój dom na dłuższy czas.

Malutka dłoń łapie mnie za rękę, ale wcale się nie wzdrygam.

– Nie martw się. Nie jest tak źle, a jeśli będziesz grzeczna, to wyjdziesz i pójdziemy na lody – mówi Mia z ponurą miną. Razem z Danem spędzali czas w ogrodach zoologicznych i parkach, podczas gdy Storm siedziała przy mnie. Teraz są wszyscy, by mnie pożegnać. Mia unosi wolną rączkę i prostuje trzy paluszki. – Zjemy po trzy gałki!

Za nami śmieje się Storm, która stoi pod rękę z Danem.

– Racja, Mia. – Puszcza mi oczko.

– Gotowa? – pyta Livie, biorąc mnie za rękę.

Wzdycham głęboko, znów studiując budynek.

– Ta klinika wygląda na ekskluzywną.

– Nie martw się. Znam kogoś, kto zna kogoś, kto... zna kogoś. – Dan się uśmiecha. Jakoś mu nie wierzę. Mam wrażenie, że w pewien sposób Carter Reynolds maczał w tym palce. Być może jako rekompensatę za brak postępu w leczeniu syna załatwił u Staynera promocję „dwa w cenie jednego". Chociaż raz z tym nie walczę.

Razem z Livie ruszamy.

– Dziękuję, że to robisz, Kacey – szepcze Livie, ocierając łzę, która płynie po jej policzku.

Mężczyzna w jasnoniebieskim uniformie otwiera drzwi i sięga po torbę, oferując pomoc.

– Będę dzwoniła tak często, jak mi pozwolą – woła Livie, ostatni raz ściskając mi rękę.

Mrugam do siostry, robiąc dobrą minę do złej gry.

– Do zobaczenia ponad wodą.

ROZDZIAŁ OSIEMNASTY

Nie przeżyję tego.

Nie jestem w stanie tego przeżyć.

Wszyscy wymagają ode mnie mówienia. Opowiadania, gadania, nawijania. O uczuciach, koszmarach, o niedoszłym ataku na napastnika Storm, o zmarłych rodzicach, o Jenny, Billym, Trencie. Za każdym razem, gdy wcisnę to wszystko do ciemnej, ciasnej szafy, gdzie być powinno, doktor Stayner, jak maniak na misji, wyciąga to z powrotem, a ja, krzycząc, kopiąc i błagając o litość, czepiam się jego nogawki.

Nic mi to nie pomaga.

Nie pomagają też leki przeciwlękowe. Po nich jest mi niedobrze i chce mi się spać. Doktor Stayner twierdzi, że trzeba czasu, by zaczęły działać.

Mówię mu, że walnę go w twarz.

Nienawidzę tego gościa.

A kiedy przychodzi noc i zamykam oczy, wita mnie śmiejący się Trent. Zawsze się szczerzy.

Pewnego dnia podczas jednej z prywatnych sesji w gabinecie doktora Staynera mówię mu o tym.

– Kacey, myślisz, że on się śmieje?

– Czy nie to właśnie powiedziałam?

– Nie. Mówiłaś, że śni ci się, że on się z ciebie śmieje. Ale wierzysz w ten jego śmiech?

– A pan nie?

Gapię się na niego. Ta rozmowa rozwinęła się w kierunku, którego się nie spodziewałam. Tak się właśnie dzieje, kiedy otwieram swoją niewyparzoną buźkę. Normalnie siedzę cicho i daję proste odpowiedzi typu „tak" i „nie". Do tej pory to się sprawdzało. Nie wiem, dlaczego pomyślałam, żeby wejść na nieszkodliwy temat.

– Zastanówmy się nad tym przez chwilę, dobrze Kacey? – Opiera się wygodnie w fotelu i pozostaje tak, przyglądając mi się. Myśli nad tym? Myśli, że ja myślę? To wkurzające.

W ramach odwrócenia uwagi od niezręcznej chwili, omiatam wzrokiem gabinet. Jest mały i czysty. Są tu całe ściany książek, które powinien mieć pospolity psychiatra. Ale on jest inny od pozostałych doktorów od świrów, których spotkałam. Nie wiem, jak go opisać. Jego głos, maniery, wszystko u niego jest nietypowe.

– Trent jest studentem, który pewnej nocy za dużo wypił, jak zresztą robi to większość studentów. Po czym popełnił okropny, straszliwy błąd.

Zaciskam dłonie na podłokietnikach, pochylam się w fotelu, wyobrażając sobie plucie kwasem wprost w twarz doktora Staynera.

– Błąd? – syczę. Nienawidzę tego słowa. Nienawidzę, gdy ktokolwiek używa go, by opisać tamtą noc. – Nie żyją moi rodzice.

Doktor Stayner unosi palec.

– To rezultat jego okropnego, straszliwego błędu. Ale to nie jest jego okropny, straszliwy błąd, prawda? – Gdy nie odpowiadam, zbyt zajęta patrzeniem na granatową, dywanową wykładzinę, czuję, że coś trafia mnie w czoło. Patrzę na kolana i dostrzegam spinacz do papieru.

– Czy właśnie rzucił pan we mnie spinaczem? – pytam, szczerze zszokowana.

– Odpowiedz na pytanie.

Zaciskam zęby.

– Co było okropnym straszliwym, zmieniającym życie błędem Trenta? – Naciska doktor Stayner.

– Jechał do domu – mamroczę.

Kolejny spinacz trafia mnie w czoło, gdy doktor Stayner gorączkowo kręci głową, jego głos podnosi się o oktawę.

– Nie.

– Dał kluczyki koledze, żeby go odwiózł do domu.

– Bingo! Będąc w stanie upojenia alkoholowego, dokonał wyboru. Wyboru, który nigdy nie powinien mieć miejsca. Bardzo złego i niezwykle niebezpiecznego wyboru. A kiedy wytrzeźwiał, dowiedział się, że jego wybór kosztował życie sześciorga ludzi. –

Następuje długa chwila ciszy. – Postaw się na chwilę w jego sytuacji, Kacey.

– Nie będę...

Doktor Stayner przewiduje, co chcę powiedzieć i ucina mi w pół zdania.

– Upiłaś się kiedyś, prawda?

Zaciskam zęby.

– Prawda?

Mimowolnie odtwarzam w myślach pewną noc. Pół roku przed wypadkiem poszłyśmy na imprezę plenerową, gdzie obaliłyśmy butelkę jägermeistera. To była najzabawniejsza noc w moim życiu. Poranek dnia następnego to zupełnie inna historia.

– No właśnie – ciągnie doktor Stayner, jakby potrafił czytać mi w myślach. Być może nawet potrafi. Może jest superszarlatanem. – Pewnie zrobiłaś w życiu kilka głupot, powiedziałaś coś niestosownego.

Niechętnie przytakuję.

– Jak bardzo byłaś wtedy pijana?

Wzruszam ramionami.

– Nie wiem. Byłam... pijana.

– Tak, ale jak bardzo?

Rzucam mu wymowne spojrzenie.

– Co jest z panem nie tak?

Ponownie mnie ignoruje.

– Jechałaś wtedy do domu?

– Co? Nie.

– Dlaczego nie?

– Bo miałam wtedy piętnaście lat, geniuszu! – Bieleją mi knykcie, tak mocno zaciskam palce na podłokietniku.

– Prawda. – Macha ręką lekceważąco. Ale najwyraźniej nie wytknął mi tego bez celu. – A co z przyjaciółką. Z kolegami? Jak bardzo byli pijani?

Wzruszam ramionami.

– Nie wiem. Byli pijani.

– Można to było stwierdzić? Było to po nich widać?

Marszczę czoło, gdy myślami wracam do Jenny tańczącej i śpiewającej na piknikowym stole do piosenki Hannah Montany. Nie mam bladego pojęcia, jak bardzo była pijana. Jenny zrobiłaby to samo, gdyby była całkowicie trzeźwa. Wreszcie wzruszam ramionami, bo wspomnienie to tworzy bolesną gulę w moim gardle.

– A gdyby na koniec imprezy przyjaciółka powiedziała ci, że ostatniego drinka wypiła dawno temu i że może jechać samochodem? Uwierzyłabyś?

– Nie – odpowiadam natychmiast.

Palec znów unosi się i porusza.

– Pomyśl teraz o tym, Kacey. Każdy to przeżywa. Bawi się na imprezie, wypija kilka drinków. Wiedziałaś, że nie możesz prowadzić, ale może automatycznie zaufałabyś komuś innemu? Sam byłem w takiej sytuacji.

– I usprawiedliwia pan, doktorze Stayner, pija-
nych kierowców?

Szybko kręci głową.

– Oczywiście, że nie, Kacey. Na to nie ma uspra-
wiedliwienia. Tylko straszliwe konsekwencje, z którymi ludzie muszą żyć do końca swoich dni, ponieważ podjęli tylko jedną, durną decyzję.

Przez chwilę siedzimy w ciszy, doktor bez wątpienia wciąż czeka na moją odpowiedź.

Patrzę na własne dłonie.

– Myślę, że mogłabym uwierzyć – przyznaję niechętnie. Sięgając pamięcią wstecz, stwierdzam, że
kilka razy wskoczyłam do samochodu, zakładając,
że kierowca jest trzeźwy tylko dlatego, że tak twier-
dził.

– Tak, mogłabyś – potwierdza doktor Stayner. –
I to właśnie miało miejsce w przypadku Cole'a.

Nagle rozpala się we mnie wściekłość.

– Co pan, do diabła, robi? Trzyma pan jego stronę? – krzyczę.

– Nie trzymam niczyjej strony, Kacey. – Jego głos
znów jest spokojny. – Gdy usłyszałem twoją historię, tę o straszliwym wypadku, mimowolne zacząłem
współczuć każdemu, kto w nim uczestniczył. Tobie.
Twojej rodzinie. Tym chłopcom, którzy zginęli, bo
nie zrobili czegoś tak podstawowego, jak zapięcie
pasów. I Cole'owi, facetowi, który wręczył przyja-
cielowi kluczyki. Gdy usłyszałem jego opowieść...

Wypadam z gabinetu doktora Staynera.

– Współczułem mu – słyszę za sobą słowa, które ścigają mnie, gdy biegnę korytarzem, podążają za mną, gdy wpadam do pokoju, szukają sposobu, by wedrzeć się w moją duszę i zacząć mnie dręczyć.

★ ★ ★

– Co u ciebie? – Mam ochotę sięgnąć poprzez linię telefoniczną i uściskać Livie. Minął tydzień i strasznie za nią tęsknię. Nigdy tak długo nie byłyśmy osobno. Nawet gdy po wypadku byłam w szpitalu, odwiedzała mnie niemal codziennie.

– Metody doktora Staynera zdecydowanie nie są konwencjonalne – mamroczę.

– Dlaczego?

Wzdycham rozdrażniona, a potem mówię coś, o czym wiem, że Livie nie chce słyszeć.

– Jego metody są chore, Livie. Wrzeszczy na mnie, naciska, mówi, co mam myśleć. Robi wszystko, czego nie powinien robić psychiatra. Nie wiem, jaką szkołę szarlatanów kończył, ale już wiem, dlaczego Trent wyszedł stąd bardziej popieprzony, niż był, kiedy tu trafił.

Trent. Ściska mi się żołądek. *Zapomnij o nim, Kacey. Jego już nie ma. Jest dla ciebie martwy.*

Następuje chwila ciszy.

– Ale to działa? Lepiej ci już?

– Jeszcze nie wiem, Livie. Po prostu nie sądzę, by kiedykolwiek było lepiej.

★ ★ ★

Jenny śmieje się histerycznie, gdy na drodze mija nas jakiś samochód.

– Widziałaś minę Raileigh, gdy śpiewałam *Super Freak*? Klasyka.

Śmieję się razem z nią.

– Jesteś pewna, że możesz prowadzić? – Po tym, jak zeskoczyłam z maski ciężarówki George'a i powaliłam jednego z kumpli Billy'ego na łopatki, miałam świadomość, że w żadnym razie nie będę mogła usiąść za kółkiem, więc oddałam jej kluczyki.

Zbywa to machnięciem ręki.

– Oj tam. Przestałam pić kilka godzin temu! Jestem…

Jasne światło rozprasza nas obie. Są to przednie lampy i znajdują się blisko. Zbyt blisko.

Podskakuję, gdy audi taty w coś uderza, z powodu siły uderzenia pasy wrzynają mi się w szyję, a w powietrzu eksploduje ogłuszający dźwięk. W sekundę jest po wszystkim i pozostaje tylko cisza i dziwne uczucie, jakby wszystkie moje zmysły jednocześnie zostały sparaliżowane i pracowały na najwyższych obrotach.

– Co się stało?

Nic. Zero odpowiedzi.

– Jenny? – Patrzę na nią. Jest ciemno, ale mogę stwierdzić, że nie ma jej już za kierownicą. I wiem, że mamy kłopoty. – Jenny?! – wołam ją ponownie drżącym głosem. Udaje mi się odpiąć pasy i otworzyć drzwi. Z przerażenia w jednej chwili staję się, jak to się mówi „trzeźwa jak świnia". Tak właśnie się czuję, gdy obchodzę samochód dookoła, zauważając, że silnik syczy, a spod uniesionej, zniekształconej maski wydobywa się dym. Odgarniam włosy z twarzy, wzrasta we mnie panika. – O rany boskie, tata mnie za...

Sandały leżące na ziemi zatrzymują mnie w bezruchu.

To sandały Jenny.

– Jenny! – wrzeszczę, starając się dostać w kępę wysokiej trawy, gdzie leży nieruchomo, twarzą w dół. – Jenny! – Potrząsam nią. Nie odpowiada.

Muszę sprowadzić pomoc. Muszę znaleźć telefon. Muszę...

Wtedy zauważam kolejny poskręcany metal.

To drugi samochód.

I jest w znacznie gorszym stanie niż audi.

Kurczy mi się żołądek. Niewyraźnie udaje mi się dostrzec sylwetki siedzących w nim ludzi. Bez namysłu wstaję i gorączkowo zaczynam wymachiwać rękami.

– Pomocy! – krzyczę.

Ale to nie ma sensu. Jesteśmy na pustej, leśnej drodze gdzieś na pustkowiu.

W końcu się poddaję. Podchodzę ostrożnie do samochodu, serce wali mi jak oszalałe.

– Halo? – szepczę.

Nie wiem, czy bardziej boję się coś usłyszeć, czy nie usłyszeć niczego.

Nikt nie odpowiada.

Opieram się i zerkam do środka, próbując zajrzeć przez rozbite okno. Nic nie widzę… jest za ciemno…

Pstryk. Pstryk. Pstryk. Jakby włączono sceniczne reflektory, jasne światło zalewa teren, oświetlając rozgrywającą się tu przerażającą scenę. Na przednim siedzeniu siedzi skulona para starszych ludzi, ale muszę odwrócić spojrzenie, bo strzępy zakrwawionego mięsa są zbyt makabryczne, bym mogła to znieść.

Jest już dla nich za późno. Po prostu wiem o tym.

Ale jest też ktoś na tylnym siedzeniu. Przechodzę i zaglądam tam, dostrzegam zakrwawione, czarnowłose ciało przyciśnięte do wgniecionych drzwi.

– O Boże – dyszę, gdy uginają się pode mną kolana.

To Livie.

Dlaczego, do cholery, jest w tym samochodzie?

– Kacey. – Na dźwięk mojego imienia, lodowate palce ściskają mi serce. Zaglądam głębiej i dostrzegam siedzącego obok niej wysokiego szatyna. To Trent. Jest ranny. Bardzo. Ale jest przytomny i wpatruje się we mnie intensywnie. – Zabiłaś mi rodziców, Kacey. Jesteś morderczynią.

Gdy się budzę, krzycząc ile sił w płucach, do mojej sali wchodzi pielęgniarka nocnej zmiany, Sara.

– Wszystko dobrze, Kacey. Ciii, już dobrze. – Powolnymi, okrężnymi ruchami pociera mi plecy, gdy oblewa mnie zimny pot. Pielęgniarka nadal mnie pociesza, nawet gdy zwijam się w kłębek, kolana przyciągając do brody. – Ten sen był wyjątkowo zły, Kacey. – Była już u mnie kilka razy podczas moich nocnych epizodów. – Co ci się śniło? – Zauważam, że nie pyta, czy chcę o tym rozmawiać. Zakłada, że muszę jej powiedzieć, czy tego chcę czy nie. Tak właśnie tu jest. Wszyscy chcą rozmawiać. A ja ponad wszystko chcę milczeć. – Hm, Kacey?

Przełykam łzy.

– Współczucie.

★ ★ ★

– Być może miał pan rację.

Doktor Stayner ze zdziwieniem unosi brwi.

– Chodzi o sen, który miałaś ubiegłej nocy?

Moja mina podpowiada mu, że tak.

– Tak, Sara mi powiedziała. Chciała, bym wiedział, tak na wszelki wypadek. Na tym polega jej praca. Nie zdradziła cię – mówi, jakby od dawna musiał powtarzać ten sam argument. – Co dokładnie ci się śniło?

Z jakiegoś powodu streszczam mu cały koszmar, od początku do końca, dreszcze wstrząsają moim ciałem, gdy przeżywam to od nowa.

– A co sprawia, że to tak przerażające?

Przechylam głowę w bok i gapię się na doktora. Najwyraźniej mnie nie słuchał.

– Co ma pan na myśli? Wszyscy byli martwi. Jenny, rodzice Trenta. Zabiłam Livie. Po prostu byłam… wstrętna.

– Ty zabiłaś Livie?

– Cóż, tak. To była moja wina.

– Hm… – Kiwa głową, nic nie mówiąc. – Jak się czułaś, gdy zobaczyłaś, że Jenny nie żyje?

Na to wspomnienie opieram dłonie na brzuchu.

– Zatem było ci przykro – odpowiada za mnie doktor.

– Oczywiście, że tak. Ona nie żyła. Nie jestem socjopatką.

– Ale to ona prowadziła samochód, który wjechał w rodzinę Trenta. W Livie. Jak mogłaś po niej płakać?

Odpowiadam szybciej, niż myślę:

– Bo to Jenny. Nigdy nie chciała nikogo skrzywdzić. Nie zrobiła tego celowo… – Na chwilę przerywam i patrzę na doktora, zgadując, o czym myśli. – Sasha to nie Jenny. Wiem, do czego pan zmierza.

– A do czego?

– Stara się pan, bym zobaczyła Sashę i Trenta jako ludzi, którzy śmiali się, płakali i mieli rodziny.

Doktor unosi swoje wszystkowiedzące brwi.

– To nie to samo! Nienawidzę ich! Nienawidzę Trenta! Jest mordercą!

Doktor Stayner zrywa się z fotela, podchodzi do półki z książkami i wyciąga największy słownik, jaki w życiu widziałam. Wraca i rzuca mi go na kolana.

– Proszę. Sprawdź znaczenie słowa „morderca", Kacey. Zrób to! Popatrz! – Nie czeka, aż wykonam jego idiotyczne polecenie. – Nie jesteś głupia, Kacey. Możesz ukrywać się za tym słowem albo zaakceptować sytuację taką, jaka jest. Trent nie jest mordercą, a ty go nie nienawidzisz. Wiesz, że to prawda, więc przestań mnie okłamywać i, co ważniejsze, przestań okłamywać samą siebie.

– Tak, nienawidzę go – rzucam w odpowiedzi, ale mój głos traci na sile.

Teraz nienawidzę również doktora Staynera.

Nienawidzę go, bo w głębi duszy wiem, że ma rację.

ROZDZIAŁ DZIEWIĘTNASTY

Doktor Stayner prowadzi mnie do małej, białej sali z oknem, za którym widać kolejny niewielki pokoik.

– Czy to lustro weneckie? – Pukam w nie.

– Tak, Kacey. Usiądź.

– Dobrze, doktorze dyktatorze – marudzę, opadając na podsunięte krzesło.

– Dziękuję, upierdliwa pacjentko.

Uśmiecham się krzywo. Czasem niekonwencjonalne metody doktora Staynera sprawiają, że cała ta sytuacja jest mniej bolesna. Nie zawsze, tylko czasami.

– Jaka kara mnie dzisiaj czeka? – rzucam nonszalancko, gdy w drugiej sali otwierają się drzwi. Gdy dostrzegam, kto wchodzi, sztywnieję i ostro wciągam powietrze przez zęby.

To Trent.

Cole.

Trent.

Kurwa.

Minęło kilka tygodni, odkąd widziałam go po raz ostatni. Nadal jest szczupły i umięśniony, na głowie ma jasnobrązowy bałagan, po prostu jest przystojny jak zawsze. To muszę mu oddać. I nienawidzę tego przyznawać. Tym razem jednak na jego twarzy nie dostrzegam uśmiechu. Nie ma dołeczków. Nic, co przypominałoby uroczego faceta, w którym się zakochałam.

Zakochałam się. Zaciskam zęby, by stłumić ból, który towarzyszy temu wyznaniu.

Trent zajmuje krzesło naprzeciw mnie. Nie muszę nawet patrzeć, by wiedzieć, że w jego oczach maluje się ogromne cierpienie. Ponieważ jednak go znam, a przynajmniej częściowo, to cierpienie mnie poraża.

I jest nie do zniesienia. Instynktownie chcę do niego iść i go pocieszyć.

Sekundę przed tym, zanim decyduję się wybiec z sali, doktor Stayner kładzie dłonie na moich ramionach.

– On cię nie widzi, Kacey. I nie słyszy.

– Po co tu jest? – szepczę drżącym głosem. – Dlaczego pan mi to robi?

– W kółko powtarzasz, że go nienawidzisz, a oboje wiemy, że to nieprawda. Jest tu po to, byś raz na zawsze to sobie uświadomiła i mogła ruszyć naprzód. W twojej terapii nie ma miejsca na czepianie się nienawiści.

Nie mogę oderwać spojrzenia od Trenta, nawet gdy zaprzeczam słowom doktora Staynera.

– To pan jest popieprzony i ześwirowany, doktorze...

Doktor Stayner przerywa mi:

– Kacey, wiesz, że Trent też jest moim pacjentem. I potrzebuje pomocy w takim samym stopniu, jak i ty. On też cierpi na zespół stresu pourazowego. On też zawiesił się na etapie grzebania bólu, zamiast zająć się nim w odpowiedni sposób. Tyle że zrobił to w mniej konwencjonalny sposób. Ale nie będziemy teraz o tym rozmawiać. – Wzdrygam się, gdy doktor klepie mnie w ramię. – Dzisiaj będę trochę oszukiwał. Dzisiejsza sesja będzie wspólna dla was obojga.

– Wiedziałam. – Oskarżycielsko wyciągam palec w górę.

Doktor Stayner uśmiecha się, jakby moja reakcja go bawiła. Nie znajduję jednak w niej nic śmiesznego. Zastanawiam się, co pomyśli o tym rada lekarska, gdy to zgłoszę.

– Tu chodzi w takim samym stopniu o leczenie zarówno Trenta, jak i twoje, Kacey. Będziesz tu siedziała i wysłuchasz, co on ma ci do powiedzenia. Kiedy skończy mówić, więcej go nie zobaczysz. On dzisiaj wraca do domu. Dobrze sobie radzi, ale niemożliwe jest, by terapia była skuteczna, kiedy wie, że jesteś w tym samym budynku. Nie mogę ryzykować, że przypadkowo wpadniecie na siebie. Rozumiesz?

Nieartykułowane warknięcie jest moją jedyną odpowiedzią.

Doktor Stayner pochyla się, by wcisnąć guzik od mikrofonu. Mogłabym teraz nawiać. Mogłabym. Całkiem prawdopodobne, że udałoby mi się uciec. Ale tego nie robię. Siedzę i gapię się na faceta, którego tak dobrze znam, a jednocześnie nie znam go w ogóle, i zastanawiam się, co ma mi do powiedzenia. I po części bardzo chcę odwrócić od niego spojrzenie, ale po prostu nie mogę.

– On cię nie widzi. Chciał, żeby tak to wyglądało. Czerwone światełko informuje go, że jego mikrofon jest włączony – wyjaśnia doktor Stayner i słyszę za sobą ciche kliknięcie. Spoglądam w tył i widzę, że doktor wyszedł z mojej salki, zostawiając mnie twarzą w twarz z facetem, który dwukrotnie zniszczył mi życie.

Czekam z zaciśniętymi pięściami i ściśniętym żołądkiem, Trent w tym czasie przesuwa się z fotelem tak blisko, że kolanami dotyka szkła. Pochyla się, opiera łokcie na kolanach, uwagę skupia na niespokojnie ruszających się palcach. Te palce, te ręce, nie tak dawno były moim zbawieniem, przynosząc mi niespotykaną radość. Jak sprawy mogły się tak szybko zmienić?

Powolnym ruchem, niemal sprawiającym ból, Trent unosi spojrzenie, które zrównuje się z moim, przykuwając moją uwagę do tych niebieskich tęczówek nakrapianych turkusem, które koncentrują się na mnie z taką siłą, że jestem pewna, że on mnie widzi. Panikuję, przesuwam się raz w lewo, raz w prawo, ale jego wzrok nie podąża za mną. *W porządku, może jednak Stayner nie kłamał.*

– Cześć, Kacey – wita się cichutko Trent.

– Cześć – mimowolnie mamroczę w odpowiedzi. Jego głos sprawia, że kurczy mi się żołądek.

Trent odchrząkuje.

– Trochę to dziwne, takie gadanie do lustra, ale to jedyny znany mi sposób, bym umiał powiedzieć to, co muszę, więc... jestem szczęśliwy, że tu jesteś z doktorem Staynerem. To świetny lekarz, Kacey. Zaufaj mu. Żałuję, że ja tego w pełni nie zrobiłem. Być może wtedy nie sprowadziłbym na ciebie tego wszystkiego. – Zaciska zęby i patrzy w bok. Jestem pewna, że błyszczą mu oczy, jednak, kiedy wraca do mnie spojrzeniem, są normalne. – Myślałem... – Przełyka ślinę, ma ochrypły głos. – Myślałem, że gdy się we mnie zakochasz, to wynagrodzi krzywdy, które ci wyrządziłem. Myślałem, że mogę cię uszczęśliwić, Kacey. Uszczęśliwić na tyle, byś, gdyby to wszystko się wydało, nie miała z tym problemu. – Zakrywa twarz dłońmi, trzymając je tak przez dłuższą chwilę, nim ponownie unosi spojrzenie. Smutny uśmiech maluje mu się na ustach. – Jak bardzo to popieprzone?

Następuje długa chwila ciszy, w której mam szansę mu się przyjrzeć, by przypomnieć sobie wszystkie te dni i noce pełne śmiechu i szczęścia. Nie mogę uwierzyć, że były prawdziwe. Czuję się, jakby to było inne życie.

– To, co stało się nocą cztery lata temu, było najgorszą decyzją, jaką tylko mogłem podjąć i taką, której będę żałował do końca życia. Jeśli potrafiłbym cofnąć czas i uratować twoją rodzinę, moją rodzinę, Sashę i Dereka, zrobiłbym to. Zrobiłbym. Dokonałbym niemożliwego, by ich ocalić. – Jego jabłko Adama podskakuje, gdy przełyka. – Sasha... – Ponownie pochyla głowę. Na dźwięk tego imienia zamykam oczy. Brzmienie tego imienia nadal boli, ale odkrywam, że już nie tak bardzo. Po lekcji doktora Staynera na temat współczucia boli mniej. Kiedy otwieram oczy, Trent znów na mnie patrzy, a łzy bólu i straty spływają mu po policzkach.

Tylko tego trzeba. Kulę się, ponieważ widok tak wielkiego smutku rozrywa mi resztki pancerza ochronnego. Zakrywam usta, łzy płyną mi z oczu, nim mogę je powstrzymać. Natychmiast je ocieram, ale w ich miejsce napływają nowe. Po wszystkim, co się stało, ból Trenta nadal wypala się w moim wnętrzu.

A dzieje się tak, ponieważ nie nienawidzę go. Nie mogę. Kocham go. Jeśli mam być ze sobą szczera, to nadal go kocham. Nie obchodzi mnie nawet, że mnie szpiegował. Nie wiem dlaczego, wiem jedynie, że mam to gdzieś.

Proszę, doktorze Stayner. Przyznałam to. Niech pana cholera weźmie!

– Sasha był dobrym człowiekiem, Kacey. Pewnie mi nie uwierzysz, ale polubiłabyś go. Razem dorastaliśmy. – Na to wspomnienie, Trent słabo się uśmiecha. – Był dla mnie jak brat. Nie zasłużył na to, co go spotkało, ale, w dziwaczny sposób, lepiej, że tak się stało. Z takim poczuciem winy nie przeżyłby dziesięciu minut. Był... – Głos Trenta załamuje się, gdy kciukiem ociera policzek z łez. – Był dobrym człowiekiem.

Spojrzenie Trenta wędruje po krawędziach szkła.

– Wiem, że musisz mnie nienawidzić, Kacey. Tak bardzo nienawidziłaś Cole'a. Tylko że ja nie jestem Cole'em, Kacey. Już nie jestem tamtym facetem. – Przerywa i bierze głęboki oddech. Gdy ponownie się odzywa, jego głos znów jest stabilny, oczy jaśniejsze, jego ramiona nieco mniej zgarbione. – Nie potrafię naprawić krzywd, jakie ci wyrządziłem. Wszystko, co mogę, to powiedzieć przepraszam. To, i poświęcić życie, by inni dowiedzieli się, ile może kosztować błędna decyzja. Ile bólu może sprowadzić. – Jego głos unosi się. – Tyle mogę zrobić. Dla siebie i dla ciebie.

Powolnym ruchem unosi drżącą dłoń, przyciska ją do szyby i tam pozostawia.

A ja nie mogę się powstrzymać.

Dociskam palce idealnie do jego, wyobrażając sobie, jakby to było znów poczuć jego skórę, spleść z nim palce, znów być przyciągniętą do niego, do jego ciepła. Do jego życia.

Siedzimy tak przez dłuższą chwilę, ręka przytknięta do ręki, łzy płyną mi po policzkach.

Wtedy Trent zabiera dłoń i opiera ją na kolanie, jego głos na powrót mięknie.

– Chciałem ci to osobiście powiedzieć, nawet jeśli moje intencje były złe. – Patrzy teraz w szybę wzrokiem pełnym żaru i emocji. Jednym z tych spojrzeń Trenta, od których miękną mi kolana. – To, co czułem do ciebie, było prawdziwe, Kacey. Nadal takie jest. Tylko nie mogę już trzymać się tego. Oboje zasługujemy na szansę, by wyzdrowieć.

Serce podchodzi mi do gardła.

– Nadal jest prawdziwe – miękko potwierdzam na głos. Jest prawdziwe.

Gdy orientuję się, co się dzieje, nowe łzy spływają mi po policzkach.

Trent się ze mną żegna.

– Mam nadzieję, że któregoś dnia wyzdrowiejesz i ktoś będzie potrafił cię rozweselić. Masz taki piękny uśmiech, Kacey Cleary.

– Nie – szepczę nagle, marszcząc czoło. – Nie! – Obie dłonie natychmiast opieram na szybie. Uświadamiam sobie, że nie jestem gotowa na pożegnanie. Nie takie. Nie w tej chwili.

Być może nigdy nie będę.

Nie potrafię tego wytłumaczyć. Jasne jak diabli, że nie chcę tego czuć. Jednak czuję.

Wstrzymuję oddech, patrząc, jak Trent, cały spięty, wstaje i wychodzi z sali. Widok zamykających się za nim drzwi – widok Trenta na zawsze odchodzącego z mojego życia – wywołuje we mnie lament tak wielki, że upadam na podłogę.

ROZDZIAŁ DWUDZIESTY

Przeglądam tytuły w biblioteczce doktora Staynera, żeby się czymś zająć, bym nie musiała patrzeć na spuchniętą wargę, jaką mu zafundowałam na wczorajszej sesji grupowej. Uzupełnia ona podbite oko, które sprawiłam mu na zeszłotygodniowym spotkaniu. Od dnia, w którym Trent się ze mną pożegnał, czuję się jeszcze bardziej pusta niż wcześniej. Bez wątpienia – Trent czy Cole, z błędną decyzją czy będący mordercą – ten mężczyzna zawładnął moim sercem i zabrał ze sobą jego kawałek.

– Moi synowie zaczęli nazywać środę „środowym laniem ojca" – informuje mnie doktor Stayner.

Cóż, gdy temat został wyciągnięty, nie za bardzo mogę go uniknąć.

– Przepraszam – mamroczę, zerkając spode łba na jego twarz i się krzywiąc.

Uśmiecha się.

– Niepotrzebnie. Wiem, że naciskałem na ciebie bardziej, niż powinienem. Normalnie nie mam problemu z nakłonieniem pacjentów do rozmowy na temat ich traumy. Sądziłem, że w twoim przypadku zadziała odrobinę bardziej agresywne podejście.

– A skąd ten genialny pomysł?

– Ponieważ tak mocno kompresujesz swój ból i emocje, że musieliśmy wysadzić je w powietrze, by się do nich dostać – żartuje. – To znaczy, no spójrz na siebie. Jesteś wyszkoloną w walce zawodniczką. Prawdopodobnie potrafiłabyś pokonać moich synów. Tak naprawdę chciałbym cię niedługo zaprosić na obiad, byś pokazała im, gdzie raki zimują.

Przewracam oczami z powodu niekonwencjonalnych metod mojego znachora.

– Nie zapędzałabym się aż tak bardzo.

– A ja tak. Całą swoją tragedię skanalizowałaś w diabelnie twardy mechanizm ochronny. – Jego głos mięknie. – Ale każdy mechanizm obronny może się zepsuć. Myślę, że już się tego nauczyłaś.

– Trent... – Jego imię prześlizguje mi się po języku.

Doktor przytakuje.

– Dzisiaj nie będziemy rozmawiać o wypadku. – Ta informacja sprawia, że opadają mi ręce. Zazwyczaj doktor Stayner właśnie o tym chce rozmawiać. Czekam, kiedy mości się w fotelu. – Będziemy mówili o radzeniu sobie z traumą. O sposobach, dzięki którym każda osoba może tego dokonać. O tych dobrych, złych, paskudnych. – Doktor Stayner przerabia całą listę mechanizmów, każdy zaznaczając wyciągniętym palcem, przechodząc przez dłoń kil-

ka razy. – Narkotyki, alkohol, seks, anoreksja, prze-
moc... – Siedzę i słucham, zastanawiając się dokąd
zmierza. – Obsesja oszczędzania czy naprawiania. –
Wiem, o kim mówi.

Byłam mechanizmem Trenta w radzeniu sobie
z traumą.

– Wszystkie te mechanizmy wydają się na krótko
zdawać egzamin, ale ostatecznie tylko osłabiają i po-
zostawiają bez ochrony. Nie są powrotem do zdrowia. Nie są trwałe. Żaden człowiek nie jest w stanie
prowadzić zdrowego, satysfakcjonującego życia na
kokainie. Do tej pory wszystko jest dla ciebie jasne?

Kiwam głową. Nie jestem dla Trenta czymś dobrym. To właśnie mówi doktor Stayner. To właśnie
dlatego Trent się pożegnał. Od tamtego dnia rana
jest otwarta, ale nie chowam bólu. Skończyłam
z ukrywaniem. To bezcelowe. Doktor Stayner i tak
zaraz to wyciągnie, nie uniknę tego.

– Dobrze. A teraz, Kacey, będziemy musieli
znaleźć dla ciebie metodę radzenia sobie z traumą.
Kick-boxing nie jest jedną z nich. Tak, pomaga ska-
nalizować gniew, ale musimy znaleźć sposób, dzięki
któremu na trwałe ugasimy twoją wściekłość. Chcę,
żebyśmy zrobili burzę mózgów. Jakie, według ciebie,
są zdrowe mechanizmy?

– Gdybym wiedziała, stosowałabym je, prawda?

Doktor przewraca oczami. Jaki profesjonalista
tak robi?

– No daj spokój. Jesteś bystra. Pomyśl o tych rzeczach, o których słyszałaś. O tym, co sugerowali inni. Pomogę ci zacząć. Rozmowa z innymi o traumie jest jednym z tych mechanizmów.

Teraz moja kolej, by przewrócić oczami.

Doktor Stayner zbywa to machnięciem ręki.

– Wiem, wiem. Rozumiem, że jasno się wyraziłaś. Jednak mówienie o bólu i dzielenie go z innymi jest jednym z najlepszych mechanizmów radzenia sobie z nim. Pomaga go uwolnić, a nie kumulować i czekać, aż wybuchnie. Inne mechanizmy to malowanie, czytanie, wyznaczanie celów, pisanie o uczuciach.

Hm. Mogłabym pisać. To nadal bardzo osobiste.

– Joga też fantastycznie się sprawdza. Pomaga oczyścić umysł, koncentruje się na oddychaniu.

Oddychanie.

– Dziesięć płytkich oddechów – mamroczę do siebie, czując, jak ironia maluje mi się na ustach.

– Słucham? – Doktor Stayner pochyla się, palcem dociskając okulary.

Kręcę głową.

– Nie, nic. Tak zwykła mawiać moja mama. Prosiła, bym wzięła dziesięć płytkich oddechów.

– W jakich sytuacjach tak mawiała?

– Zawsze gdy byłam smutna, wkurzona albo zdenerwowana.

Doktor Stayner pociera podbródek.

– Rozumiem, a mówiła coś jeszcze? Pamiętasz coś?

Uśmiecham się. Oczywiście, że pamiętam. To mocno wyryte w mojej głowie.

– Mawiała: „Oddychaj, Kacey. Dziesięć płytkich oddechów. Przyjmij je. Poczuj je. Pokochaj je".

Następuje dłuższa chwila ciszy.

– Jak myślisz, co miała przez to na myśli?

Marszczę brwi z irytacją.

– Mówiła, żebym oddychała.

– Hm. – Doktor toczy pióro po blacie biurka, jakby głęboko się zamyślił. – I w jaki sposób płytkie oddechy mają pomóc? Dlaczego płytkie? Dlaczego nie głębokie?

Uderzam dłońmi o biurko.

– Zawsze mnie to zastanawiało. Sam pan widzi.

Ale on tego nie dostrzega. Wnosząc po niewielkim uniesieniu kącików ust, widzi coś innego. Coś, co mi umyka.

– Myślisz, że to ważne, czy są płytkie czy głębokie?

Krzywię się. Nie lubię takich gierek.

– A pan jak myśli, co chciała przez to powiedzieć?

– A ty jak myślisz, co chciała przez to powiedzieć?

Znów mam ochotę walnąć doktora Staynera w twarz. Naprawdę bardzo mocno chcę mu przywalić.

★ ★ ★

Oddychaj, Kacey. Dziesięć płytkich oddechów. Przyjmij je. Poczuj je. Pokochaj je. Wciąż obracam tymi słowami w głowie, jak wcześniej robiłam na próżno tysiące razy, leżąc bezsennie w łóżku w mojej celi, która nie jest celą. To ładny, niewielki pokoik z własną łazienką i słonecznymi, żółtymi ścianami. Mimo to czuję się pozbawiona wolności jak w celi.

Doktor Stayner od razu pojął, co mama miała na myśli. Poznałam po uśmieszku malującym się na jego twarzy. Zgaduję, że aby to zrozumieć, trzeba być superinteligentnym. Najwyraźniej doktor Stayner jest. Najwidoczniej ja nie.

Oddycham głęboko, w myślach odtwarzając rozmowę. Co on mówił o radzeniu sobie z traumą? Oddychanie może być mechanizmem do tego służącym. Później zakwestionował płytkie oddechy. Ale mnie wkręcił. Już znał odpowiedź. A jest nią…

Jeden… Dwa… Trzy… Liczę do dziesięciu w nadziei, że spłynie na mnie głęboka mądrość. Ale tak nie jest.

„Myślisz, że to ważne, czy są płytkie czy głębokie?" – zapytał. Cóż, jeśli nie są płytkimi oddechami i nie są głębokimi oddechami, to są po prostu… oddechami. Wtedy po prostu oddychasz dla samego… oddychania.

...Przyjmij je. Poczuj je. Pokochaj je...

Natychmiast siadam na łóżku, przez moje ciało przetacza się dziwne, uspokajające uczucie, gdy spływa na mnie olśnienie.

To takie proste. Boże, to tak cholernie proste.

ETAP ÓSMY

POWRÓT DO ZDROWIA

ROZDZIAŁ DWUDZIESTY PIERWSZY

Sześć tygodni później. Terapia grupowa.

Jeden... Dwa... Trzy... Cztery... Pięć... Sześć... Siedem... Osiem... Dziewięć... Dziesięć.

Staram się nie wykręcać palców, gdy trzymam je splecione na kolanach.

– Nazywam się Kacey Cleary. Cztery lata temu w samochód, którym jechałam, uderzył inny, prowadzony przez pijanego kierowcę. W wypadku zginęli moi rodzice, moja przyjaciółka i mój chłopak. Ja zostałam w samochodzie, trzymając rękę martwego chłopaka, słuchając ostatniego oddechu matki, aż ratownikom udało się mnie wyciągnąć. – Przerywam, by przełknąć ślinę. *Jeden... Dwa... Trzy...* Tym razem biorę głębokie oddechy. Długie, głębokie oddechy. Nie są płytkie. Są ogromne. Monumentalne.

– Na początku, by zagłuszyć ból, używałam narkotyków i alkoholu. Potem skupiłam się na przemocy i seksie. Jednak teraz... – Patrzę prosto na doktora Staynera. – ...po prostu doceniam fakt, że mogę przytulić siostrę, śmiać się z przyjaciółmi, chodzić i biegać. Doceniam to, że żyję. To, że mogę oddychać.

Jestem ponad wodą.

I tym razem pozostanę tam, gdzie moje miejsce.

★ ★ ★

Głośne oklaski witają mnie w *Penny*. Gdy wychodzę zza rogu, widzę, że wszyscy na mnie czekają. Pierwszy wita mnie Nate, pochylając się i porywając mnie w wielki, niedźwiedzi uścisk. Nie wzdrygam się z powodu kontaktu. Ponownie nauczyłam się w pełni go akceptować.

– Zawsze wiedziałem, że byłaś stuknięta w główkę! – krzyczy skądś Ben. Odwracam się, a on obejmuje mnie i mocno przytula. – I twarda jak skała, bo wszystko to przetrzymałaś – dodaje, miękko szepcząc mi do ucha. – Ja bym beczał jak pięciolatek. Wszystko z tobą w porządku?

Klepię go w ramię, gdy stawia mnie na podłodze.

– Będzie. Mam jeszcze przed sobą długą drogę.

– Cóż, bez ciebie nie było tu tak samo – mówi. – Hej, tam stoi twoja siostra? – Skinieniem głowy wskazuje Livie, która stoi ze Storm i Danem. – Myślałem o zaproszeniu jej…

– Ma piętnaście lat. – Daję mu kuksańca w bok. – Nie nauczyli cię do tej pory w szkole, jaka jest definicja gwałtu, Prawniczku?

Jego oczy rozszerzają się ze zdziwienia, unosi ręce na znak kapitulacji.

– Cholera. – Słyszę, jak przeklina pod nosem, kręcąc głową, gdy ponownie zerka na Livie.

Jest tuż przed otwarciem, dziewczyny są już w strojach – lub bez – Mia została w domu z opiekunką. Livie trzyma się Storm i Dana, bojąc się gdziekolwiek pójść. Jest tu też Tanner z bezczelnie wywalonym jęzorem.

Największe zaskoczenie? Mój szarlatan stosujący niekonwencjonalne metody też przyszedł.

– Nie jestem pewna, czy to nie narusza stosunków pacjent–lekarz – żartuję, dając mu kuksańca.

Chichocze, obejmując mnie w talii i przytulając.

– Podobnie, jak uderzenie lekarza w twarz… dwukrotne, ale wyświadcz mi przysługę i zapomnij o tym.

Storm i Livie opadają szczęki, podczas gdy Dan i Ben zwijają się ze śmiechu.

– Komuś szampana? – Podchodzi zadowolony Cain z tacą pełną wysokich kieliszków. Kłuje mnie znajomy smutek, gdy przypominam sobie, kiedy ostatni raz ktoś podał mi szampana. To był Trent.

Tęsknię za nim. Brakuje mi jego oczu, jego dotyku, sposobu, w jaki się przy nim czułam. Zgadza się. Mogę to teraz przyznać bez poczucia winy, złości czy urazy.

Tęsknię za Trentem. Tęsknię za nim każdego dnia.

Jakaś ręka wślizguje mi się pod ramię i ściska. To Storm. W jakiś sposób wyczuła, że w moim wnętrzu się kotłuje. Rozumie to.

– Za największą świruskę, jaką kiedykolwiek miałem przyjemność rozpracować – doktor Stayner wznosi toast, więc wszyscy stukamy się kieliszkami i pijemy.

– To co, jestem wyleczona, doktorku? – pytam, długo delektując się słodkim, gazowanym napojem. Przypomina mi o ustach Trenta, o ostatnim razie, gdy mnie całował.

Doktor mruga do mnie.

– Nigdy nie używam tego słowa, Kacey. Uzdrowiona lepiej pasuje. Chociaż jest jeszcze jeden, ostatni, wielki krok w twoim powrocie do zdrowia, nim powiem, że jesteś na najlepszej drodze do odzyskania siebie.

Unoszę brwi ze zdziwienia.

– Ach tak? A jest nim…?

– Nie mogę ci powiedzieć. Dowiesz się w swoim czasie. Zaufaj mi.

Żartobliwie poruszam brwiami.

– Mam zaufać szarlatanowi?

– Bardzo drogiemu szarlatanowi – dodaje, ponownie mrugając.

A skoro o tym mowa…

– Kto jest kumplem kumpla Dana, który mnie do pana skierował? Pewnie powinnam mu podziękować – zagaduję niewinnie.

Spojrzenie doktora Staynera prześlizguje się po Storm i czym prędzej spoczywa na barze.

– O, patrz! Kawior! – Przesuwa się w kierunku tacy, na której bez wątpienia nie ma kawioru. Jest to dla mnie dość oczywiste, ale gram dalej.

– Livie?

Patrzy na mnie jak przysłowiowy kot, który pożarł kanarka.

– Nie wkurzysz się? – Łagodząc wyraz twarzy, czekam, co powie dalej. – Ojciec Trenta zapłacił za wszystko.

Udaję oburzenie i obdarowuję ją swoim najlepszym porażającym spojrzeniem.

Livie, speszona i czerwona na twarzy, śpieszy z wyjaśnieniem:

– Potrzebowałaś pomocy, Kacey, i to naprawdę kosztownej pomocy. Nie chciałam dla ciebie jakiegoś beznadziejnego państwowego ośrodka opieki, ponieważ poprzednio ci nie pomogli, listy oczekujących na przyjęcie są zbyt długie i… – W jej oczach pojawiają się łzy. – Carter w godzinę załatwił, że znalazłaś się na liście pacjentów doktora Staynera. Doktor Stayner jest ich przyjacielem, jest naprawdę dobry w tym, co robi i… – Łzy ciekną jej po policzkach. – Proszę, nie porzucaj terapii. Tak dobrze ci idzie. Proszę, nie rób tego.

– Livie! – Łapię ją za ramiona i potrząsam. – Jest OK. Domyśliłam się tego. A ty postąpiłaś właściwie.

Przełyka ślinę.

– Tak? – Na jej twarzy maluje się grymas i z opóźnieniem daje mi kuksańca w ramię. – Wiedziałaś i pozwoliłaś mi panikować?

Śmieję się i przyciągam ją do siebie, by przytulić.

– Tak, Livie. Ty zawsze postępujesz właściwie. Wiesz co, naprawdę uważałam, że potrzebujesz mojej opieki, ale prawda jest taka, że to ty opiekujesz się mną. Zawsze tak było. – Śmieje się miękko, gdy wierzchem dłoni ociera łzy. Przerywam, niepewna, czy mogę zapytać, ale i tak to robię. – Rozmawiałaś z Carterem na temat Trenta?

Livie kiwa głową i obdarowuje mnie delikatnym uśmiechem. Powiedziałam jej o pożegnaniu Trenta. Jestem przekonana, że płakała podczas tej rozmowy telefonicznej. Nawet ona nie potrafi go nienawidzić.

– Carter dzwoni do mnie co kilka tygodni, by sprawdzić, co słychać. Trent ma się dobrze, Kacey. Naprawdę dobrze – szepcze.

– Cieszę się. – Kiwam głową i się uśmiecham. Nie pytam o więcej. Lepiej będzie, gdy pozostaniemy osobno, nawet ja o tym wiem. Jednak to nadal boli, gdzieś tam w środku. Boże, nadal boli. Ale wmawiam sobie, że dobrze jest czuć. Nie będę cierpieć wiecznie.

– Dziewczyny, muszę wam coś powiedzieć – przerywa nam Storm, po czym patrzy na Dana. Kiedy widzi jego skinienie głowy, ogłasza: – Odchodzę z *Penny*. Mam zamiar otworzyć szkołę akrobatyki!

Razem z Livie musimy wyglądać jak lustrzane odbicia, gdy obu nam jednocześnie opadają szczęki.

– Ale to nie wszystko. Dan kupił dom na plaży i poprosił, byśmy się z Mią wprowadziły, a ja się zgodziłam. Cóż... – Przewraca oczami. – Mia powiedziała „tak" i nakazała mi zrobić to samo.

Następuje chwila bezruchu i ciszy, po której Livie zarzuca ręce na szyję Storm.

– To świetnie, Storm! – Znów zaczyna płakać. – Och, to naprawdę łzy szczęścia. Tak bardzo będę za tobą tęsknić.

Gdy wymieniamy ze Storm spojrzenia ponad ramieniem Livie, przepływa przeze mnie słodkogorzkie uczucie. Będę tęsknić za mieszkaniem z nią drzwi w drzwi. Wszystko się zmienia. Życie posuwa się naprzód.

– W sumie liczyłam na to. – Storm odsuwa Livie i nagle, zdenerwowana, bierze głęboki wdech. – Dom jest wielki. To znaczy naprawdę ogromny. Dan dostał spadek po babci. Mamy tam pięć sypialni. I... no cóż... wy dwie stałyście się ważną częścią naszego życia i chcę, żeby tak pozostało. Więc pomyśleliśmy, że moglybyście z nami zamieszkać.

Patrzę na Livie, potem na Storm, wreszcie na Dana.

– Jesteś pewien, że nie potrzebujesz terapii, Dan? – pytam z powagą.

Dan chichocze, przyciągając do siebie Storm.

Storm się odwraca.

– Livie, będziesz mogła skoncentrować się na zdobywaniu stypendium, by dostać się do Princeton, ale i tak wiem, że je dostaniesz. Kacey... – Taksuje mnie surowym spojrzeniem, biorąc mnie za ręce. – Wymyślisz, czego chcesz od życia i zaczniesz do tego dążyć. Jestem tu dla ciebie, na każdym kroku. Nigdzie się nie wybieram.

Przytakuję, przygryzając dolną wargę, by się nie rozpłakać. Ale to nie działa. Szybko tracę z oczu Storm przez łzy.

Łzy szczęścia.

★ ★ ★

– Zapewne bez was będzie tu cicho, moje panie – mówi Tanner, drapiąc się po głowie, gdy siada obok mnie na ławce na patio. Jest dziewiąta wieczorem i zrobiło się już ciemno. Goście od przeprowadzek rano mają zabrać nasze rzeczy.

– Podoba mi się to, co zrobiłeś z tym miejscem, Tanner – mówię, dotykając niewielkich, białych lampek choinkowych założonych na przycięte krzewy. Chwasty zostały wypielone, krzaki wycięte i gdzieniegdzie posadzono fioletowe kwiatki. Nowy grill stoi obok stołu piknikowego i przez zapach grillowanego mięsa unoszący się w powietrzu mogę powiedzieć, że patio w końcu do czegoś służy.

– To wszystko zrobiła twoja siostra – mamrocze Tanner. – Musiała się czymś zająć, gdy ciebie nie było. – Pochyla się i krzyżuje ręce na wystającym brzuchu. – To teraz mam trzy mieszkania do wynajęcia. Twoje, Storm i 1D.

Mimowolnie zerkam przez ramię na ciemne okno i odczuwam smutek.

– Nie wynająłeś go jeszcze? Trenta nie ma od miesięcy. – Wymawianie jego imienia sprawia, że zasycha mi w ustach i odczuwam w swoim wnętrzu pustkę.

– No właśnie. Ale zapłacił za pół roku. Do tego liczyłem, że się tu pojawi. – Przez chwilę w milczeniu studiuje własne paznokcie. – Słyszałem o wszystkim. Livie mi powiedziała. Obie macie pod górkę.

Powoli kiwam głową.

Tanner wyciąga nogi przed siebie.

– Opowiadałem ci kiedyś o bracie?

– Nie… chyba nie.

– Miał na imię Bob. Pewnego wieczora zabrał dziewczynę na randkę. Wypił jedno piwo za dużo. Myślał, że da radę prowadzić. Hej, to się zdarza. Nie usprawiedliwiam go, ale to się zdarza. Owinął samochód wokół drzewa. Zabił dziewczynę. – W ciszy czekam na dalszy ciąg, obserwując, jak splata palce i nerwowo stuka nogą. – Po tym nie był już sobą. Pół roku później znalazłem go wiszącego w stodole ojca.

– Przy… – Przełykam ślinę, niepewnie wyciągając rękę, i klepię Tannera po ramieniu. – Przykro mi, Tanner. – To wszystko, co mogę powiedzieć.

Kiwa głową, przyjmując kondolencje.

– To straszne dla wszystkich. Dla sprawcy. Dla ofiar. Nie sądzisz, że wszyscy w głębi duszy bardzo cierpią?

– Tak, masz rację – odpowiadam ochrypłym głosem, koncentrując spojrzenie na maleńkich światełkach choinkowych i zastanawiam się, czy Tanner potrzebował dwumiesięcznej intensywnej terapii, by dojść do takiego wniosku.

– Cóż, tak czy inaczej… – Tanner wstaje. – Mam nadzieję, że Bob znalazł spokój. Lubię myśleć, że spotkał się z Kimmy w niebie. Być może przebaczyła mu to, co jej zrobił. – Tanner odchodzi z rękami w kieszeniach, pozostawiając mnie gapiącą się w ciemne okno mieszkania 1D.

Nagle wiem, co powinnam zrobić.

Drżącymi palcami ledwo potrafię wybrać numer doktora Staynera, który mi podał, bym dzwoniła w nagłych przypadkach. To właśnie taka sytuacja.

– Halo? – zgłasza się miękki głos i wyobrażam go sobie siedzącego w fotelu przy kominku, z okularami na nosie, czytającego magazyn dla lekarzy od świrów.

– Doktor Stayner?

– Tak, Kacey? Wszystko w porządku?

– Tak, dziękuję. Doktorze Stayner, mam prośbę. Wiem, że to zapewne nadużycie stosunku pacjent––lekarz, ale…

– O co chodzi, Kacey? – W jego głosie słyszę cierpliwość.

– Proszę mu przekazać, że przebaczam. To wszystko. – Następuje długa chwila ciszy. – Doktorze Stayner? Może pan to zrobić? Proszę.

– Oczywiście, że mogę, Kacey.

ETAP DZIEWIĄTY

PRZEBACZENIE

ROZDZIAŁ DWUDZIESTY DRUGI

Fale rozbijają mi się o stopy, gdy idę brzegiem do domu, obserwując słońce nurkujące za horyzont. Kiedy Storm powiedziała „dom na plaży", nie sądziłam, że rozumie przez to posiadłość wprost na Miami Beach. A kiedy mówiła „duży dom", nie sądziłam, że ma na myśli trzypiętrową willę z owalnymi balkonami i osobnym skrzydłem dla mnie i Livie. Najwyraźniej babcia Ryder maczała pomarszczone palce w ropie naftowej i mając jedynego wnuka, funkcjonariusza Dana, zachowała się jak przystało na bogatą babcię posiadającą jedynego potomka.

Mieszkamy tu od przeszło pięciu miesięcy, a ja nadal nie przywykłam. Nie wiem, czy to dlatego, że miejsce jest zbyt piękne, by było prawdziwe, czy może przez to, że mi czegoś brakuje.

Kogoś.

Każdego wieczora chodzę po plaży, słuchając, jak spokojne fale rozbijają się o brzeg i doceniając, że mogę chodzić, biegać, oddychać. I kochać. Zastanawiam się też, gdzie jest Trent. I co u niego słychać.

Czy znalazł dla siebie skuteczny mechanizm radzenia sobie z traumą i czy wyzdrowiał. Doktor Stayner po tamtej rozmowie telefonicznej nie informował mnie, jak radzi sobie Trent. Ufam, że przekazał mu wiadomość. Nie mam co do tego wątpliwości. Mogę mieć jedynie nadzieję, że przyniosła Trentowi pewien poziom spokoju.

Ale nie naciskałam. Nie mam prawa. Parę razy pytałam Livie, czy od Cartera słyszała coś o Trencie. Carter dzwoni do niej co drugą niedzielę, żeby sprawdzić, co u nas i zapytać, jak leci jej w szkole. Myślę, że Livie naprawdę to lubi. To tak, jakby jego osobą zastępowała osobę ojca i wypełniała ogromną lukę powstałą po wypadku. Być może po pewnym czasie ja też będę mogła z nim rozmawiać. Teraz nie wiem…

Chociaż za każdym razem, gdy pytałam o Trenta, prosiła mnie, bym nie robiła jemu albo sobie krzywdy przez rozdrapywanie starych ran. Oczywiście Livie ma rację. Livie zawsze wie, co dobre.

Staram się nie myśleć o Trencie żyjącym własnym życiem, mimo że prawdopodobnie zajęty jest właśnie własnymi sprawami. Wyobrażanie go sobie w ramionach innej sprowadza ból do mojej klatki piersiowej. Potrzebuję więcej czasu, nim zmierzę się z rzeczywistością. A moja miłość do niego? Cóż, wątpię, by kiedykolwiek przeminęła. Pewnie ruszę do przodu, zawsze już żałując, że nie ma go przy mnie. Ruszenie naprzód... Coś, czego nie robiłam od śmierci rodziców.

Wolno przesuwam stopy, obserwując, jak słońce niknie za horyzontem. Ostatni jego promyk tańczy na falach i dziękuję Bogu, że dał mi drugą szansę.

– To miejsce chyba bardziej pasuje na pierwsze spotkanie niż pralnia.

Dźwięk głębokiego głosu zatrzymuje mi serce. W płucach więźnie mi oddech, obracam się i widzę za sobą niebieskie tęczówki i burzę jasnobrązowych włosów.

Trent stoi przede mną z rękami wciśniętymi w kieszenie. Jest tutaj, we własnej osobie.

Walczę, by zaczerpnąć oddech, podczas gdy moje serce na powrót zaczyna bić, z tą różnicą, że teraz powolnie i rytmicznie stuka w mojej klatce piersiowej. Uderza we mnie plątanina emocji i stoję nieruchomo, starając się je wyodrębnić i zrozumieć, abym mogła sobie z nimi poradzić. Nie tłumię ich. Koniec z ukrywaniem.

Czuję szczęście. Szczęście z powodu obecności Trenta.

Tęsknotę. Tęsknię za dotykiem jego skóry, jego ramionami oplecionymi wokół mnie, za jego ustami na moich.

Miłość. Cokolwiek się między nami wydarzyło, było prawdziwe. Wiem, że takie było. I kocham go za to, że pozwolił mi tego doświadczyć.

Nadzieję. Nadzieję na to, że coś tak pięknego może zrodzić się z tak makabrycznej historii.

Strach. Że się nie zrodzi.

Przebaczenie... Przebaczam mu.

– Dlaczego tu jesteś? – wypalam bezmyślnie, cała drżę.

– Livie prosiła, bym przyjechał.

Livie. Zawsze zaskakująca. Głos Trenta jest cichy i łagodny. Mogłabym zamknąć oczy i przez całą noc słuchać, jak wibruje mi w uszach, ale nie robię tego w obawie, że Trent zniknie. Zatem gapię się na niego, na jego rozchylone usta, na niebieskie oczy, których spojrzenie wędruje po mojej twarzy.

– To chyba dowód na to, że już nie posądza cię o wpychanie kociąt do bankomatów. – Udaje mi się w końcu wydusić.

Trent śmieje się, jego oczy błyszczą.

– Najwyraźniej ma jedno zmartwienie z głowy.

Stoi ode mnie zaledwie dwa metry. Trzy kroki od zasięgu moich ramion, a ja nie mogę zmniejszyć tej odległości. Tak bardzo chcę. Ale nie mam do tego prawa. To szczupłe, umięśnione ciało, ta twarz, ten uśmiech, to serce – nic z tego już nie należy do mnie, jest poza moimi marzeniami. Ktoś inny będzie się cieszył tymi błogosławieństwami.

Być może już to robi.

– Doktor Stayner wie, że tu jesteś?

Obserwuję, jak jego klatka piersiowa unosi się i opada podczas oddechu.

– Tak, mówiłem mu. Już nic przed nim nie ukrywam.

– Och. – Obejmuję się ramionami. – Więc co u ciebie słychać?

Patrzy na mnie przez dłuższą chwilę, po czym się uśmiecha.

– Wszystko u mnie dobrze, Kacey. – Następuje chwila milczenia. – Jednak nie wyśmienicie.

Czuję, że czoło marszczy mi się z powodu niepokoju.

– Dlaczego? O co chodzi? Terapia nie działa?

– O co chodzi? – Trent unosi brwi, podchodzi do mnie dwa kroki, opiera dłonie na mojej talii. Wciągam powietrze przez zęby, jego bliskość jest jednocześnie niepokojąca i odurzająca. – O co chodzi każdego ranka i każdej nocy, gdy leżę w łóżku, zastanawiając się, dlaczego nie ma cię przy mnie?

Kolana zaczynają mi mięknąć.

– Dobrze wiesz dlaczego – odpowiadam cichym, pokonanym głosem.

W duchu krzyczę, przeklinając rzeczywistość.

– Nie, wcześniej o to chodziło. Ale uwolniłaś mnie Kacey, pamiętasz?

Przebaczyłam ci. Przytakuję i przełykam ślinę. Unosi dłoń, by opuszkiem kciuka pogładzić mnie po policzku.

– Nie chciałbym być nigdzie indziej niż przy tobie. – Kciukiem przeciąga po mojej dolnej wardze.

Wydaje mi się, że nie oddycham. Drżą mi ręce,
gdy zakładam kosmyk włosów za ucho.

– Co sądzi o tym doktor Stayner? Czy to złe?

– Och, Kace. – Trent się uśmiecha i ukazują mi
się najgłębsze dołeczki, jakie do tej pory widziałam,
które dosłownie zwalają mnie z nóg. – Nic nigdy nie
było bardziej właściwe.

To wszystko, co potrzebuję usłyszeć. Wpadam
w jego ramiona, dociskam usta do jego warg.

Przyjmuję go. Czuję go. Kocham go.

EPILOG

Lekki wietrzyk rozwiewa falbany sukni Storm, gdy razem z Danem pozują do zdjęć na tle oceanu i zachodzącego nad nim słońca. Storm jest najpiękniejszą panną młodą, jaką w życiu widziałam, tym bardziej że ma zaokrąglony brzuszek. Dziecko ma przyjść na świat za trzy miesiące, a Mia już nazywa je Małym Kosmitą X. Nie wiem, skąd jej się to wzięło. Prawdopodobnie podłapała od Dana. Dziecko to dziewczynka. Dan żartuje, że jego żywot jest przeklęty, jednak w duchu uważam, że cieszy się z całego tego babińca. Chociaż dom przy plaży ostatnio jest mniej nasycony estrogenem, ponieważ Livie mieszka w New Jersey, a ja dzielę swój czas między willę, szkołę i mieszkanie Trenta, które znajduje się pięć minut drogi stąd.

— Kto mógł przypuszczać, że na weselu będzie tyle boskich lasek? — Trent wślizguje się za mnie, obejmując mnie ramionami. Żołądek wywija mi salto. Zawsze tak jest, gdy Trent mnie dotyka. Nawet po trzech latach samym spojrzeniem potrafi robić mi rzeczy, o których myślałam, że są niemożliwe. Mam nadzieję, że to się nigdy nie zmieni.

– Mówiąc „tyle" masz na myśli jedną, prawda? – mówię, odchylając głowę i pocierając nosem o jego szczękę.

Trent mruczy.

– Próbujesz mi zafundować erekcję na oczach rodziców?

Śmieję się, przewracam oczami i przenoszę spojrzenie na Cartera i Bonnie, z rozpromienionymi twarzami obserwujących nas z odległości. Podczas terapii zdałam sobie sprawę, że zakaz zbliżania się do mnie i do Livie spowodował, że nie mogli uzdrowić własnych stosunków rodzinnych. Po tym, jak zeszliśmy się z Trentem, napisałam do nich szczery list. Był to mój sposób na przeprosiny. Najpierw w moich drzwiach stanęła zalana łzami Bonnie, potem pojawił się Carter. Jedna rzecz pociągnęła za sobą drugą i oto stoją razem, znów jako rodzina.

Wiatr przynosi ze sobą miękki chichot Livie. Jest z Mią, która pokazuje jej komplet stałych zębów. Livie sprostała oczekiwaniom i zapracowała na pełne stypendium w Princeton, więc nie widujemy się za często. Jestem z niej bardzo dumna. Wiem, że tata też by był.

Jednak tęsknię za nią jak wariatka.

I myślę, że z kimś się spotyka, ale tego akurat nie jestem pewna. Niejasno wyraża się odnośnie tego, co dzieje się w Princeton, a to zwykle wróży mężczyznę. Mam nadzieję, że kogoś ma. Zasługuje na to, zasługuje na dużo więcej.

Patrzę na tłum przyjaznych twarzy. Wszyscy tu są. Cain i Nate – ubrani w garnitury i przystojni jak cholera. Tanner z kobietą, którą poznał w sieci. Nawet Ben pod rękę z blond seksbombą, prawniczką poznaną w firmie, do której niedawno dołączył. Przyłapuje mnie na gapieniu się i puszcza mi oko. Mimowolnie chichoczę. Och, Ben.

– Chcesz lecieć w przyszłym tygodniu do Vegas? – szeptem pyta Trent, przygryzając delikatnie płatek mojego ucha.

Śmieję się.

– Mam egzaminy, zapomniałeś?

Właśnie skończyłam pierwszy rok psychologii na uniwersytecie stanowym. Planuję specjalizować się w terapii zespołu stresu pourazowego. Już mam zabójcze referencje od sławnego i niekonwencjonalnego doktora Staynera.

– Szybka wycieczka. Do kaplicy i z powrotem.

– Ach tak? – Odchylam się i patrzę mu w oczy, by sprawdzić, czy żartuje. Nie widzę nic prócz miłości.

Palcami z czułością gładzi mój policzek.

– O tak.

Trent dotrzymał obietnicy. Rozwesela mnie każdego dnia.

PODZIĘKOWANIA

Pisałam tę książkę w huraganie ekscytacji i strachu. Wyszłam poza strefę komfortu, decydując się na gatunek, z którym nie miałam wcześniej żadnych pisarskich doświadczeń, i podążając w stronę swoich największych lęków. Właśnie tak powstała moja ulubiona historia. Nie mogłabym tego wszystkiego zrobić bez pomocy kilku niesamowitych ludzi.

Na początku chciałam podziękować moim pierwszym czytelniczkom: Heather Self i Kathryn Spell Grimes. To wy dałyście mi odwagę. Opisy scen seksu sprawiały, że kurczył mi się żołądek, a moja pewność siebie znikała, ale wy dwie przy pomocy głośnej zachęty sprawiłyście, iż uwierzyłam, że potrafię napisać książkę dla nieco starszej młodzieży.

Podziękowania dla moich niezależnych kolegów po fachu, szczególnie dla: Tiffany King, Amy Jones, Nancy Straight, Sarah Ross, C.A. Kunz, Elli James i Adriane Boyd, którzy skorzystali z okazji i przeczytali *Dziesięć płytkich oddechów*, zanim książka się ukazała. Ciężko znaleźć czas, by przeczytać wszystkie ukazujące się powieści niezależnych autorów, tym bardziej doceniam fakt, że zapoznaliście się z moją historią.

Dziękuję wszystkim wspaniałym blogerom, którzy wspierali mnie w karierze. Nie wymienię was z imienia, by nikogo nie pominąć, ponieważ gdyby tak się stało, musiałabym zagrzebać się w jakiejś dziurze i umrzeć (prawdziwa historia: w dniu ślubu zapomniałam podziękować fotografowi). Wiecie, że o was mówię, a nie mam miejsca, by wystarczająco dużo o was napisać. Jesteście NIESAMOWICI i doceniam, że podczas mojej podróży mam was (wirtualnie) przy sobie.

Dziękuję Kelly Simmons z Inkslinger PR za przeczytanie manuskryptu – ze wszystkimi błędami i w ogóle – oraz za dostrzeżenie zawartego w nim potencjału.

Dziękuję przyjaciołom i rodzinie za wspieranie mnie w karierze pisarskiej i za znoszenie mojego pustelniczego trybu życia.

Dziękuję mężowi za kradzież jedynego egzemplarza i zabranie go do Dallas. To naprawdę wiele stron do przeczytania.

Zawsze przerażały mnie historie prowadzenia samochodu pod wpływem alkoholu i skutków takiego postępowania. Teraz, gdy mam dzieci, nie potrafię opisać poziomu mojego strachu. Każdego dnia zostają stracone życia, przyszłości zmarnowane, a serca złamane, ponieważ ludzie nie potrafią podejmować prawidłowych decyzji. Jeżeli ta książka powstrzyma choćby jedną osobę przed wskoczeniem za kółko po wypiciu kilku drinków, to dokona czegoś monumentalnego.

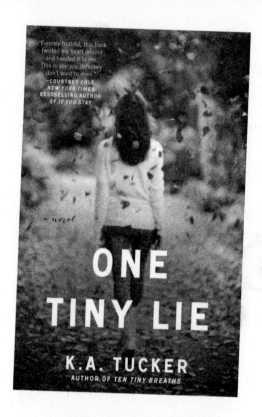

JEDNO DROBNE KŁAMSTWO

K.A.Tucker

DRUGI TOM W PRZYGOTOWANIU

Orfeusz zszedł do piekła po swoją Eurydykę.
Miłość Andrew i Camryn
także zmierzy się z ostatecznością.

NA KRAWĘDZI NIGDY
&
NA KRAWĘDZI ZAWSZE
J.A. REDMERSKI

NAJPIĘKNIEJSZA HISTORIA ROMANTYCZNA